TESS GERRITSEN

De ascendência chinesa, Tess Gerritsen cresceu nos EUA e formou-se em Medicina na Universidade da Califórnia. Após o nascimento dos filhos, começou a escrever ficção, e em 1987 publicou o seu primeiro romance.

Em 1996 publicou o seu primeiro *thriller* médico, *Harvest*, a que se seguiu *O Cirurgião* e *O Aprendiz*, entre outros, protagonizados pela detetive Jane Rizzoli.

Com o sucesso alcançado, a autora desistiu da carreira em Medicina e dedicou-se à escrita a tempo inteiro. A sua obra está traduzida em mais de 30 línguas e já vendeu mais de 20 milhões de exemplares em todo o mundo.

5/22-2

DUPLO CRIME

TESS GERRITSEN

DUPLO CRIME

Tradução de
MARIA EDUARDA CORREIA

Título original: *Body Double*
Autor: Tess Gerritsen
© Tess Gerritsen, 2004

Esta edição segue a grafia do Novo Acordo Ortográfico da Língua Portuguesa

Todos os direitos para a publicação desta obra reservados por
Bertrand Editora, Lda.
Rua Prof. Jorge da Silva Horta, 1
1500-499 Lisboa
Telefone: 21 762 60 00
Fax: 21 762 61 50
Correio eletrónico: 1117@bertrand.pt

Paginação: Fotocompográfica
Revisão: Cristina Vaz

Execução gráfica: Bloco Gráfico, Lda.
Unidade Industrial da Maia
Depósito legal n.º 335 131/11
Acabou de imprimir-se em janeiro de 2012

ISBN: 978-972-25-2386-8

Para Adam e Danielle

AGRADECIMENTOS

A escrita é um trabalho solitário, mas nenhum escritor trabalha verdadeiramente só. Tenho a felicidade de contar com a ajuda e apoio de Linda Marrow e Gina Centrello, da Ballantine Books, Meg Ruley, Jane Berkey e Don Cleary, e com a magnífica equipa da Jane Rotrosen Agency, Selina Walker, da Transworld e — o que é mais importante — do meu marido, Jacob. Os meus mais calorosos agradecimentos a todos.

PRÓLOGO

O tal rapaz estava outra vez a olhar para ela.

Alice Rose, de catorze anos, tentou concentrar-se nas dez perguntas da prova que tinha em cima da carteira, mas não tinha a mente no Inglês do primeiro nível, tinha-a em Elijah. Sentia o olhar do rapaz como um raio apontado ao seu rosto, sentia o seu calor na face e sabia que estava a corar.

Concentra-te, Alice!

A pergunta seguinte da prova saíra esborratada da máquina de fotocópias e teve de franzir os olhos para distinguir as palavras.

Charles Dickens escolhe frequentemente nomes que se coadunam com as características das suas personagens. Dê alguns exemplos e descreva por que motivo esses nomes se adaptam àquelas personagens específicas.

Alice mordiscou o lápis, tentando extrair uma resposta. Mas não conseguia pensar enquanto *ele* estivesse sentado na carteira ao lado, tão próximo que conseguia inalar o seu perfume a sabonete de pinho e fumo de lenha. Cheiros másculos. Dickens, Dickens, quem queria saber de Charles Dickens, de Nicholas Nickleby e do Inglês do primeiro nível quando o deslumbrante Elijah estava a olhar para ela? Meu Deus, ele era *tão* lindo, com o seu cabelo preto e os olhos azuis! Os olhos do Tony Curtis. Na primeiríssima vez em que vira Elijah fora o que pensara: que ele era igualzinho ao Tony Curtis, cujo belo rosto sorria das páginas das suas revistas preferidas, a *Modern Screen* e a *Photoplay*.

Curvou a cabeça e quando o cabelo lhe caiu sobre o rosto lançou um olhar furtivo e enviesado através da cortina de fios louros. O coração deu-lhe um pulo quando confirmou que ele estava de facto a olhar para ela e não daquele modo desdenhoso de todos os outros rapazes da escola, aqueles rapazes cruéis, que a faziam sentir-se lenta e estúpida. Cujos sussurros trocistas nunca se conseguiam ouvir, demasiado baixinho para perceber as palavras. Sabia que os sussurros eram acerca dela porque estavam sempre a fitá-la quando o faziam. Eram os mesmos rapazes que haviam colado a foto de uma vaca no seu cacifo e que mugiam quando ela roçava neles acidentalmente no corredor. Mas Elijah... estava a olhar para ela de uma maneira totalmente diferente. Com olhos ardentes. Olhos de estrela de cinema.

Ergueu lentamente a cabeça e retribuiu-lhe o olhar, desta vez já não através do véu de cabelo, mas em franco reconhecimento do seu olhar. O rapaz já completara e voltara a prova ao contrário e pousara o lápis. Concentrava nela toda a atenção e ela mal conseguia respirar sob o feitiço do seu olhar.

Ele gosta de mim. Eu sei. Ele gosta de mim.

Levou a mão à garganta, ao primeiro botão da blusa. Tocou com os dedos na pele, deixando um rasto de calor. Pensou no olhar derretido de Tony Curtis para Lana Turner, um olhar que fazia as raparigas ficarem com a língua presa e as pernas bambas. O olhar que surgia mesmo antes do inevitável beijo. É quando os filmes ficam sempre desfocados. Porque tinha isso de acontecer? Porque ficava sempre tão enevoado precisamente na parte que mais se queria ver...

— Acabou o tempo, meninos! Façam o favor de devolver as provas.

A atenção de Alice voltou à carteira e à prova fotocopiada, com metade das perguntas ainda por responder. Oh, não! Que acontecera com o tempo? Ela *sabia* aquelas perguntas. Só precisava de mais alguns minutos...

— Alice. Alice!

Ergueu a cabeça e viu a senhora Meriweather de mão estendida.

— Não me ouviste? São horas de entregar a prova.

— Mas eu...

— Nada de desculpas. Tens de começar a *ouvir*, Alice.

A senhora Meriweather arrancou-lhe a folha da prova e continuou a percorrer a coxia. Apesar de Alice mal conseguir ouvir os murmúrios, sabia que as raparigas que se encontravam atrás estavam a falar dela. Voltou-se e viu que tinham as cabeças juntas e as mãos a cobrirem a boca para abafarem os risinhos. *Alice sabe ler os lábios, por isso não a deixem ver que estamos a falar dela.*

Agora, também alguns dos rapazes se riam e apontavam para ela. Qual era a graça?

Alice olhou para baixo. Para seu horror, viu que o botão de cima da blusa se soltara e que a blusa estava agora toda aberta.

O sino da escola tocou, anunciando a saída.

Alice agarrou no saco dos livros, apertou-o contra o peito e saiu a correr da sala. Não se atrevia a olhar ninguém nos olhos, limitou-se a andar, de cabeça baixa e soluços a formarem-se-lhe na garganta. Meteu-se nos lavabos e fechou-se num dos cubículos. Quando as outras raparigas entraram e ficaram a rir-se, enfeitando-se diante dos espelhos, Alice deixou-se ficar escondida atrás da porta fechada à chave. Sentia os diferentes perfumes das outras, sentia a corrente de ar de cada vez que a porta se abria. Aquelas raparigas louras, com os seus conjuntos de malha novinhos em folha. Nunca perdiam botões; nunca vinham para a escola com saias curtas de mais e sapatos com solas de cartão.

Vão-se embora. Por favor, vão-se todas embora.

Por fim, o ruído provocado pela porta a abrir-se parou.

Encostada à porta do cubículo, Alice apurou o ouvido para saber se ainda ali estava alguém. Espreitando por uma frincha, não viu ninguém diante do espelho. Só então se esgueirou da casa de banho.

O corredor estava igualmente deserto, toda a gente desandara por aquele dia. Não havia ninguém para a atormentar. Com os ombros encurvados numa posição de autoproteção, percorreu o longo corredor com os seus cacifos amolgados e cartazes na parede a anunciarem o baile do Dia das Bruxas daí a duas semanas. Baile a que ela certamente não iria. A humilhação do baile da semana anterior ainda a aguilhoava e provavelmente doer-lhe-ia para sempre. Ficara duas horas sozinha, de pé, encostada à parede, à espera, na esperança de que algum rapaz a convidasse para a pista. Quando um rapaz finalmente se aproximara dela não fora para dançar. Em vez disso, de repente, dobrou-se

14

e vomitou-lhe em cima dos sapatos. Não havia mais bailes para ela. Estava apenas há dois meses nesta cidade e já desejava que a mãe fizesse as malas e se mudassem de novo, levando-as para outro lugar onde pudessem recomeçar. Onde as coisas fossem finalmente diferentes.

Só que nunca eram.

Saiu da escola pela porta principal para o sol outonal. Inclinada para a bicicleta, estava tão concentrada a abrir o cadeado que não ouviu os passos. Só quando a sombra dele lhe caiu sobre o rosto é que percebeu que Elijah estava a seu lado.

— Olá, Alice.

Alice deu um salto e fez cair a bicicleta. Credo, era uma idiota! Como podia ser tão desastrada?

— A prova foi difícil, não foi? — Ele falava lenta e distintamente. Era outra coisa de que gostava em Elijah. Ao contrário dos outros rapazes, tinha uma voz sempre nítida, nunca era abafada. E deixava que ela lhe visse sempre os lábios. «Sabe o meu segredo», pensou ela. «Apesar disso, continua a querer ser meu amigo.»

— Então, acabaste as perguntas todas? — perguntou ele.

Alice curvou-se para apanhar a bicicleta.

— Sabia as respostas. Só precisava de mais tempo. — Ao endireitar-se, viu que o olhar dele se voltara para a blusa. Para a abertura deixada pelo botão que faltava. Corando, Alice cruzou os braços.

— Tenho um alfinete de ama — disse ele.

— Como?

Elijah meteu a mão no bolso e retirou um alfinete.

— Também ando sempre a perder botões. É bastante aborrecido. Aqui está, deixa-me prender-to.

Alice susteve a respiração quando ele estendeu a mão para a blusa. Mal conseguia controlar o tremor quando ele meteu os dedos sob o tecido para fechar o alfinete. *Sentirá o meu coração aos pulos?*, perguntou-se ela. *Saberá que só de me tocar me deixa tonta?*

Quando ele recuou, ela soltou o ar. Olhou para baixo e viu que a abertura estava agora decorosamente fechada com o alfinete.

— Melhor? — perguntou ele.

— Oh, sim!

Fez uma pausa para se recompor e disse com régia dignidade:

— Obrigada, Elijah. Foste muito atencioso.

Passaram-se uns momentos. Ouviam-se corvos crocitar; as folhas outonais eram como chamas brilhantes que submergiam os ramos por cima deles.

— Achas que podes ajudar-me numa coisa, Alice? — perguntou Elijah.

— Em quê?

Oh, que resposta mais estúpida! Devias ter dito simplesmente que sim. Por ti, Elijah Lank, faço o que for preciso.

— É por causa do projeto que estou a fazer para Biologia. Preciso de um colega que me ajude e não sei a quem mais hei de pedir.

— Que género de projeto?

— Logo te mostro. Temos de ir a minha casa.

A casa dele. Alice nunca estivera em casa de nenhum rapaz.

Assentiu com a cabeça.

— Deixa-me largar os livros em casa.

Elijah baixou a sua bicicleta do descanso. Estava quase tão estragada quanto a dela, os guarda-lamas começavam a enferrujar e o vinil do selim estava a descascar-se. A bicicleta velha fez com que ela gostasse ainda mais dele. *Somos um verdadeiro casal*, pensou. *Tony Curtis e eu*.

Foram primeiro a casa dela, que não o convidou a entrar, tinha demasiada vergonha de deixar que ele visse a mobília em mau estado e a tinta a soltar-se das paredes. Entrou a correr, atirou a mochila dos livros para cima da mesa da cozinha e saiu a correr.

Infelizmente, *Buddy*, o cão do irmão, fez o mesmo. Precisamente quando ela saía pela porta da frente, o cão precipitou-se para a rua como uma bola de pelo preto e branco.

— *Buddy!* — gritou Alice. — Volta aqui!

— Não ouve muito bem, pois não? — gracejou Elijah.

— É um cão muito estúpido. *Buddy!*

O tonto olhou para trás, abanando a cauda, e depois, a trote, desceu a rua.

— Oh, deixa lá — disse ela. — Ele volta para casa quando quiser. — Subiu para a bicicleta. — Então, onde vives?

— Ao cimo da Skyline Road. Já foste lá acima?

— Não.

— É uma subida grande pela colina. Achas que consegues?

Alice acenou com a cabeça. *Por ti, consigo tudo*.

Pedalaram e afastaram-se de casa. Alice desejava que ele virasse para a rua principal, passando pelo café onde os rapazes paravam sempre depois da escola a ouvir música na máquina eletrónica e a bebericar gasosas. *Hão de ver-nos a andar juntos de bicicleta*, pensava Alice, *e isso porá em movimento as línguas das raparigas. Vai ali Alice e Elijah-dos-olhos-azuis*.

Mas Elijah não a conduziu para a rua principal. Em vez disso, virou para a Locust Lane, onde praticamente não havia casas, só as traseiras de algumas firmas e o parque de estacionamento dos empregados da Neptune's Bounty Cannery. Tudo bem. Ela ia de bicicleta com ele, não ia? Atrás dele o suficiente para lhe ver as nádegas a moverem--se e o traseiro empoleirado no selim.

Elijah voltou a cabeça para trás, para olhar para ela e o cabelo preto dançou-lhe ao vento.

— Tudo bem contigo, Alice?

— Tudo bem. — Embora a verdade fosse que estava a ficar sem fôlego porque tinham saído da povoação e começavam a subir a montanha. Elijah devia subir diariamente a Skyline de bicicleta e por isso devia estar habituado; tinha a respiração só um pouco mais acelerada e movia as pernas como pistões poderosos. Mas Alice estava ofegante, esforçando-se por avançar. Viu de relance um relâmpago de pelo. Olhou de esguelha e viu que *Buddy* os seguira. Parecia cansado, também, e corria de língua de fora para os acompanhar.

— Vai para casa!

— Que disseste? — Elijah olhou-a de relance.

— É outra vez o estúpido do cão — disse, ofegante. — Não desiste de nos seguir. Vai-se... vai-se perder.

Olhou para *Buddy,* mas este continuou a trotar a seu lado no seu modo animado e apatetado de cão. *Bem, continua*, pensou Alice. *Cansa-te até mais não. Não quero saber.*

Continuaram a subir a montanha pela estrada que serpenteava suavemente. Através das árvores, Alice apanhava de vez em quando, de relance, algumas vistas de Fox Harbor muito em baixo. Sob o sol da tarde, a água parecia cobre martelado. Depois, as árvores tornaram-se demasiado densas e Alice só conseguia ver a floresta, vestida de vermelhos e laranjas vivos. A estrada atapetada de folhas descrevia uma curva à frente deles.

Quando Elijah finalmente parou, Alice sentia as pernas tão cansadas que mal conseguia estar de pé sem tremer. Não se via *Buddy* em lado nenhum. Alice esperava que o animal conseguisse encontrar o caminho de casa, porque não sabia se iria à procura dele. Agora não, com Elijah ali, a sorrir-lhe, de olhos cintilantes. Elijah encostou a bicicleta a uma árvore e atirou a mochila sobre um ombro.

— Então, onde é a tua casa? — perguntou Alice.

— É por aquele caminho ali. — Apontou para a estrada e para uma caixa de correio que enferrujava presa a um poste.

— Não vais para tua casa?

— Não, a minha prima hoje está maldisposta. Vomitou toda a noite e por isso o melhor é não irmos para casa. De qualquer modo, o meu projeto é cá fora, na floresta. Deixa ficar a bicicleta. Vamos ter de andar a pé.

Alice empurrou a bicicleta para junto da dele e seguiu-o com as pernas ainda trémulas devido à subida da montanha. Meteram pelo bosque. Ali, o arvoredo era denso e o solo estava coberto de um espesso tapete de folhas. Alice seguiu-o corajosamente, afastando os mosquitos com as mãos.

— Então, a tua prima vive convosco? — perguntou.

— Sim, veio viver connosco o ano passado. Acho que agora já vive permanentemente. Não tem para onde ir.

— Os teus pais não se importam?

— Só tenho pai. A minha mãe morreu.

— Oh! — Não sabia que dizer sobre aquilo. Por fim, murmurou um simples «sinto muito», mas ele aparentemente não a ouviu.

A vegetação rasteira tornou-se mais espessa e os gravetos arranhavam as pernas nuas de Alice. Tinha dificuldade em acompanhá-lo. Elijah avançava à sua frente, deixando-a para trás, com a saia presa nas hastes das amoreiras silvestres.

— Elijah!

O rapaz não respondeu. Continuou simplesmente a avançar como um explorador destemido, com a mochila a balouçar-lhe ao ombro.

— Espera!

— Queres ou não ver isto?

— Quero, mas...

— Então, *vem*. — A voz de Elijah adquirira um tom impaciente, o que a espantou. Estava uns metros à sua frente e olhava para trás, e Alice notou que tinha os punhos cerrados.

— Pronto — respondeu com docilidade —, já vou.

Uns metros depois, o bosque abriu-se de repente numa clareira. Alice viu uns alicerces de pedra antigos, que era tudo o que restava de uma quinta há muito desaparecida. Elijah olhou para ela de relance. A luz da tarde sarapintava-lhe o rosto.

— É aqui — disse ele.

— Que é?

Elijah curvou-se e afastou duas tábuas, revelando um buraco profundo.

— Dá uma olhadela — disse ele. — Levei três semanas a cavar isto.

Lentamente, Alice aproximou-se do poço e olhou lá para dentro. A luz da tarde baixava devagar atrás das árvores e o fundo do poço estava na sombra. Alice conseguiu distinguir uma camada de folhas mortas que se haviam acumulado no fundo. Ao lado, enrolada, encontrava-se uma corda.

— É uma armadilha para ursos ou coisa parecida?

— Podia ser. Se eu pusesse alguns ramos por cima para esconder a abertura, podia apanhar uma quantidade de coisas. Até um veado. — Apontou para o buraco. — Olha, consegues ver?

Alice inclinou-se mais. Algo brilhava debilmente nas sombras, pequenas lascas brancas que espreitavam entre as folhas dispersas.

— Que é aquilo?

— É o meu projeto. — Agarrou na corda e puxou.

No fundo do poço, as folhas a moverem-se soaram como água a ferver. Alice viu a corda esticar quando Elijah içou algo das sombras. Um cesto. Retirou-o do buraco e pousou-o no chão. Afastando as folhas, revelou o que parecera tão branco no fundo do poço.

Era um pequeno crânio.

Conforme ele tirava as folhas, Alice viu pedacinhos de pelo preto e costelas longas. A fiada de nós de uma coluna vertebral. Ossos de pernas delicados como gravetos.

— Não é um espanto? Já nem sequer cheira mal — disse ele. — Está lá em baixo já vai para sete meses. Da última vez que vim ver, ainda havia alguma carne. Como até isso desaparece por completo! Começou a apodrecer realmente depressa depois que o tempo aqueceu, em maio passado.

— Que é isso?

— Não sabes?

— Não.

Pegando no crânio, Elijah retorceu-o um pouco e separou-o da coluna vertebral. Alice cambaleou quando ele lho atirou.

— Não! — gritou ela.

— Miau!

— Elijah!

— Bem, tu é que perguntaste o que era.

Alice fitava as órbitas vazias.

— É um gato?

Elijah tirou um saco de compras da mochila e começou a guardar os ossos.

— Que vais fazer com o esqueleto?

— É para o meu projeto científico. De gatinho a esqueleto em sete meses.

— Onde arranjaste o gato?

— Encontrei-o.

— *Encontraste* um gato morto?

Elijah olhou para ela. Os olhos azuis sorriam. Mas já não eram os olhos de Tony Curtis, aqueles olhos assustavam-na.

— Quem disse que ele estava morto?

Subitamente, sentiu o coração aos pulos. Deu um passo atrás.

— Sabes, acho que agora tenho de voltar para casa.

— Porquê?

— Trabalhos de casa. Tenho trabalhos de casa.

Elijah estava agora de pé, endireitara-se sem esforço. O sorriso desaparecera e fora substituído por uma expressão de calma expectativa.

— Eu... vejo-te na escola — disse ela. Recuou, olhou de relance para a esquerda e para a direita na direção das árvores, que pareciam iguais para onde quer que se olhasse. De onde tinham eles vindo? Que caminho teria ela agora de tomar?

— Mas acabaste de chegar, Alice — disse ele. Tinha qualquer coisa na mão. Só quando a ergueu acima da cabeça é que ela viu o que era.

Uma pedra.

A pancada fê-la cair de joelhos. Agachou-se no chão, com a visão escurecida e as pernas bambas. Não sentiu dor, apenas uma incredulidade estúpida por ele lhe ter batido. Começou a rastejar, mas não via por onde ia. Depois, Elijah agarrou-a pelos tornozelos e puxou-a para trás. Alice arranhou o rosto contra o chão quando ele a arrastou pelos pés. Tentou libertar-se com um pontapé, tentou gritar, mas ficou com a boca cheia de terra e gravetos quando ele a puxou na direção do poço. Quando os pés lhe tombaram pela borda, agarrou-se a um rebento, a espernear no buraco.

— Deixa-te cair, Alice — disse ele.

— Puxa-me! Puxa-me!

— Eu disse deixa-te *cair*. — Pegou numa pedra e bateu-lhe na mão com ela.

Alice gemeu e abriu os dedos. Caiu de pés para dentro do buraco e aterrou num leito de folhas mortas.

— Alice. Alice.

Atordoada pela queda, Alice olhou para o círculo de céu por cima dela e viu a silhueta da cabeça dele, inclinado para a frente, tentando avistá-la.

— Porque estás a fazer isto? — soluçou Alice. — *Porquê?*

— Não é nada pessoal. Só quero ver quanto tempo leva. Sete meses para um gatinho. Quanto tempo achas que será preciso para ti?

— Não podes fazer-me isto!

— Adeus, Alice.

— Elijah! *Elijah!*

As tábuas deslizaram sobre a abertura e eclipsaram o círculo de luz. O seu último relance de céu desapareceu. *Isto não é real*, pensava Alice. *É uma brincadeira. Só está a tentar assustar-me. Deixa-me aqui por uns minutos e depois volta para me tirar. É claro que volta.*

Depois, ouviu o ruído surdo de algo a cair sobre a cobertura do poço. Pedras. *Ele está a empilhar pedras por cima.*

Ergueu-se e tentou trepar para fora do buraco. Encontrou um liame seco que se desintegrou imediatamente nas suas mãos. Enterrou as mãos na terra, mas não encontrou nada a que se agarrar. Não conseguia subir uns centímetros sem deslizar para trás. Os seus gritos perfuraram a escuridão.

— Elijah! — gritou em tom agudo.

A única resposta foi o som surdo das pedras a caírem sobre as tábuas.

CAPÍTULO

1

Pesez le matin que vous n'irez peut-être pas jusqu'au soir,
Et au soir que vous n'irez peut-être pas jusqu'au matin.
[Tende consciência todas as manhãs que podeis não durar
até à noite,
e todas as noites que talvez não dureis até de manhã.]

INSCRIÇÃO GRAVADA NUMA PLACA DAS CATACUMBAS DE PARIS

Uma fila de crânios brilhava no cimo de uma parede de
fémures e tíbias intricadamente empilhados. Embora se estivesse em junho — e soubesse que o sol brilhava nas ruas
de Paris cerca de dois metros acima dela —, Maura Isles
sentia-se gelada ao percorrer o corredor sombrio, cujas
paredes estavam revestidas de restos humanos até ao teto.
Estava familiarizada, tinha até uma certa intimidade com
a morte, e defrontara o seu rosto inúmeras vezes na mesa
de autópsias, mas sentia-se atordoada com a escala daquela
exibição, pelo grande número de ossos armazenados naquela rede de túneis sob a Cidade Luz. O percurso de um
quilómetro levou-a, apenas, através de uma pequena secção
das catacumbas. Inacessíveis aos turistas, havia inúmeros
túneis laterais e câmaras cheias de ossadas, cujas bocas escuras se abriam sedutoramente por detrás de portões afer-
rolhados. Estavam ali os restos mortais de seis milhões de

parisienses, que outrora haviam sentido o sol no rosto, que haviam experimentado fome e sede, que tinham amado, que haviam sentido bater o coração no próprio peito e o fluxo do ar a entrar e a sair-lhes dos pulmões. Nunca poderiam imaginar que, um dia, os seus ossos seriam desenterrados do cemitério onde repousavam e removidos para aquele soturno ossário debaixo da cidade.

Que um dia estariam em exposição perante turistas boquiabertos de espanto.

Um século e meio antes, a fim de se arranjar espaço para o fluxo constante de mortos para os cemitérios sobrepovoados de Paris, os ossos haviam sido desenterrados e levados para a vasta colmeia de antigas pedreiras de calcário que jazem muito abaixo da cidade. Os operários que transladaram os ossos não os empilharam de forma descuidada e realizaram a sua tarefa macabra com gosto, dispondo-os meticulosamente de modo a formarem desenhos extravagantes. Como pedreiros espalhafatosos, construíram paredes altas decoradas com camadas alternadas de crânios e tíbias, transformando numa afirmação de arte o que seria simples decadência. Também penduraram placas gravadas com citações sinistras, que recordavam a todos os que percorriam aqueles corredores que a Morte não poupa ninguém.

Uma das placas prendeu o olhar de Maura, que parou no meio do fluxo de turistas para a ler. Enquanto lutava por traduzir as palavras servindo-se do seu fraco francês liceal, ouviu o som incongruente de risos de criança a ecoarem nos corredores soturnos e o tom metálico do sotaque de um texano que murmurava para a mulher: «Acreditas que este lugar existe, Sherry? Isto dá-me uns arrepios danados...»

O casal do Texas avançou e as suas vozes extinguiram-se. Silêncio. Por momentos, Maura ficou sozinha na câmara, respirando o pó de séculos. Sob o brilho débil da luz do túnel, o bolor florescera sobre uma pilha de crânios e revestira-os de uma pátina esverdeada. Um único buraco de bala abria-se na testa de um crânio, como se fosse um terceiro olho.

Sei como morreste.

O frio do túnel introduzira-se-lhe nos próprios ossos, mas Maura não se mexeu, decidida a traduzir a placa e a dominar o horror empenhando-se num quebra-cabeças intelectual inútil. «Vamos lá, Maura. Três anos de francês no liceu e não consegues perceber isto?» Tratava-se agora de um desafio pessoal e todos os pensamentos sobre a morte foram afastados. Depois, as palavras assumiram um significado e Maura sentiu que o sangue se lhe enregelava...

Feliz o que encara sempre a hora da sua morte
E se prepara diariamente para o fim.

Subitamente, reparou no silêncio. Nem vozes, nem o eco dos passos. Voltou-se e saiu da câmara fúnebre. Como se deixara ficar tão para trás dos outros turistas? Estava sozinha naquele túnel, sozinha com os mortos. Pensou numa falha inesperada da energia elétrica e teve medo de tomar o caminho errado na escuridão de breu. Ouvira falar do caso de trabalhadores de Paris que, um século atrás, se tinham perdido nas catacumbas e morrido de fome. Apressou o passo, tentando apanhar os outros, juntar-se à companhia dos vivos. Sentia a Morte a empurrá-la demasiado de perto naqueles túneis. Os crânios parecia retribuírem-lhe o olhar com ressentimento, num coro de seis milhões, escarnecendo dela pela sua curiosidade macabra.

Outrora estávamos tão vivos quanto tu. Pensas que consegues escapar ao futuro que aqui vês?

Quando finalmente emergiu das catacumbas e avançou para o sol na Rue Remy Dumoncel, respirou fundo várias vezes seguidas. Pela primeira vez, sentiu-se grata pelo barulho do trânsito e os empurrões da multidão, como se lhe tivessem acabado de conceder uma segunda oportunidade na vida. As cores pareciam mais vivas e os rostos mais simpáticos. *É o meu último dia em Paris*, pensou, *e só agora aprecio realmente a beleza desta cidade.* Passara a maior parte da semana anterior presa em salas de reunião, assistindo à Conferência Internacional de Patologia Legal. Tivera muito poucas oportunidades de visitar a cidade e mesmo as excursões organizadas pelos promotores da conferência estavam relacionadas com a morte e a doença: o museu de medicina e o antigo teatro cirúrgico.

As catacumbas.

De todas as lembranças que levava de Paris, era irónico que a mais vívida fosse a de restos mortais humanos. *Não é saudável*, pensou Maura, saboreando uma última chávena de café expresso e uma tarte de morango. *Dentro de dois dias, estarei de volta à minha sala de autópsias, rodeada de aço inoxidável e privada da luz do sol. Respirando apenas o ar frio, filtrado pelos respiradouros. O dia de hoje parecerá uma lembrança do paraíso.*

Demorou-se, registando aquelas recordações. O aroma do café, o sabor dos bolos amanteigados. Os elegantes homens de negócios com os telemóveis encostados aos ouvidos, os nós intricados dos lenços que esvoaçavam em volta do pescoço das mulheres. Alimentava a fantasia que decerto bailava na mente de cada americano que visitava Paris: *E se perdesse o avião? E se me deixasse ficar por aqui, neste café, nesta cidade gloriosa, pelo resto da minha vida?*

Mas, no fim, levantou-se da mesa e fez sinal a um táxi para a levar ao aeroporto. No fim, afastou-se da fantasia, de Paris, mas apenas porque prometera a si mesma que voltaria um dia. Só não sabia quando.

O voo de regresso atrasou-se três horas. *Três horas que podia ter passado a caminhar à beira do Sena*, pensou ela, sentada, de mau humor, no Charles de Gaulle. Três horas em que podia ter passeado pelo Marais ou vagueado por Les Halles. Em vez disso, estava encurralada num aeroporto tão apinhado de viajantes que não conseguia arranjar um lugar para se sentar. Quando finalmente embarcou no jato da Air France, estava cansada e muito indisposta. Bastou-lhe um copo de vinho com a refeição servida a bordo para mergulhar num sono profundo e sem sonhos.

Só quando o avião começou a descer para Boston é que acordou. Doía-lhe a cabeça e o sol poente batia-lhe nos olhos. A dor de cabeça tornou-se mais intensa enquanto esperava pela bagagem, vendo mala após mala, nenhuma a sua, deslizar pela rampa. Transformou-se num martelar incessante quando mais tarde esperava numa fila para preencher a reclamação da bagagem em falta. Quando finalmente se meteu num táxi apenas com a mala de mão, a noite já caíra e não queria mais nada senão um banho quente e uma boa dose de *Advil.* Afundou-se no táxi e mais uma vez deslizou para o sono.

A travagem súbita do veículo acordou-a.

— Que se passa aqui? — ouviu o motorista dizer.

Espreguiçando-se, e com a visão ainda imprecisa, olhou para as luzes azuis relampejantes. Levou uns instantes a perceber aquilo para que estava a olhar. Depois, compreendeu que tinham virado para a rua onde vivia e endireitou-se, imediatamente alerta, alarmada com o que viu. Quatro carros da polícia estavam lá estacionados e as luzes do tejadilho perfuravam a escuridão.

— Dá a impressão de que está a acontecer uma emergência qualquer — disse o motorista. — É a sua rua, não é?

— E ali é precisamente a minha casa. A meio do quarteirão.

— Onde estão todos aqueles carros da polícia? Não me parece que nos deixem passar.

Como que a confirmar as palavras do motorista do táxi, um agente aproximou-se e fez-lhes sinal para darem meia-volta.

O taxista meteu a cabeça fora da janela.

— Tenho de largar aqui um passageiro. A senhora vive nesta rua.

— Desculpe, amigo. Todo este quarteirão está vedado.

Maura inclinou-se para a frente e disse ao taxista:

— Ouça, saio mesmo aqui. — Estendeu-lhe o dinheiro da corrida, agarrou na maleta e desceu do táxi. Apenas momentos antes, sentira-se amodorrada e tonta, mas, agora, a quente noite de junho parecia eletrizada de tensão. Começou a percorrer o passeio com uma crescente sensação de ansiedade à medida que se aproximava do ajuntamento de espectadores, uma vez que viu que todos os veículos oficiais estavam estacionados em frente da sua casa. Acontecera alguma coisa a algum dos seus vizinhos? Um leque de possibilidades terríveis atravessou-lhe a mente. Suicídio. Homicídio. Pensou no senhor Telushkin, o engenheiro de robótica, solteiro, que vivia na porta ao lado. Não teria um ar especialmente melancólico da última vez que o vira? Pensou também em Lily e Susan, suas vizinhas do outro lado, duas advogadas lésbicas cujo ativismo pelos direitos dos homossexuais as transformava em alvos de perfil proeminente. Depois, descobriu Lily e Susan na periferia do ajuntamento, ambas perfeitamente vivas, e a sua preocupação voou para o senhor Telushkin, que não viu entre os espectadores.

Lily olhou para o lado e viu que Maura se aproximava. Não lhe acenou, fitou-a simplesmente, sem palavras, e deu a Susan uma boa cotovelada. Susan voltou-se para olhar para Maura e deixou descair o queixo. Agora, outros vizinhos voltavam-se também e fitavam-na igualmente com uma expressão de espanto no rosto.

Porque estarão a olhar para mim?, perguntava-se Maura. *Que fiz?*

— *Doutora Isles?* — Um agente da cidade-satélite de Brookline parou boquiaberto diante dela. — É... é a senhora, não é? — perguntou.

Bem, era uma pergunta estúpida, pensou ela.

— É a minha casa. Ali. Que se passa, senhor agente?

O polícia soltou um profundo sopro.

— Hum... Acho que é melhor vir comigo.

Agarrou-a pelo braço e conduziu-a pelo meio da multidão. Os vizinhos abriram alas solenemente perante ela, como se dessem espaço a um condenado. O silêncio era fantasmagórico. Chegaram a uma barreira de fita policial amarela, esticada entre varetas, várias espetadas no jardim da frente do senhor Telushkin. *Tem orgulho no seu relvado e não vai ficar nada satisfeito com isto*, foi o seu pensamento imediato e completamente tolo. O polícia levantou a fita e Maura curvou-se e passou por baixo, entrando naquilo que, como agora percebia, era o local de um crime.

Sabia que se tratava do local de um crime porque descobriu uma figura familiar de pé no centro. Mesmo do outro lado do relvado, Maura reconheceu a detetive Jane Rizzoli, dos Homicídios. Grávida de oito meses, a pequena Rizzoli parecia uma pera madura de fato. A sua presença era mais um pormenor desnorteante. Que estava uma detetive de Boston a fazer ali em Brookline, fora da sua jurisdição habitual? Rizzoli não viu Maura aproximar-se; tinha os olhos fixos num carro estacionado na curva em frente à casa do senhor Telushkin. Abanava a cabeça, nitidamente incomodada, com os caracóis escuros soltos no seu habitual desalinho.

Foi o parceiro de Rizzoli, o detetive Barry Frost, quem primeiro viu Maura. Olhou para ela, desviou os olhos, e, depois, olhou subitamente uma segunda vez, com o rosto pálido voltado para a ver de frente. Sem palavras, acotovelou o braço da parceira.

Rizzoli ficou absolutamente imóvel. Os lampejos das luzes azuis do veículo da polícia iluminavam-lhe a expressão de incredulidade. Começou a andar, como se estivesse em transe, na direção de Maura.

— Doutora? — disse Rizzoli suavemente. — É a senhora?

— Quem mais poderia ser? Porque é que toda a gente me pergunta isso? Porque é que olham para mim como se eu fosse um fantasma?

— Porque... — Rizzoli calou-se. Deu uma sacudidela de cabeça, agitando os caracóis desalinhados. — Santo Deus... Por momentos, pensei que você *fosse* um fantasma.

— Quê?

Rizzoli voltou-se e chamou:

— Padre Brophy?

Maura não vira o sacerdote que se mantinha de pé, isolado, na periferia. Emergia agora das sombras, vendo-se o colarinho como um cinto branco em volta do pescoço. O rosto geralmente atraente tinha uma expressão lúgubre, como se estivesse em choque. *Porque estará Daniel aqui?* Os sacerdotes geralmente não eram chamados ao local do crime, exceto se a família da vítima requeresse a sua assistência. O vizinho, o senhor Telushkin, não era católico, era judeu. Não tinha motivos para chamar um padre.

— Poderia levá-la para casa, por favor, senhor padre? — pediu Rizzoli.

Maura perguntou:

— Alguém me diz o que está a passar-se?

— Entre, doutora. Por favor. Explicamos depois.

Maura sentiu o braço de Brophy deslizar-lhe em torno da cintura e a maneira firme como a agarrou comunicou-lhe que aquele não era o momento de resistir. Que devia simplesmente obedecer ao pedido da detetive. Permitiu que ele a conduzisse até à porta da frente e registou o frémito secreto provocado pelo contacto íntimo entre ambos e o calor do corpo dele encostado ao seu. Estava tão consciente da sua presença a seu lado que tinha as mãos desajeitadas ao meter a chave na fechadura da porta. Embora fossem amigos havia meses, Maura nunca convidara Daniel Brophy para sua casa e a sua presente reação recordava-lhe por que motivo mantivera tão cuidadosamente a distância entre ambos. Entraram para uma sala onde os candeeiros já estavam acesos, ligados por temporizadores automáticos. Maura parou por um momento junto do sofá, insegura quanto ao que fazer a seguir.

Foi o padre Brophy quem se encarregou de dar as ordens.

— Sente-se — disse ele, apontando para o sofá. — Vou arranjar-lhe qualquer coisa para beber.

— O senhor é hóspede em minha casa. Eu é que devia oferecer-lhe uma bebida — replicou ela.

— Nas atuais circunstâncias, não.

— Nem sequer sei que circunstâncias são essas.

— A detetive Rizzoli explica-lhe. — Saiu da sala e voltou com um copo de água, não exatamente a sua bebida de eleição naquele momento, mas também não lhe pareceu apropriado pedir a um padre que fosse buscar a garrafa de vodca. Bebericou a água, sentindo-se pouco à vontade sob o olhar dele. O padre afundou-se numa poltrona ao lado dela, observando-a como se receasse que ela pudesse desaparecer.

Por fim, Maura ouviu Rizzoli e Frost entrarem em casa, ouviu-os segredar no vestíbulo a uma terceira pessoa, uma voz que Maura não reconheceu. *Segredos*, pensou. *Porque será que toda a gente guarda segredos de mim? Que será que eles não querem que eu saiba?*

Ergueu o olhar quando os dois detetives entraram na sala. Com eles vinha um indivíduo que se apresentou como sendo de Brookline, detetive Eckert, nome que ela provavelmente esqueceria daí a cinco minutos. A sua atenção concentrava-se por inteiro em Rizzoli, com quem já trabalhara antes. Era uma mulher de quem ela gostava e a quem ao mesmo tempo respeitava.

Todos os detetives se sentaram, Rizzoli e Frost de frente para Maura, do outro lado da mesinha de centro. Sentia-se em desvantagem, quatro para uma, todos os olhos fixos nela. Frost puxou do bloco de notas e de uma caneta. Por que razão tomaria notas? Por que razão isto se parecia com o início de um interrogatório?

— Como está, doutora? — perguntou Rizzoli numa voz suavizada pela preocupação.

Maura riu-se perante a pergunta corriqueira.

— Estaria muito melhor se soubesse o que se passa.

— Posso perguntar-lhe onde esteve esta noite?

— Acabei de chegar do aeroporto.

— Porque estava no aeroporto?

— Vim de Paris. Do Charles de Gaulle. Foi um voo longo e não estou com disposição para responder a uma série de perguntas.

— Quanto tempo esteve em Paris?

— Uma semana. Parti na quarta-feira passada. — Maura pensou detetar uma nota de irritação nas perguntas bruscas de Rizzoli e a sua própria irritação começava a transformar-se em raiva. — Se não acredita em mim, pode perguntar à minha secretária, Louise. Foi ela quem reservou a minha passagem. Fui a uma reunião...

— À Conferência Internacional de Patologia Legal. Correto?

Maura foi apanhada de surpresa.

— Já sabia?

— Louise disse-nos.

Andaram a fazer perguntas sobre mim. Ainda antes de eu voltar, estiveram a falar com a minha secretária.

— Ela disse-nos que estava previsto o seu avião aterrar às cinco da tarde em Logan — acrescentou Rizzoli. — Já são quase dez horas. Onde esteve?

— Atrasámo-nos na partida do Charles de Gaulle. Qualquer coisa acerca de inspeções de segurança suplementares. As companhias aéreas andam tão paranoicas que tivemos muita sorte em descolar três horas depois.

— Portanto, o seu voo estava atrasado três horas.

— Acabei de dizer-lhe isso.

— A que horas aterrou?

— Não sei. Cerca das oito e meia.

— Precisou de uma hora e meia para vir de Logan a casa?

— A minha mala não apareceu. Tive de preencher um impresso de reclamação da Air France. — Maura parou, subitamente farta. — Escute, que diabo!, que é isto? Antes de responder a mais perguntas, tenho o direito de saber. Estão a acusar-me de alguma coisa?

— Não, doutora. Não estamos a acusá-la de nada. Estamos apenas a tentar perceber o enquadramento temporal.

— O enquadramento temporal de quê?

— Recebeu algumas ameaças, doutora Isles? — perguntou Frost.

Maura fitou-o, atónita:

— Quê?

— Sabe de alguém que possa ter motivos para lhe fazer mal?

— Não.

— Tem a certeza?

Maura deu uma risada de frustração:

— Bem, alguém pode ter essa certeza?

— Deve ter tido alguns casos em tribunal em que o seu depoimento tramou alguém — disse Rizzoli.

— Só se alguém se sentir tramado com a verdade.

— Fez inimigos em tribunal. Talvez tenha ajudado a condenar alguém.

— Tenho a certeza de que você também, Jane. Simplesmente por fazer o seu trabalho.

— Recebeu ameaças específicas? Quaisquer cartas ou telefonemas?

— O meu número de telefone não consta da lista e Louise nunca dá o meu endereço.

— E quanto às cartas que lhe são enviadas para o gabinete de medicina legal?

— Houve uma ou outra carta estranha. Todos nós as recebemos.

— Estranhas?

— Pessoas que escrevem sobre alienígenas ou conspirações. Ou que nos acusam de tentar ocultar a verdade sobre uma autópsia. Limitamo-nos a arquivar essas cartas na pasta dos excêntricos. A menos que haja uma ameaça inequívoca, e nesse caso enviamo-la para a polícia.

Maura viu Frost escrevinhar no bloco e interrogou-se sobre o que teria ele escrito. Entretanto, já estava tão zangada que lhe apetecia estender a mão sobre a mesinha de centro e arrancar-lhe o bloco de notas.

— Doutora — disse Rizzoli calmamente —, tem alguma irmã?

A pergunta, de tão inesperada, espantou Maura, que fitou Rizzoli, esquecendo-se subitamente da irritação.

— Perdão?

— Tem alguma irmã?

— Porque pergunta?

— Só preciso de saber.

Maura soltou uma profunda exalação.

— Não, não tenho nenhuma irmã. E bem sabe que fui adotada. Quando é que tencionam contar-me o motivo de tudo isto?

Rizzoli e Frost olharam um para o outro.

Frost fechou o bloco de notas.

— Acho que está na altura de lhe mostrar.

Rizzoli encabeçou o caminho até à porta da frente. Maura saiu para uma noite quente de verão, iluminada como um vistoso carnaval pelas luzes relampejantes dos veículos policiais. O seu corpo funcionava ainda segundo a hora de Paris, onde eram agora quatro horas da madrugada, via tudo através de uma névoa de exaustão e a noite parecia-lhe tão surreal quanto um pesadelo. No momento em que emergiu da casa, todos os rostos se voltaram para a fitar. Viu os vizinhos reunidos do outro lado da rua, observando-a, afastados do local do crime pela fita amarela. Como médica-legista, estava habituada ao exame público, em que cada movimento seu era seguido tanto pela polícia como pelos meios de comunicação, mas, esta noite, a atenção era de certo modo diferente. Mais intrusiva, até assustadora. Sentia-se satisfeita por Rizzoli e Frost a flanquearem, como se lhe servissem de escudo contra os olhos curiosos que os seguiam à medida que percorriam o passeio em direção ao *Ford Taurus* escuro estacionado na curva diante da casa do senhor Telushkin.

Maura não reconheceu o automóvel, mas reconheceu o homem de barbas que se encontrava ao lado, e as mãos espessas cobertas por luvas de borracha. Era o doutor Abe Bristol, seu colega no gabinete de medicina legal. Abe era um homem de grande apetite e o seu perímetro refletia o amor pela boa comida, pois a barriga salientava-se do cinto num excesso flácido. Olhou para Maura e disse:

— Credo, isto é misterioso. Podia ter-me enganado. — Acenou para o carro. — Espero que esteja preparada para isto, Maura.

Preparada para quê?

Olhou para o *Ford Taurus* que estava estacionado. Iluminada pelas luzes intermitentes, viu a silhueta de uma figura tombada sobre o volante. O para-brisas estava obscurecido por manchas escuras. *Sangue.*

Rizzoli apontou a lanterna à porta do passageiro. A princípio, Maura não percebeu para onde esperavam que olhasse; ainda concentrava a atenção na janela salpicada de sangue e no ocupante mergulhado na sombra no lugar do condutor. Depois, viu o que a lanterna especial de Rizzoli iluminava. Logo abaixo do manípulo da porta havia três riscos paralelos, profundamente talhados na pintura do automóvel.

— Como a marca de uma pata — disse Rizzoli, curvando os dedos como se quisesse executar os entalhes.

Maura olhou para as marcas. *Não uma pata*, pensou, e um arrepio percorreu-lhe as costas. *Uma garra de ave de rapina.*

— Dê a volta até ao lugar do condutor — pediu Rizzoli.

Maura não fez perguntas e seguiu Rizzoli, dando a volta pelas traseiras do *Taurus*.

— Placa de matrícula do Massachusetts — observou Rizzoli, apontando a lanterna para o para-choques traseiro, mas foi simplesmente um pormenor mencionado de passagem; Rizzoli continuou a circundar o automóvel até ao lugar do passageiro. Ali, parou e olhou para Maura.

— Foi isto que nos deixou a todos tão chocados — disse, e apontou a lanterna para dentro do automóvel.

O raio de luz tombou diretamente sobre o rosto de uma mulher, que olhava na direção da janela. A face direita estava pousada no volante; os olhos estavam abertos.

Maura ficou incapaz de falar. Fitou a pele de marfim, o cabelo preto, os lábios cheios, ligeiramente entreabertos, como se estivesse surpresa. Recuou, cambaleante, com os membros repentinamente desprovidos de ossos, e teve a sensação estonteante de que flutuava e que já não tinha o corpo ancorado à terra. Uma mão agarrou-a pelo braço, amparando-a. Era o padre Brophy, logo atrás de si. Nem sequer reparara que ele se encontrava ali.

Compreendia agora por que motivo todos tinham ficado tão espantados com a sua chegada. Olhou para o cadáver que se encontrava no interior do automóvel, para o rosto iluminado pela luz da lanterna de Rizzoli.

Sou eu. Esta mulher sou eu.

2

Sentou-se no sofá, bebendo vodca com água gaseifica-da; os cubos de gelo tilintavam no copo. A água simples que fosse para o inferno; aquele choque pedia um medica-mento mais eficaz e o padre Brophy fora suficientemente compreensivo para lhe preparar uma bebida forte, entre-gando-lha sem comentários. Não é todos os dias que uma pessoa se vê a si própria morta. Não é todos os dias que uma pessoa chega ao local de um crime e depara com a sua sósia sem vida.

— É apenas coincidência — murmurou. — A mulher parece-se comigo, nada mais. Muitas mulheres têm cabelo preto. E o rosto dela, como conseguem ver-lhe realmente o rosto naquele automóvel?

— Não sei, doutora — replicou Rizzoli. — As seme-lhanças são bastante assustadoras. — Afundou-se na poltro-na e gemeu quando os almofadões engoliram a sua estrutura pesadamente grávida. *Pobre Rizzoli*, pensou Maura. Mulhe-res grávidas de oito meses não deviam arrastar-se em inves-tigações de homicídios.

— O corte de cabelo é diferente — disse Maura.

— Um pouco mais comprido, mais nada.

— Eu tenho franja. Ela não.

— Não acha que isso é um pormenor superficial? Olhe para o rosto dela. Podia ser sua irmã.

— Esperemos até a vermos com mais luz. Talvez não se pareça nada comigo.

O padre Brophy interveio:

— As semelhanças existem, Maura. Todos nós vimos. Parece-se exatamente consigo.

— Além de que está sentada num automóvel na sua vizinhança — acrescentou Rizzoli. — Estacionado praticamente em frente da sua casa. E tinha isto pousado no banco de trás. — Rizzoli ergueu uma saqueta de recolha de provas. Através do plástico transparente, Maura viu que continha um artigo recortado do *The Boston Globe*. O cabeçalho era suficientemente grande para Maura o conseguir ler do outro lado da mesinha de centro.

A BEBÉ RAWLINS ERA ESPANCADA, AFIRMA A MÉDICA-LEGISTA.

— É uma fotografia *sua,* doutora — disse Rizzoli. — A legenda diz: «A médica-legista doutora Maura Isles, à saída do tribunal, após prestar declarações no julgamento do caso Rawlins.» — Olhou para Maura. — A vítima tinha isto no automóvel.

Maura abanou a cabeça.

— Porquê?

— É precisamente o que nos perguntamos.

— O julgamento do caso Rawlins... já foi há quase duas semanas.

— Recorda-se de ver esta mulher no tribunal?

— Não. Nunca a vi antes.

— Mas é óbvio que ela a viu *a si.* Pelo menos, no jornal. Depois, aparece por aqui. À sua procura? A espiá-la?

Maura fitou a bebida. A vodca estava a pôr-lhe a cabeça a flutuar. *Menos de vinte e quatro horas antes,* pensou, *andava pelas ruas de Paris. A gozar o sol, a saborear os aromas provenientes dos cafés de rua. Como consegui enganar-me no caminho e meter por este pesadelo?*

— Possui alguma arma, doutora? — perguntou Rizzoli.

Maura empertigou-se e retorquiu:

— Que espécie de pergunta é essa?

— Não, não estou a acusá-la de nada. Só queria saber se tem maneira de se defender.

— Não tenho armas. Tenho visto os estragos que as armas podem fazer num corpo humano e não quero nenhuma em minha casa.

— Tudo bem. Só perguntei.

Maura tomou outro gole de vodca, sentindo necessidade do encorajamento do líquido para fazer a pergunta seguinte:

— Que sabem acerca da vítima?

Frost puxou do bloco de notas e folheou-o como um manga de alpaca ansioso. Em muitos aspetos, Barry Frost lembrava a Maura um burocrata de maneiras suaves e com a caneta sempre a postos.

— Segundo a carta de condução que tinha na carteira, chama-se Anna Jessop, tem quarenta anos e morada em Brighton. O registo do veículo corresponde ao mesmo nome.

Maura ergueu a cabeça e observou:

— São apenas alguns quilómetros até aqui.

— A residência é num edifício de apartamentos. Os vizinhos parecem não saber muito sobre ela. Ainda estamos a tentar contactar com a senhoria para nos deixar entrar no apartamento.

— O nome Jessop diz-lhe alguma coisa? — perguntou Rizzoli.

Maura abanou a cabeça.

— Não conheço ninguém com esse nome.

— Conhece alguém no Maine?

— Porque pergunta?

— Tinha na carteira uma multa por excesso de velocidade. Parece que foi apanhada há dois dias, quando se dirigia para sul, no Maine Turnpike.

— Não conheço ninguém no Maine. — Maura inspirou profundamente. — Quem a encontrou?

— O seu vizinho, o senhor Telushkin, foi quem fez o telefonema — disse Rizzoli. — Andava a passear o cão quando reparou no *Taurus* estacionado na curva.

— E quando foi isso?

— Cerca das oito da noite.

É evidente, pensou Maura. O senhor Telushkin passeava o cão precisamente à mesma hora todas as noites. Os engenheiros são assim, exatos e previsíveis. Porém, naquela noite, deparara com o imprevisível.

— E ele não ouviu nada? — perguntou Maura.

— Diz que ouviu o que lhe pareceu o estouro do escape de um automóvel, talvez uns dez minutos antes. Mas ninguém viu aquilo acontecer. Depois de ter encontrado o *Taurus*, telefonou para o cento e doze e relatou que alguém atingira a tiro a sua vizinha, a doutora Isles. A polícia de Brookline foi a primeira a aparecer, juntamente aqui com o detetive Eckert. Frost e eu chegámos por volta das nove.

— Porquê? — perguntou Maura, fazendo finalmente a pergunta que lhe ocorrera quando vira pela primeira vez Rizzoli no relvado da frente. — Porque é que você está em Brookline? Não é da sua jurisdição.

Rizzoli olhou de relance para o detetive Eckert, que disse, algo timidamente:

— Sabe, é que só tivemos um homicídio em Brookline no ano passado. Dadas as circunstâncias, pensámos que fazia sentido chamar Boston.

Sim, fazia sentido, percebia Maura. Brookline era pouco mais do que uma cidade-dormitório encravada no interior de Boston. No ano anterior, a polícia de Boston investigara sessenta homicídios. A prática aperfeiçoa, principalmente quando se trata de investigar homicídios.

— De qualquer modo, viríamos cá — disse Rizzoli. — Depois de sabermos quem era a vítima. Quem pensávamos que era. — Fez uma pausa. — Tenho de admitir que nunca me ocorreu que pudesse *não* ser você. Dei uma olhadela à vítima e parti do princípio...

— Todos nós! — interrompeu Frost.

Fez-se silêncio.

— Sabíamos que estava previsto você regressar de Paris esta noite — continuou Rizzoli. — Foi o que nos disse a sua secretária. A única coisa que não fazia sentido, quanto a nós, era o automóvel. Porque estaria você num automóvel registado em nome de outra mulher?

Maura esvaziou o copo e pousou-o na mesa de centro. Naquela noite, uma bebida era tudo o que conseguia aguentar. Já tinha as pernas bambas e alguma dificuldade em focar os olhos. A sala fora suavizada por uma névoa e os candeeiros banhavam tudo numa quente luminosidade. *Isto não é real*, pensou. *Estou a dormir num jato algures sobre o Atlântico e vou acordar e descobrir que o avião aterrou. Que nada disto aconteceu.*

— Ainda não sabemos nada sobre Anna Jessop — disse Rizzoli. — Tudo o que sabemos, o que todos vimos com os nossos próprios olhos, é que, seja ela quem for, é o seu retrato vivo... morto, doutora. Talvez o cabelo seja um pouco mais comprido. Talvez haja algumas diferenças aqui e ali. Mas a questão é que fomos enganados. Todos nós. E nós conhecemo-la a *si*. — Fez uma pausa. — Está a ver onde quero chegar com isto, não está?

Sim, Maura via, mas não queria dizê-lo. Limitou-se a olhar fixamente para o copo sobre a mesa de centro. Para os cubos de gelo que derretiam.

— Se nós fomos enganados, qualquer outra pessoa podia igualmente tê-lo sido — disse Rizzoli. — Incluindo quem lhe meteu aquela bala na cabeça. Foi imediatamente antes das vinte horas que o seu vizinho ouviu o estrondo. Já estava a escurecer. E ali estava você, sentada num carro estacionado a uns metros da sua entrada. Quem a visse naquele automóvel assumiria que era você.

— Pensa então que o alvo era eu — disse Maura.

— Faz sentido, não?

Maura abanou a cabeça.

— Nada disto faz sentido.

— Você tem um cargo muito público. Serve de testemunha em julgamentos de homicídios. Aparece nos jornais. É a nossa rainha dos Mortos.

— Não me chame isso!

— É o que todos os polícias lhe chamam. É o que a imprensa lhe chama. Sabe disso, não sabe?

— Não significa que goste da alcunha. De facto, não a suporto.

— Mas significa que é uma pessoa em quem se repara. Não só pelo que faz, mas também pelo seu aspeto. Sabe que os homens reparam em si, não? Teria de ser cega para não ver. Uma mulher bem-parecida atrai-lhes sempre a atenção. Não é verdade, Frost?

Frost sobressaltou-se. Obviamente, não esperava ser interpelado e as faces avermelharam-se. Pobre Frost, apanhado a corar tão facilmente.

— É só uma questão de natureza humana — admitiu.

Maura olhou para o padre Brophy, que não lhe retribuiu o olhar. Perguntou a si mesma se também ele estaria sujeito às mesmas leis da atração. Queria pensar que sim; queria acreditar que Daniel não era imune aos mesmos pensamentos que lhe passavam a ela pela cabeça.

— Mulher bem-parecida e exposta ao público — disse Rizzoli. — Perseguida e atacada diante da sua própria residência. Já aconteceu anteriormente. Qual era o nome daquela atriz de LA? A que foi assassinada.

— Rebecca Schaefer — respondeu Frost.

— Isso mesmo. Depois, tivemos o caso da Lori Hwang. A senhora lembra-se, doutora.

Sim, Maura lembrava-se, porque realizara a autópsia da locutora do Canal Seis. Lori Hwang era apresentadora havia apenas um ano quando foi abatida a tiro em frente do estúdio. Nunca se apercebera de que andava a ser seguida. O agressor vira-a na televisão e escrevera-lhe algumas cartas de admiração. Depois, um dia, esperara do lado de fora das portas do estúdio. Quando Lori saiu e se dirigiu para o automóvel, meteu-lhe uma bala na cabeça.

— São as contingências de se viver sob o olhar do público — disse Rizzoli. — Nunca sabemos quem nos observa em tantos ecrãs de televisão. Nunca sabemos quem está no carro que vem atrás do nosso quando à noite voltamos do trabalho para casa. É uma coisa em que nem sequer pensamos: que alguém possa estar a seguir-nos. A fantasiar sobre nós. — Rizzoli fez uma pausa. — Já passei por isso — prosseguiu calmamente. — Sei o que é ser o foco da obsessão de alguém. Nem sequer sou pessoa que atraia os olhares, mas já me aconteceu. — Estendeu as mãos e revelou as cicatrizes que tinha nas palmas. Recordações permanentes da sua batalha contra o homem que por duas vezes quase lhe tirara a vida. Um homem que ainda estava vivo, embora encurralado num corpo tetraplégico. — Foi por isso que lhe perguntei se tinha recebido algumas cartas estranhas — continuou Rizzoli. — Estava a pensar nela. Lori Hwang.

— O assassino foi preso — disse o padre Brophy.

— Foi.

— Portanto, não está a insinuar que se trata do mesmo homem.

— Não, estou apenas a chamar a atenção para o paralelismo. Um único tiro disparado contra a cabeça. Mulheres em lugares públicos. Dá que pensar. — Rizzoli lutou para se pôr de pé. Precisou de algum esforço para se erguer da poltrona. Frost ofereceu-lhe imediatamente a mão, mas Rizzoli ignorou-a. Embora pesadamente grávida, Rizzoli não era pessoa que pedisse ajuda. Pendurou a carteira ao ombro e lançou a Maura um olhar inquisitivo.

— Quer ficar noutro sítio qualquer esta noite?

— A minha casa é esta. Porque iria eu para outro sítio?

— Só perguntei. Calculo que não preciso de recomendar-lhe que feche as portas à chave.

— Faço-o sempre.

— A polícia de Brookline pode vigiar esta casa? — perguntou Rizzoli, olhando para Eckert.

Este assentiu:

— Vou fazer com que um carro-patrulha passe por aqui amiúde.

— Agradeço-lhe — respondeu Maura. — Obrigada.

Maura acompanhou os três detetives à porta da frente e ficou a vê-los dirigirem-se para os respetivos automóveis. Já passava da meia-noite. No exterior, a rua voltara a ser o local sossegado que ela conhecia. Os veículos da polícia de Brookline tinham desaparecido; o *Taurus* já fora rebocado para o laboratório criminal. Até a fita amarela da polícia fora retirada. *De manhã*, pensou Maura, *acordo e julgo que imaginei tudo isto.*

Voltou-se e encarou o padre Brophy, que se encontrava ainda no vestíbulo. Nunca Maura se sentira tão desconfortável na sua presença como naquele momento, os dois ali em casa, sozinhos. As possibilidades decerto que rodopiavam na cabeça de ambos. Ou será só na minha? *Noite dentro, sozinho na tua cama, alguma vez pensas em mim, Daniel? Da maneira como eu penso em ti?*

— Tem a certeza de que se sente em segurança se ficar aqui sozinha? — perguntou o padre.

— Fico bem. — *E qual é a alternativa? Que tu passes a noite comigo? É isso o que estás a oferecer?*

O padre Brophy voltou-se para a porta.

— Quem o chamou cá, Daniel? — perguntou Maura. — Como soube?

Ele fitou-a.

— Foi a detetive Rizzoli. Disse-me... — Fez uma pausa. — Sabe, estou sempre a receber telefonemas destes por parte da polícia. Uma morte na família, alguém que precisa de um sacerdote. Estou sempre disponível. Mas, desta vez... — Fez outra pausa. — Feche as portas à chave, Maura — prosseguiu. — Nunca mais quero passar por outra noite como esta.

Maura ficou a vê-lo sair de casa e entrar no carro. Não pôs imediatamente o motor a trabalhar. Ficou à espera até ter a certeza de que nessa noite Maura estava em segurança dentro de casa.

Maura fechou a porta e deu a volta à chave.

Pela janela da sala, viu Daniel afastar-se de carro. Por momentos, fitou a curva deserta, sentindo-se subitamente abandonada. Desejando, nesse momento, poder pedir-lhe que voltasse. Que aconteceria então? Que queria ela que acontecesse entre eles? *É melhor manter certas tentações fora do nosso alcance*, pensou. Perscrutou a rua escura uma última vez e depois afastou-se da janela, consciente de que se encontrava emoldurada pela luz da sala. Correu as cortinas e foi de sala em sala, verificando fechaduras e janelas. Numa tão quente noite de junho, normalmente dormiria com a janela do quarto aberta. Mas, naquela noite, deixou as janelas fechadas e ligou o ar condicionado.

De manhãzinha acordou a tremer, devido ao ar frio que soprava do aparelho. Sonhara com Paris. Sonhara que andava a passear sob um céu azul, que passava por baldes cheios de rosas e lírios sonhadores e, por momentos, não se recordou de onde estava. *Já não em Paris, mas na minha própria cama*, percebeu. E algo terrível acontecera.

Eram só cinco horas da manhã, mas sentia-se totalmente acordada. *Em Paris são onze horas*, pensou. *Lá o sol brilha e se lá estivesse agora já teria tomado o meu segundo café*. Sabia que a diferença horária se faria sentir posteriormente, que o surto de energia matinal teria desaparecido à tarde, mas não se esforçou por continuar a dormir.

Levantou-se e vestiu-se.

A rua diante da sua casa tinha o mesmo aspeto de sempre. Os primeiros raios da aurora iluminavam o céu. Viu acenderem-se as luzes em casa do senhor Telushkin, na porta ao lado. Era uma pessoa madrugadora, que em geral saía para o trabalho pelo menos uma hora antes dela, mas, nesta manhã, fora ela a primeira a acordar e olhava com novos olhos para a vizinhança. Viu os aspersores automáticos ligarem-se do outro lado da rua, com a água a sibilar em círculos no relvado. Viu passar a bicicleta do ardina, de boné de basebol com a pala virada para trás, e ouviu o baque do *The Boston Post* a bater na varanda da frente. *Parece tudo na mesma*, pensou, *mas não está. A morte fez uma visita ao meu bairro e todos os que cá vivem lembrar-se-ão dela. Da janela da frente, olharão para a curva onde o* Taurus *esteve estacionado e estremecerão quando pensarem em quão perto ele esteve de tocar em qualquer um de nós.*

Da esquina surgiu a luz de uns faróis e um veículo percorreu a rua, abrandando a velocidade ao aproximar-se da casa dela. Um carro-patrulha da polícia de Brookline.

Não, nada está na mesma, pensou, observando o veículo da polícia a afastar-se.

Nada voltará a estar.

Chegou ao trabalho antes da secretária. Cerca das seis da manhã, Maura estava à secretária, concentrada na grande pilha de ditados transcritos e relatórios laboratoriais que se

51

haviam acumulado no recetáculo durante a semana em que estivera na conferência de Paris. Tinha despachado cerca de um terço quando ouviu passos. Ergueu os olhos e viu Louise de pé junto da porta.

— Está cá — murmurou Louise.

Maura saudou-a com um sorriso:

— *Bonjour!* Achei que devia começar mais cedo por causa desta papelada.

Louise limitou-se a fitá-la por momentos, depois entrou e sentou-se na cadeira diante da secretária de Maura, como se subitamente tivesse ficado demasiado cansada para estar de pé. Embora tivesse cinquenta anos, Louise parecia sempre ter o dobro da resistência de Maura, que era dez anos mais nova do que ela. Mas, naquela manhã, Louise parecia esgotada e, à luz da lâmpada fluorescente, tinha o rosto chupado e lívido.

— Sente-se bem, doutora Isles? — perguntou Louise suavemente.

— Estou ótima. Tenho só um bocadinho de *jet lag.*

— Quero dizer... depois do que aconteceu a noite passada. O detetive Frost parecia tão certo de que era a senhora que estava naquele automóvel...

Maura acenou com a cabeça e o sorriso apagou-se.

— Foi como estar na *Quinta Dimensão,* Louise. Regressar a casa e descobrir todos aqueles carros da polícia em frente da minha casa.

— Foi horrível. Todos nós pensámos... — Louise engoliu em seco e baixou os olhos para o regaço. — Fiquei muito aliviada quando o doutor Bristol me telefonou esta noite. Para me comunicar que fora um engano.

Fez-se um silêncio pesado de reprovação. Subitamente, ocorreu a Maura que devia ter sido ela a telefonar à secretária. Devia ter compreendido que Louise estava abalada e que gostaria de ouvir a sua voz. *Vivo sozinha e sem laços há tanto tempo*, pensou, *que nem sequer me ocorre que há pessoas neste mundo que se preocupam com o que me acontece.*

Louise levantou-se para sair.

— Estou muito feliz por vê-la de volta, doutora Isles. Só queria dizer-lhe isso.

— Louise?

— Diga?

— Trouxe-lhe uma ninharia de Paris. Sei que parece uma desculpa esfarrapada, mas vem na minha mala e a companhia perdeu-a.

— Oh! — Louise riu-se. — Bem, se for chocolate, decerto que as minhas ancas não precisam dele.

— Não é nada calórico, afianço-lhe. — Olhou para o relógio que tinha sobre a secretária. — O doutor Bristol já chegou?

— Acabou de chegar. Vi-o no parque de estacionamento.

— Sabe quando é que ele fará a autópsia?

— Qual delas? Tem duas para hoje.

— O tiroteio da noite passada. A mulher.

Louise fitou-a longamente.

— Julgo que essa é a segunda.

— Já sabem mais alguma coisa acerca dela?

— Não sei. Tem de perguntar ao doutor Bristol.

3

Embora não tivesse autópsias marcadas para esse dia, às duas da tarde Maura desceu as escadas e vestiu um fato de trabalho. Encontrava-se sozinha no vestiário feminino. Dobrou a blusa e as calças e arrumou-as em pilha dentro do cacifo. O fato era quebradiço contra a pele nua, como um lençol acabado de passar a ferro, e sentiu-se reconfortada com a rotina familiar de apertar os cordões das calças e meter o cabelo dentro da touca. Sentia-se contida e protegida pelo algodão lavado e pelo papel que assumia juntamente com o uniforme. Olhou para o espelho, para um reflexo tão frio quanto o de uma estranha cujas emoções estivessem escudadas contra outros olhos. Saiu do vestiário, percorreu o corredor e avançou para a sala das autópsias.

Rizzoli e Frost já estavam junto da mesa, ambos de fato de trabalho e luvas, e as suas costas impediam que Maura visse a vítima. Foi o doutor Bristol quem primeiro viu Maura. Estava de frente para ela, com o ventre generoso a encher a bata cirúrgica de tamanho extragrande, e os olhos de ambos encontraram-se quando Maura entrou. As sobrancelhas dele franziram-se acima da máscara cirúrgica e Maura percebeu que havia várias interrogações nos olhos dele.

— Pensei passar por cá para assistir a esta — disse ela.

Rizzoli voltara-se agora e também ela franzira as so-brancelhas.

— Tem a certeza de que quer estar aqui?

— Você não estaria curiosa?

— Mas não tenho a certeza de que quisesse ver. Dadas as circunstâncias.

— Vou observar apenas. Se não se importar, Abe.

— Diabos, acho que também eu estaria curioso — res-pondeu Bristol, encolhendo os ombros. — Junte-se à festa.

Maura deu a volta para o lado da mesa onde Abe se en-contrava e, perante a primeira visão sem obstruções do ca-dáver, sentiu a garganta seca. Tivera o seu quinhão de hor-rores neste laboratório, observara carne em todas as fases de decomposição, corpos tão danificados pelo fogo ou por traumatismos que os restos dificilmente se conseguiam classificar de humanos. A mulher que estava em cima da mesa encontrava-se, à luz da sua experiência, notavelmente intacta. O sangue fora lavado e a ferida de entrada do pro-jétil, no lado esquerdo da cabeça, estava meio disfarçada pelos cabelos escuros. O rosto ficara ileso e o tronco desfi-gurado apenas pelas manchas na pele. Havia marcas recen-tes de perfuração na virilha e no pescoço, onde o assistente da morgue, Yoshima, recolhera sangue para as análises la-boratoriais, mas, fora isso, o tronco estava intacto; o bisturi de Abe ainda teria de fazer o primeiro corte. Se o peito já tivesse sido aberto e a cavidade exposta, o corpo perturbá-la-ia menos enquanto visão incómoda. Os cadáveres aber-tos são anónimos. Os corações, pulmões e baços são sim-plesmente órgãos, tão desprovidos de individualidade que podem ser transplantados para outros corpos como se fossem acessórios de automóveis. Mas aquela mulher ainda estava inteira e as suas feições eram admiravelmente reconhecíveis. Na noite anterior, Maura vira o cadáver completamente vestido e na penumbra, iluminado apenas pelo feixe de luz da lanterna de Rizzoli. Agora as feições estavam cruamente iluminadas pelas lâmpadas de autópsia, as roupas cortadas a fim de porem à mostra o tronco nu e aquelas feições eram-lhe demasiado familiares.

Meu Deus, é a minha própria cara, o meu próprio corpo, em cima da mesa!

Só ela sabia quão próximas eram as semelhanças. Mais ninguém naquela sala vira a forma dos seios de Maura, a curva das suas ancas. Só viam o que ela permitia que vissem, o rosto, o cabelo. Não tinham possibilidades de saber que as semelhanças entre ela e aquele cadáver eram tão íntimas que iam ao ponto de existirem as mesmas mechazinhas de cabelo castanho-arruivado nos pelos púbicos.

Maura olhou para as mãos da mulher, para os dedos longos e estreitos como os seus. Mãos de pianista. Os dedos já tinham tinta. Também já tinham acabado de fazer radiografias ao crânio e aos dentes; a radiografia panorâmica dos dentes já estava exposta no negatoscópio, mostrando duas filas brancas de dentes cintilantes num sorriso aberto de gato de Cheshire. *Uma radiografia minha teria este aspeto?*, pensou Maura. *Somos a mesma pessoa até no esmalte dos dentes?*

Perguntou, numa voz que a chocou por ser tão artificialmente calma:

— Souberam mais alguma coisa acerca dela?

— Ainda andamos a investigar o nome, Anna Jessop — respondeu Rizzoli. — O que obtivemos até agora foi que a carta de condução do Massachusetts foi emitida há quatro meses. Diz que tem quarenta anos. Um metro e setenta e dois, cabelo preto e olhos verdes. Cerca de sessenta quilos. — Rizzoli fitou o cadáver sobre a mesa. — Diria que corresponde a essa descrição.

Também eu, pensou Maura. *Tenho quarenta anos e um metro e setenta e dois. Só o peso é diferente, eu peso sessenta e três quilos. Mas até onde é que as mulheres não são capazes de mentir quando se trata de peso?*

Sem pronunciar palavra, ficou a ver Abe completar o exame superficial. Abe escrevia de vez em quando algumas anotações no diagrama impresso de um corpo feminino. O ferimento de bala na têmpora esquerda. Manchas no baixo ventre e ancas. Cicatriz de operação ao apêndice. Depois, pousou a prancheta e dirigiu-se para o fundo da mesa para recolher esfregaços vaginais. Quando Abe e Yoshima rodaram as coxas a fim de exporem o períneo, foi no abdómen do cadáver que Maura se concentrou. Olhou para a cicatriz da apendicectomia, uma linha branca fina que cortava a pele de marfim.

Também tenho uma.

Recolhidos os esfregaços, Abe dirigiu-se à bandeja dos instrumentos e pegou num bisturi.

Foi quase insuportável ver a primeira incisão. Na verdade, Maura levou a mão ao peito como se sentisse a lâmina abrir-lho. *Foi um erro*, pensou, enquanto Abe executava a incisão em «Y». *Não sei se consigo ver isto.* Mas continuou pregada ao lugar, encurralada por um fascínio esmagador ao ver Abe afastar a pele das paredes do peito, puxando-a repentinamente como se esfolasse uma peça de caça. Trabalhava sem se dar conta do horror de Maura, concentrando a atenção apenas na tarefa de abrir o tronco. Um patologista eficiente consegue completar uma autópsia sem complicações em menos de uma hora e, naquela fase do *post mortem,* Abe não perdia tempo em dissecções inutilmente elegantes. Maura sempre achara que Abe era um homem de quem se podia gostar, com o seu grande apetite por comida, bebida e ópera, mas, naquele momento, com o abdómen saliente e o pescoço grosso como o de um touro, parecia um carniceiro gordo a retalhar carne com a sua faca.

A pele do peito pendia, flácida, os seios estavam escondidos pelas abas puxadas para trás e as costelas e os músculos estavam expostos. Yoshima inclinou-se para a frente com uma tesoura de poda e cortou as costelas. Maura crispava-se a cada estalido. *Quão facilmente se quebra um osso humano!,* pensou. *Achamos que o nosso coração está protegido no interior de uma robusta caixa torácica e, no entanto, basta apertar um manípulo, fechar umas lâminas, e, uma por uma, as costelas rendem-se ao aço temperado. Somos feitos de material fragílissimo.*

Yoshima quebrou o último osso e Abe cortou as derradeiras tiras de cartilagem e músculo. Juntos removeram o peito como se retirassem a tampa de uma caixa.

No interior do tórax aberto, o coração e os pulmões brilhavam. Órgãos jovens, foi o primeiro pensamento de Maura. Mas não, apercebeu-se; com quarenta anos já não se é assim tão jovem, pois não? Não era fácil reconhecer que, aos quarenta anos, se encontrava a meio da vida. Que ela, tal como aquela mulher em cima da mesa, já não podia considerar-se jovem.

Os órgãos que viu no peito aberto tinham uma aparência normal e sem sinais óbvios de patologias. Com algumas incisões rápidas, Abe extraiu os pulmões e o coração e colocou-os numa bandeja de metal. Sob as luzes fortes, executou alguns cortes para observar o parênquima pulmonar.

— Não era fumadora — disse aos dois detetives. — Nenhum edema. Um tecido belo e saudável.

Com exceção do facto de estar morto.

Voltou a pousar os pulmões na bandeja, onde formaram um monte rosado, e pegou no coração. Este cabia facilmente na sua mão maciça. Subitamente, Maura teve consciência do seu próprio coração que lhe palpitava no peito. Tal como o coração daquela mulher, o seu também caberia na palma da mão de Abe. Sentiu uma vaga de náuseas perante o pensamento de Abe com o seu coração na mão, revirando-o para inspecionar as coronárias, como fazia agora. Embora mecanicamente não passe de uma bomba, o coração jaz no próprio âmago do nosso corpo e a visão daquele, tão exposto, fez com que Maura sentisse o peito oco. Respirou fundo e o cheiro a sangue agravou o enjoo. Afastou-se do cadáver e deu por si a fitar Rizzoli de olhos nos olhos. Rizzoli, que via de mais. Já se conheciam fazia quase dois anos e tinham trabalhado juntas em tantos casos que haviam desenvolvido uma enorme admiração mútua enquanto profissionais. Mas, com esse olhar, surgia também alguma preocupação respeitosa. Maura sabia quão aguçados eram os instintos de Rizzoli e, ao fitarem-se de cada lado da mesa, percebia que a outra mulher decerto via que Maura estava prestes a desaparecer da sala. À pergunta tácita nos olhos de Rizzoli, Maura apertou simplesmente os maxilares. A rainha dos Mortos reafirmava a sua invencibilidade.

Concentrou-se novamente no cadáver.

Abe, sem prestar atenção à corrente de tensão oculta na sala, abrira as cavidades do coração.

— Todas as válvulas parecem normais — comentou. — As coronárias são flexíveis. Os vasos limpos. Credo, espero que o meu coração tenha tão bom aspeto.

Maura olhou para o ventre enorme e duvidou, conhecendo a sua paixão por *foie gras* e molhos gordurosos. Goza a vida enquanto podes, era a filosofia de Abe. Cede agora aos teus apetites, porque todos nós acabamos, mais cedo ou mais tarde, como os nossos amigos ali em cima da mesa. Para que servem coronárias em bom estado se vivermos uma vida privada de prazeres?

Pousou o coração na bandeja e começou a trabalhar no conteúdo do abdómen, cortando fundo com o bisturi através do peritoneu. O estômago e o fígado, o baço e o pâncreas ficaram à vista. O odor da morte e de órgãos congelados era familiar a Maura, embora, desta vez, a incomodasse. Como se estivesse a presenciar uma autópsia pela primeira vez. Abstraindo-se da sua condição de patologista calejada, viu Abe cortar com tesoura e faca, e a brutalidade do procedimento esmagou-a. *Meu Deus, é o que faço diariamente, mas, quando o meu bisturi corta, é na carne desconhecida de um estranho. Esta mulher não me parece uma estranha.*

Deslizou para um vácuo de entorpecimento e ficou a observar Abe a trabalhar como se estivesse muito longe. Cansada pela noite inquieta e pela diferença horária, sentia-se como se estivesse a afastar-se da cena que se desenrolava na mesa, retirando-se para uma posição de vantagem, mais segura, da qual podia olhar com as emoções embotadas. Era apenas um cadáver sobre a mesa. Nenhuma ligação, ninguém que conhecesse. Abe libertou rapidamente o intestino delgado e deitou os anéis na bandeja. Com a tesoura e uma faca de cozinha, limpou o interior do abdómen, deixando apenas uma concha vazia. Transportou a bandeja, agora pesada por causa das entranhas, para a bancada de aço inoxidável, onde pousou os órgãos um a um para os examinar mais minuciosamente.

Na tábua de corte, abriu o estômago e despejou o seu conteúdo para uma bandeja mais pequena. O cheiro a comida não digerida fez Rizzoli e Frost afastarem-se com uma careta de repugnância.

— Parecem os restos do jantar — disse Abe. — Diria que comeu uma salada de marisco. Vejo alface e tomate. Talvez camarão...

— Quanto tempo antes da morte foi a sua última refeição? — perguntou Rizzoli, numa voz estranhamente nasalada e com a mão a cobrir-lhe o rosto para evitar os cheiros.

— Uma hora, talvez mais. Calculo que tenha jantado fora, porque salada de marisco não é o género de comida que eu mesmo faria em casa. — Abe olhou de soslaio para Rizzoli. — Encontrou alguma fatura de restaurante na bolsa?

— Não. Deve ter pago a dinheiro. Ainda estamos à espera do extrato do cartão de crédito.

— Credo! — exclamou Frost, que continuava a manter os olhos afastados. — Isto tira-me qualquer vontade de comer camarão que eu pudesse sentir.

— Ouça, não pode deixar que isto o incomode — interveio Abe, que estava agora a cortar o pâncreas. — Quando se vai bem ao fundo das coisas, todos nós somos feitos dos mesmos blocos básicos de construção. Gordura, hidratos de carbono e proteínas. Quando comemos um bife suculento, estamos a comer músculo. Julga que alguma vez rejeitei um bife só porque se trata do tecido que diariamente disseco? Todos os músculos têm os mesmos ingredientes bioquímicos, mas às vezes uns cheiram melhor do que outros, só isso. — Pegou nos rins. Executou uma incisão perfeita em cada um e deitou para um frasco com formalina pequenas amostras de tecido. — Até agora, tudo parece normal — observou. Olhou para Maura. — Concorda?

Maura acenou com a cabeça de forma mecânica, mas não disse nada, subitamente distraída pelo novo conjunto de radiografias que Yoshima estava a pendurar no negatoscópio. Eram imagens do crânio. No plano lateral, conseguia ver-se os tecidos moles, como um fantasma semitransparente de um rosto de perfil.

Maura dirigiu-se ao negatoscópio e fitou a zona mais densa em forma de estrela, espantosamente nítida em contraste com a sombra mais esbatida do osso. Alojara-se contra a parede craniana. O orifício de entrada enganadoramente pequeno no couro cabeludo dava poucos indícios sobre os estragos que aquele projétil devastador podia fazer no cérebro humano.

— Meu Deus! — murmurou. — É uma bala *Black Talon*.

Abe ergueu os olhos da bandeja dos órgãos.

— Há bastante tempo que não via uma dessas. Temos de ter cuidado. As pontas de metal dessa bala são como lâminas. Cortam mesmo com luvas. — Olhou para Yoshima, que trabalhava no gabinete de medicina legal há mais tempo do que qualquer dos patologistas presentes e que lhes servia de memória institucional. — Quando foi a última vez que recebemos uma vítima com uma *Black Talon?*

— Acho que foi há uns dois anos — respondeu Yoshima.

— Tão recentemente?

— Lembro-me de que o caso foi entregue ao doutor Tierney.

— Importa-se de pedir a Stella que se informe? Que veja se o caso foi encerrado. A bala é suficientemente invulgar para nos fazer pensar numa relação.

Yoshima arrancou as luvas e dirigiu-se ao intercomunicador para chamar a secretária de Abe.

— Está, Stella? O doutor Bristol queria uma investigação sobre o último caso que envolveu uma bala *Black Talon*. Deve ter sido do doutor Tierney...

— Ouvi falar delas — disse Frost, que se aproximou do negatoscópio para examinar mais de perto a radiografia. — Mas é a primeira vez que tenho uma vítima com uma dessas balas.

— Tem a ponta oca e é fabricada pela Winchester — explicou Abe. — Concebida para se expandir e rasgar tecidos moles. Quando penetra na carne, a cobertura de cobre rasga-se e forma uma estrela de seis pontas. Cada ponta é tão aguçada como uma garra. — Dirigiu-se para a cabeça do cadáver. — Foram retiradas do mercado em 1993, depois de um maluco qualquer de São Francisco as usar para massacrar nove pessoas. A Winchester foi alvo de uma publicidade tão negativa que decidiu parar com a produção. Mas ainda existem algumas por aí em circulação. Volta e meia há uma que faz uma vítima, mas estão a tornar-se bastante raras.

Os olhos de Maura continuavam fixos na radiografia e na letal estrela branca. Pensava no que Abe acabara de dizer: *Cada ponta é tão aguçada como uma garra.* E lembrou-se das marcas de arranhões deixadas no automóvel da vítima. *Como a marca da garra de uma ave de rapina.*

Voltou para junto da mesa no momento em que Abe acabava a incisão do couro cabeludo. Naquele breve instante antes de Abe puxar para a frente a aba de pele, Maura viu-se a fitar inevitavelmente o rosto do cadáver. A morte manchara os lábios de um azul baço. Os olhos estavam abertos, as córneas, expostas, secas e enevoadas pelo efeito do ar. O brilho dos olhos em vida é apenas o reflexo da luz nas córneas húmidas; quando as pálpebras já não pestanejam, quando a córnea deixa de ser banhada por fluido, os olhos secam e apagam-se. Não é a partida da alma que retira aos olhos das pessoas a aparência de vida, é simplesmente a cessação do reflexo de pestanejar. Maura fitou os nervos enevoados da córnea e por momentos imaginou os olhos com o aspeto que teriam quando ela estava viva. Era uma olhadela ao espelho que a deixava atónita. Teve o pensamento súbito e vertiginoso de que era *ela,* de facto, quem jazia sobre a mesa. Quem observava o seu próprio cadáver a ser autopsiado. Os fantasmas não se passeiam pelos mesmos lugares que frequentavam quando estavam vivos? *Isto é a minha assombração*, pensou. *O laboratório de autópsias. É aqui que estou condenada a passar a eternidade.*

Abe puxou para trás o couro cabeludo e o rosto deformou-se como uma máscara de borracha.

Maura estremeceu. Afastando os olhos, reparou que Rizzoli estava a observá-la novamente. *Está a olhar para mim ou para o meu fantasma?*

O zumbido da serra *Stryker* parecia perfurá-la até à medula. Abe cortou a cúpula exposta do crânio, preservando o segmento que a bala perfurara. Delicadamente, levantou e removeu a tampa de osso. A *Black Talon* saltou do crânio aberto e tilintou na bandeja que Yoshima segurava por baixo dela. Ali ficou a brilhar, com as pontas metálicas abertas como as pétalas de uma flor mortífera.

O cérebro encontrava-se manchado de sangue escuro.

— Hemorragia extensa em ambos os hemisférios. Precisamente o que seria de esperar segundo as radiografias — disse Abe. — A bala entrou aqui, pelo osso da têmpora esquerda. Mas não saiu. Conseguimos vê-la ali nas películas. — Apontou para o negatoscópio, onde a bala se sa[l]ientava como uma explosão brilhante, repousando contra a curva interna do osso occipital esquerdo.

Frost disse:

— É engraçado como acabou por ficar no mesmo lado do crânio por onde entrou.

— Provavelmente fez ricochete. A bala perfurou o crânio e ressaltou para a frente e para trás, rasgando o cérebro. Gastou toda a sua energia no tecido mole. É como rodar as lâminas de uma batedeira.

— Doutor Bristol? — Era Stella, a secretária, no intercomunicador.

— Diga.

— Encontrei o tal caso com a *Black Talon*. A vítima chamava-se Vassily Titov. Quem fez a autópsia foi o doutor Tierney.

— Quem foi o detetive que acompanhou o caso?

— Hum... cá está. Os detetives Vann e Dunleavy.

— Depois falo com eles — interveio Rizzoli. — Quero saber do que eles se recordam.

— Obrigado, Stella! — exclamou Bristol. Olhou para Yoshima, que tinha a máquina fotográfica a postos. — Pronto, pode fotografar.

Yoshima começou a tirar fotos do cérebro exposto, capturando um registo permanente do seu aspeto antes de Abe o retirar do seu casulo de osso. *Aqui estavam guardadas as recordações de uma vida*, pensou Maura ao fitar as volutas brilhantes de matéria cinzenta. O á-bê-cê da infância. Quatro vezes quatro são dezasseis. O primeiro beijo, o primeiro namorado, a primeira dor. Todos depositados como pacotes de ARN mensageiro nesta complexa coleção de neurónios. A memória é simples bioquímica, e, no entanto, define cada ser humano como indivíduo.

Com alguns toques do bisturi, Abe libertou o cérebro e levou-o com as duas mãos, como se transportasse um tesouro, para a bancada. Não o dissecaria naquele dia: deixá-lo-ia mergulhado numa bandeja de fixador para ser seccionado mais tarde. Mas não precisava de nenhum exame ao microscópio para ver as provas do traumatismo. Estavam ali, na descoloração sanguinolenta à superfície.

— Então, temos a ferida de entrada aqui, na têmpora esquerda — disse Rizzoli.

— Sim, e os orifícios da pele e craniano estão perfeitamente alinhados — afirmou Abe.

— Isso está em conformidade com um tiro no lado da cabeça.

Abe fez um aceno de concordância:

— O agressor apontou provavelmente pela janela do condutor. E a janela estava aberta e por isso não havia vidro que distorcesse a trajetória.

— Quer dizer que ela estava ali sentada, simplesmente — disse Rizzoli. — Uma noite quente. O vidro da janela em baixo. Oito horas, começa a escurecer. Ele dirige-se ao automóvel. Aponta a arma e dispara. — Rizzoli abanou a cabeça. — Porquê?

— Não levou a carteira — observou Abe.

— Portanto, não foi um assalto — concluiu Frost.

— O que nos deixa a braços com um crime passional. Ou um ajuste de contas. — Rizzoli olhou de soslaio para Maura. Lá vinha novamente à tona aquela possibilidade de homicídio por encomenda.

Terá atingido o alvo certo?

Abe mergulhou o cérebro num recipiente com formol.

— Até aqui, nenhuma surpresa — disse, e voltou-se para executar a autópsia do pescoço.

— Tenciona pedir análises toxicológicas? — perguntou Rizzoli.

Abe encolheu os ombros, dizendo:

— Podemos mandar fazer uma, mas não me parece que seja necessário. A causa da morte é perfeitamente visível. — Apontou com a cabeça para o negatoscópio, onde o projétil se salientava contra a sombra do crânio. — Tem alguma razão para querer uma análise toxicológica? A polícia encontrou algumas drogas ou a respetiva parafernália no automóvel?

— Nada. O automóvel estava bastante limpo. Isto é, com exceção do sangue.

— E é todo da vítima?

— Pelo menos, é todo B positivo.

Abe olhou de relance para Yoshima:

— Já verificou qual é o grupo sanguíneo da nossa rapariga?

— Corresponde — assentiu Yoshima. — É B positivo.

Ninguém estava a olhar para Maura. Ninguém a viu apertar os maxilares nem a ouviu inspirar profundamente. Voltou-se abruptamente para que não pudessem ver-lhe o rosto e desatou a máscara de papel, puxando-a num movimento brusco.

Ao dirigir-se para o cesto do lixo, Abe perguntou:

— Já está farta de nós, Maura?

— A diferença horária está a dar cabo de mim — disse, amarrotando a bata. — Acho que vou cedo para casa. Encontramo-nos amanhã, Abe.

Saiu celeremente do laboratório sem olhar para trás.

O percurso até casa decorreu envolto em neblina. Só ao chegar aos arredores de Brookline é que o seu cérebro subitamente se desbloqueou. Só então conseguiu romper o círculo obsessivo de pensamentos que lhe rodopiavam na cabeça. *Não penses na autópsia. Expulsa-a da cabeça. Pensa no jantar, pensa em tudo exceto no que viste hoje.*

Parou na mercearia. Tinha o frigorífico vazio e se não queria comer atum e ervilhas congeladas naquela noite tinha de fazer compras. Era um alívio concentrar-se noutra coisa. Com uma pressa doentia, atirou com as coisas para dentro do carro. Era muito mais seguro pensar em comida e no que cozinharia no resto da semana. *Para de pensar em manchas de sangue e órgãos femininos dentro de uma bandeja. Preciso de uvas e maçãs. Aquelas beringelas não têm um excelente aspeto?* Pegou num ramo de manjericão fresco e inalou gulosamente o seu perfume, grata por a sua pungência afastar, ainda que por momentos, todos os cheiros do laboratório de autópsias de que se lembrava. Uma semana de suaves refeições francesas deixara-a desejosa de especiarias. *Esta noite,* pensou, *vou fazer um caril verde tailandês tão picante que me há de queimar a boca.*

Em casa, mudou de roupa, vestiu calções e *T-shirt,* e começou a preparar o jantar. Bebeu um vinho *bordeaux* branco enquanto partia o frango, as cebolas e os alhos. A fragrância do vapor do arroz de jasmim encheu a cozinha. Não havia tempo para pensar em sangue B positivo nem em mulheres de cabelo preto. O óleo já fumega no tacho. É tempo de saltear o frango e juntar o pó de caril. Deitar uma lata de leite de coco. Cobriu o tacho para deixar tudo a estufar. Olhou para a janela da cozinha e, de repente, viu o seu próprio reflexo no vidro.

Pareço-me com ela. Exatamente como ela.

Um arrepio percorreu-a como se o rosto na janela não fosse um reflexo, mas um fantasma a fitá-la. A tampa do tacho saltava devido ao vapor. Fantasmas a tentarem sair. Desesperados por lhe chamarem a atenção.

Desligou o bico do fogão, dirigiu-se para o telefone e discou o número de um *pager* que sabia de cor.

Momentos depois, Jane Rizzoli telefonou. Como ruído de fundo, Maura ouviu tocar um telefone. Portanto, Rizzoli ainda não estava em casa. Provavelmente ainda estava à secretária na Schroeder Plaza.

— Desculpe incomodá-la — disse Maura. — Mas preciso de perguntar-lhe uma coisa.

— Sente-se bem?

— Sinto. Só quero saber mais uma coisa acerca dela.

— Anna Jessop?

— Sim. Disse-me que a carta de condução dela era do Massachusetts.

— Precisamente.

— Qual é a data de nascimento que consta da carta?

— Como?

— Hoje, no laboratório de autópsias, disse que ela tinha quarenta anos. Em que dia nasceu?

— Porquê?

— Por favor. Preciso de saber.

— Está bem. Espere.

Maura ouviu papéis restolhar e depois Rizzoli voltou à linha.

— Segundo esta carta de condução, nasceu a vinte e cinco de novembro.

Por um momento, Maura nada disse.

— Ainda aí está? — perguntou Rizzoli.

— Estou.

— Qual é o problema, doutora? Que se passa?

Maura engoliu em seco.

— Preciso que me faça uma coisa, Jane. Vai parecer-lhe uma loucura.

— Experimente.

— Quero que o laboratório criminal compare o meu ADN com o dela.

Do outro lado da linha, Maura ouviu o outro telefone parar finalmente de tocar. Rizzoli respondeu:

— Repita lá isso. Parece-me que não a ouvi bem.

— Quero saber se o meu ADN coincide com o de Anna Jessop.

— Ouça, concordo que há fortes semelhanças...

— Há mais do que isso.

— De que outras coisas está a falar?

— Temos ambas o mesmo grupo sanguíneo. B positivo.

Rizzoli, sensatamente, respondeu:

— Quantas pessoas não terão B positivo? Qualquer coisa como... dez por cento da população?

— E o dia do aniversário. Disse que ela faz anos a vinte e cinco de novembro. Jane, eu também.

A notícia provocou um silêncio de morte. Rizzoli disse suavemente:

— Está bem, acabou por me fazer arrepiar os pelos dos braços.

— Percebe agora porque quero isso? Tudo nela, desde o aspeto ao grupo sanguíneo, passando pela data de nascimento... — Maura fez uma pausa. — Ela é *eu*. Quero saber de onde vem. Quero saber quem é essa mulher.

Uma pausa longa. Depois, Rizzoli disse:

— Responder a essa pergunta está a mostrar-se muito mais difícil do que pensávamos.

— Porquê?

— Recebemos esta tarde um extrato e verificámos que a conta do MasterCard só tem seis meses.

— E então?

— A carta de condução tem quatro meses. As chapas de matrícula do automóvel só têm três meses.

— E quanto à morada? Tinha endereço de Brighton, não é assim? Vocês devem ter falado com os vizinhos.

— Entrámos em contacto finalmente com a senhoria ontem à noite, já tarde. Diz que arrendou o apartamento a Anna Jessop há três meses. Deixou-nos entrar no apartamento.

— E?

— Está vazio, doutora. Não há uma peça de mobiliário, não há uma frigideira, não há uma escova de dentes. Alguém pagou a televisão por cabo e uma linha telefónica, mas não estava lá ninguém.

— E quanto aos vizinhos?

— Nunca a viram. Chamavam-lhe «o fantasma».

— Deve existir uma morada anterior. Outra conta bancária...

— Já procurámos. Não conseguimos encontrar *nada* acerca desta mulher que seja mais antigo.

— Que significa isso?

— Significa que até há seis meses Anna Jessop não existia — respondeu Rizzoli.

4

Quando Rizzoli entrou no J.P. Doyle's, encontrou os suspeitos do costume reunidos em torno do bar. Polícias, na sua maioria, trocando histórias de guerra daquele dia acompanhadas de cerveja e amendoins. Localizado mesmo ao fundo da rua da subestação Jamaica Plain da polícia de Boston, o Doyle's era provavelmente o buraco mais seguro da cidade onde se podia tomar uns copos. Um movimento em falso e dúzias de polícias estariam em cima do indivíduo como um monte de Patriotas da Nova Inglaterra. Rizzoli conhecia aquela multidão e todos a conheciam. Afastaram--se para deixarem passar a grávida e Rizzoli viu alguns sor-risinhos enquanto se bamboleava pelo meio deles com a barriga a abrir caminho como a proa de um navio.

— Ei, Rizzoli! — exclamou alguém. — Estás a engor-dar ou quê?

— Estou. — Rizzoli riu-se. — Mas, ao contrário de ti, em agosto estou outra vez magra.

Dirigiu-se aos detetives Vann e Dunleavy, que lhe ace-navam do bar. Sam e Frodo — era o que toda a gente cha-mava ao par. O *hobbit* gordo e o magro, colegas há tanto tempo que agiam como um velho casal, e que provavel-mente passavam mais tempo um com o outro do que com as respetivas mulheres. Rizzoli raramente os vira separados e calculava que era só uma questão de tempo até começa-rem a vestir-se de igual.

Sorriram e cumprimentaram-na com canecas de *Guin-ness* idênticas.

— Ei, Rizzoli... — disse Vann.

— ... está atrasada — concluiu Dunleavy.

— Já vamos na segunda volta...

— ... quer uma?

Credo!, até acabavam as frases um do outro.

— Aqui está muito barulho — disse ela. — Vamos pa-ra a outra sala.

Dirigiu-se para a sala do restaurante, para o reservado habitual sob a bandeira irlandesa. Dunleavy e Vann senta-ram-se confortavelmente à sua frente, lado a lado. Pensou no seu próprio parceiro, Barry Frost, bom tipo e até mes-mo um janota, mas com quem ela não tinha absolutamente nada em comum. Ao fim do dia, ela seguia o seu caminho e Frost seguia o dele. Gostavam bastante um do outro, mas não lhe parecia que conseguisse aguentar mais tempo jun-tos do que o que já passavam. Decerto que não tanto quan-to aqueles dois indivíduos.

— Então, encontrou uma vítima da *Black Talon* — dis-se Dunleavy.

— Ontem à noite, em Brookline — respondeu. — É a primeira *Talon* depois do vosso caso. Foi quando... há dois anos?

— Sim, mais ou menos.

— Encerrado?

— Fechado como um túmulo — disse Dunleavy com uma risada.

— Quem foi que disparou?

— Um indivíduo chamado Antonin Leonov. Imigrante ucraniano, jogador medíocre a tentar subir na liga. A ralé russa acabaria por o apanhar se nós não o tivéssemos detido primeiro.

— Mas que anormal! — bufou Vann. — Não fazia ideia de que estávamos a vigiá-lo.

— E porque é que o vigiavam? — perguntou ela.

— Recebemos a informação de que ele estava à espera de uma entrega do Tajiquistão — explicou Dunleavy. — Heroína. Coisa em grande. Andámos atrás dele durante quase uma semana e ele nunca deu por nós. Então, seguimo-lo até à casa do sócio, um tal Vassily Titov. Titov deve ter lixado Leonov, ou coisa parecida. Vimos Leonov entrar em casa de Titov. Depois, ouvimos disparos e Leonov voltou a sair.

— E nós estávamos à espera dele — continuou Vann. — Como eu disse, um anormal.

Dunleavy ergueu a *Guinness* num brinde:

— Aberto e encerrado. O agressor foi apanhado com a arma. Estávamos lá e presenciámos. Não sei porque se deu sequer ao trabalho de se considerar inocente. O júri levou menos de uma hora para voltar com o veredicto.

— Alguma vez vos disse como arranjou as *Black Talon?* — perguntou Rizzoli.

— Está a brincar? — replicou Vann. — Não nos disse nada. Mal falava inglês, mas tenho a certeza de que sabia o significado da palavra «Miranda».

— Levámos uma equipa para fazer a busca à casa e à empresa — acrescentou Dunleavy. — Encontrámos qualquer coisa como oito caixas de *Black Talon* guardadas no armazém, acredita? Não sabemos como deitou a mão a tantas, mas tinha uma boa reserva. — Dunleavy encolheu os ombros. — Portanto, é o que sabemos sobre Leonov. Não vejo qual a ligação dele com o vosso caso.

— Cá, só houve dois casos de tiros com *Black Talon* nos últimos cinco anos — disse Rizzoli. — O vosso e o meu.

— Sim, bem, provavelmente ainda há algumas balas a passearem-se por aí no mercado negro. Que diabo, consultem o *eBay*. O que eu sei é que fisgámos Leonov e pronto. — Dunleavy emborcou o resto da cerveja. — Vocês têm um atirador diferente.

Algo que Rizzoli já concluíra. Uma rixa entre pequenos gatunos russos dois anos antes não parecia relevante para o assassínio de Anna Jessop. Aquela bala *Black Talon* era uma falsa ligação.

— Emprestam-me o processo do Leonov? — perguntou ela. — Gostava de dar-lhe mais uma vista de olhos.

— Amanhã está na sua secretária.

— Obrigada, rapazes. — Esgueirou-se do reservado e pôs-se de pé com esforço.

— Então, para quando é que isso está previsto? — perguntou Vann, indicando a barriga com a cabeça.

— Não tão cedo quanto desejaria.

— Os rapazes, sabe, fizeram uma aposta. Sobre o sexo do bebé.

— Estão a gozar!

— Acho que são setenta dólares se for uma rapariga e quarenta se for um rapaz.

— E vinte dólares se for *outro* — disse Vann com uma risadinha.

Rizzoli sentiu o bebé dar-lhe um pontapé quando entrava no apartamento. *Sossega, Júnior*, pensou. *Já é bastante mau tratares-me como um saco de boxe durante todo o dia, agora também vais continuar nisso toda a noite?* Não sabia se transportava um rapaz, uma rapariga, ou *outro*. Só sabia que a criança estava ansiosa por nascer.

Para lá de forçar a saída a pontapé, está bem?

Jogou a bolsa e as chaves para cima da bancada da cozinha, atirou os sapatos pela porta e largou o casaco numa cadeira da sala de jantar. Dois dias antes, o marido, Gabriel, partira para o Montana, integrado numa equipa do FBI que ia investigar um esconderijo de armamento paramilitar. Agora, o apartamento deslizava para a mesma confortável anarquia que ali reinara antes do casamento. Antes de Gabriel se ter mudado para lá e instilado um pouco de disciplina. Deve entregar-se a um ex-fuzileiro a tarefa de arrumar por tamanhos panelas e frigideiras.

No quarto, captou de relance o seu reflexo no espelho. Mal se reconhecia. Bochechas redondas como maçãs, bamboleante, com a barriga saliente dentro das calças elásticas de grávida. *Quando é que eu desapareci?*, pensou. *Ainda aqui estarei, escondida algures neste corpo distorcido?* Confrontou o reflexo daquela estranha, lembrando-se de como o seu ventre fora outrora liso. Não gostava do modo como o rosto arredondara, a maneira como as bochechas se tinham tornado rosadas como as de uma criança. O esplendor da gravidez, classificara Gabriel, tentando tranquilizar a mulher, convencendo-a de que, de facto, não parecia uma baleia de focinho reluzente. *Aquela mulher não sou eu realmente*, pensou. *Não é a polícia que é capaz de abrir portas a pontapé e neutralizar criminosos.*

Atirou-se de costas para cima da cama e abriu os braços sobre o colchão como uma ave a levantar voo. Sentia o cheiro de Gabriel nos lençóis. *Esta noite sinto a tua falta,* pensou. Não era assim que um casamento devia ser. Duas carreiras, duas pessoas obcecadas pelo trabalho. Gabriel na estrada e ela sozinha no apartamento. Mas, quando entrara naquilo, sabia que não ia ser fácil. Que haveria muitas noites como esta, em que o trabalho dele ou o dela os separaria. Pensou em telefonar-lhe novamente, mas já tinham falado duas vezes naquela manhã e a Verizon já lhe roubava uma boa parte do vencimento.

Oh, que diabo.

Rolou de lado, saiu da cama com esforço e preparava--se para pegar no telefone da mesa de cabeceira quando aquele soou. Atónita, olhou para o identificador de chamadas. Um número estranho — não era o de Gabriel.

Levantou o auscultador.

— Está?

— Detetive Rizzoli? — perguntou uma voz masculina.

— Sim, a própria.

— Peço desculpa pela hora tardia. Acabei de chegar esta noite à cidade e...

— Quem fala, por favor?

— Detetive Ballard, da polícia de Newton. Soube que está a coordenar a investigação do crime de ontem à noite em Brookline. A vítima chama-se Anna Jessop.

— Sim, estou.

— No ano passado, entregaram-me cá um caso que envolvia uma mulher chamada Anna Jessop. Não sei se é a mesma pessoa, mas...

— Disse que pertence à polícia de Newton?

— Sim.

— Consegue identificar a menina Jessop? Se vir os restos mortais?

Uma pausa.

— Acho que preciso de o fazer. Preciso de ter a certeza de que é ela.

— E se for?

— Nesse caso, sei quem a matou.

Ainda antes de o detetive Rick Ballard mostrar a identificação, Rizzoli teria adivinhado que o indivíduo era polícia. Quando entrou na receção do Instituto de Medicina Legal, Ballard ergueu-se imediatamente como se se pusesse em sentido. Tinha olhos de um azul cristalino que fitavam de frente, cabelo castanho, penteado num corte conservador, e a camisa fora passada a ferro com um cuidado militar. Tinha o mesmo ar tranquilo de comando que Gabriel possuía, a mesma expressão de extrema solidez que parecia dizer «Pode contar comigo em menos de um segundo.» Por instantes, desejou estar novamente esbelta e atraente. Deram um aperto de mãos e enquanto ela lhe via a identificação sentiu que ele lhe estudava o rosto.

Polícia, sem dúvida, pensou ela.

— Está pronto para isto? — perguntou-lhe. Quando ele acenou com a cabeça, ela olhou para a rececionista. — O doutor Bristol está lá em baixo?

— Está a acabar uma autópsia agora mesmo. Disse que pode ir ter com ele lá abaixo.

Apanharam o elevador para a cave e dirigiram-se para a antecâmara da morgue, onde havia armários abastecidos de coberturas para os sapatos, máscaras e toucas de papel. Pela grande janela de observação via-se o laboratório de autópsias, onde o doutor Bristol e Yoshima estavam a trabalhar num homem esquelético e de cabelos grisalhos. Bristol viu-os através do vidro e saudou-os com um aceno.

— Mais dez minutos! — disse.

— Nós esperamos — respondeu Rizzoli, acenando com a cabeça.

Bristol acabara de fazer a incisão na cabeça. Depois, puxou o couro cabeludo para a frente por cima do crânio, escondendo o rosto.

— Detesto sempre esta parte — disse Rizzoli. — Quando começam a remexer no rosto. O resto, aguento bem.

Ballard nada disse. Rizzoli fitou-o e viu que tinha as costas rígidas e uma expressão severamente estoica no rosto. Como era um detetive que não lidava com homicídios, provavelmente não faria muitas visitas à morgue e o procedimento que se desenrolava do outro lado daquela janela decerto que o deixaria chocado e incomodado. Rizzoli lembrou-se da primeira visita que ali fizera quando era cadete da polícia. Fora integrada num grupo da academia e era a única mulher no meio dos seis musculosos cadetes, todos muito mais altos do que ela. Toda a gente esperava que fosse a rapariga a vomitar ou a voltar-se de costas durante a autópsia. Mas ela plantara-se de frente e ao meio e vira o procedimento inteiro sem vacilar. Foi um dos homens, o mais espadaúdo de todos, quem empalideceu e se deixou cair numa cadeira próxima. Perguntou-se se Ballard estaria prestes a fazer o mesmo. Sob as lâmpadas fluorescentes, a sua pele adquirira uma palidez doentia.

Na sala de autópsias, Yoshima começou a serrar o crânio. O zumbido da lâmina contra o osso foi mais do que Ballard conseguia aguentar. Virou as costas à janela e pregou os olhos nas caixas de luvas arrumadas por tamanhos na prateleira. Na verdade, Rizzoli sentiu alguma pena dele. Devia ser humilhante, quando se era um indivíduo de ar duro como Ballard, permitir que uma agente o visse de joelhos trémulos.

Empurrou um banco na direção dele e depois puxou um para si mesma, dando um suspiro ao sentar-se.

— Presentemente, já não me aguento muito tempo de pé.

Ballard sentou-se também, sentindo-se aliviado por poder concentrar a atenção noutra coisa que não o zumbido da serra.

— É o primeiro? — perguntou ele, apontando-lhe para a barriga.

— É.

— Rapaz ou rapariga?

— Não sei. Ficamos felizes com o que vier.

— Foi o que senti quando nasceu a minha filha. Dez dedos nas mãos, outros dez nos pés, era tudo o que desejava... — Fez uma pausa, engolindo em seco, quando a serra recomeçou a zumbir.

— Que idade tem agora a sua filha? — perguntou Rizzoli, tentando distraí-lo.

— Oh, catorze, com pretensões a adulta. Neste momento as coisas não estão fáceis.

— Idade difícil para as raparigas.

— Está a ver todos estes cabelos brancos a aparecerem-me?

Rizzoli riu-se.

— A minha mãe costumava fazer isso. Apontava para a cabeça e dizia «Estes cabelos brancos são todos por *tua* culpa.» Tenho de admitir que não era agradável estar perto de mim quando eu tinha catorze anos. É a idade.

— Bem, também estamos a passar por alguns problemas. A minha mulher e eu separámo-nos o ano passado e Katie sente-se arrastada para direções diferentes. Ambos os pais trabalham, duas casas.

— Deve ser difícil para uma garota.

O zumbido da serra de ossos calou-se misericordiosamente. Pela janela, Rizzoli viu Yoshima remover o couro cabeludo. Viu Bristol libertar o cérebro, segurando-o gentilmente com as duas mãos em concha ao extraí-lo do crânio. Ballard manteve os olhos afastados da janela e concentrou a atenção em Rizzoli.

— É duro, não é? — perguntou.

— O quê?

— Trabalhar como polícia. Na sua condição e tudo...

— Pelo menos, ninguém espera que abra portas a pontapé nos dias mais próximos.

— A minha mulher era novata quando engravidou.

— Da polícia de Newton?

— Boston. Queriam retirá-la das rondas. Mas ela disse que estar grávida era uma vantagem. Disse que os criminosos se tornam muito mais corteses.

— Os criminosos? Para mim nunca são corteses.

Na sala ao lado, Yoshima estava a coser a incisão do cadáver com agulha e fio de sutura, como um alfaiate macabro, juntando com os seus pontos não peças de tecido mas carne. Bristol arrancou as luvas, lavou as mãos e depois avançou pesadamente ao encontro das visitas.

— Desculpem o atraso. Levou-me um pouquinho mais do que esperava. O indivíduo tinha tumores em todo o abdómen e nunca viu um médico. Por isso é que veio ter comigo. — Estendeu a mão carnuda, ainda húmida, para cumprimentar Ballard. — Detetive. Então, veio cá dar uma olhadela ao nosso tiro.

Rizzoli viu que o rosto de Ballard se tornara tenso.

— A detetive Rizzoli pediu-me.

Bristol acenou:

— Bem, vamos lá então. Está na sala de frio. — Conduziu-os através do laboratório de autópsias e por um corredor até à grande unidade de refrigeração. Parecia-se com qualquer outra sala frigorífica de conservação de carne, com indicadores de temperatura e uma maciça porta de aço inoxidável. Pendurado na parede, havia um quadro de avisos com a relação das entregas. O nome do homem de idade em quem Bristol terminara o exame *post mortem* constava da lista e o corpo fora entregue às onze horas da noite anterior. Era uma lista da qual se não gostava de fazer parte.

Bristol abriu a porta, pela qual saíram nuvens de condensação. Entraram e o cheiro a carne congelada quase sufocou Rizzoli. Desde que engravidara, perdera a tolerância a odores desagradáveis e até uma baforada a podridão a mandava a cambalear para a pia mais próxima. Desta vez, conseguiu dominar o enjoo, fitando com firme determinação a fila de macas que se encontravam na sala de frio. Havia cinco sacos para corpos com o seu conteúdo amortalhado em plástico branco.

Bristol percorreu a fila de macas e leu as várias etiquetas. Parou na quarta.

— Eis a nossa rapariga — disse, e correu o fecho do saco apenas o suficiente para pôr à mostra a metade superior do tronco e a incisão em «Y» cosida com pequenos nós de fio de sutura. Mais trabalho manual de Yoshima.

Quando o plástico foi afastado, o olhar de Rizzoli pousou não na falecida, mas em Rick Ballard. Ficou em silêncio, fitando o cadáver. A visão de Anna Jessop deixou-o aparentemente petrificado.

— Então? — perguntou Bristol.

Ballard pestanejou como se saísse de um transe e soltou um suspiro.

— É ela — murmurou.

— Tem a certeza absoluta?

— Tenho. — Ballard engoliu em seco. — Que aconteceu? Que descobriram?

Bristol olhou de soslaio para Rizzoli, perguntando tacitamente se podia avançar com a informação. Rizzoli assentiu.

— Uma única bala na têmpora esquerda — disse Bristol, apontando para a ferida de entrada no couro cabeludo. — Destruição extensa do temporal esquerdo, bem como de ambos os lobos parietais, devido a ricochete intracraniano. Hemorragia intracraniana maciça.

— Foi o único ferimento?

— Correto. Muito rápido, muito eficiente.

O olhar de Ballard desviara-se para o tronco. Para os seios. Esta reação dos homens, quando confrontados com a nudez de uma mulher jovem, não era de surpreender, mas, mesmo assim, Rizzoli sentiu-se incomodada. Viva ou morta, Anna Jessop tinha direito à sua dignidade. Rizzoli ficou aliviada quando o doutor Bristol, com indiferença, puxou o fecho para cima, concedendo ao cadáver a sua privacidade.

Saíram da sala de frio e Bristol bateu a pesada porta do frigorífico.

— Tem conhecimento de algum familiar próximo? — perguntou. — Alguém que devamos notificar?

— Não há ninguém — respondeu Ballard.

— Você tem mesmo a certeza!

— Ela não tem, ainda vivos... — Abruptamente, a voz do detetive extinguiu-se. Ficara imóvel e olhava pela janela para o laboratório de autópsias.

Rizzoli voltou-se para ver para onde estava ele a olhar e percebeu de imediato o que lhe prendera a atenção. Maura Isles acabara de entrar no laboratório e trazia consigo um envelope com radiografias. Dirigiu-se ao negatoscópio, prendeu as películas e acendeu a luz. Enquanto analisava as imagens dos ossos estilhaçados, não reparou que estava a ser observada. Que três pares de olhos a fitavam através da janela.

— Quem é aquela? — murmurou Ballard.

— Aquela é uma das nossas médicas-legistas — respondeu Bristol. — A doutora Maura Isles.

— A semelhança é assustadora, não é? — comentou Rizzoli.

Atónito, Ballard acenou com a cabeça.

— Por momentos, pensei...

— Todos nós pensámos o mesmo quando vimos a vítima pela primeira vez.

Na sala ao lado, Maura voltou a guardar as radiografias no envelope. Saiu do laboratório, sem chegar a aperceber--se de que fora observada. *Quão fácil é vigiar uma pessoa,* pensou Rizzoli. *Não existe aquilo a que chamam o sexto sentido e que nos diz que alguém está a olhar para nós. Não sentimos nas costas o olhar do perseguidor; só no instante em que ele ataca é que percebemos que ali está.*

Rizzoli voltou-se para Ballard.

— Muito bem, já viu Anna Jessop. Confirmou que a conhecia. Agora, diga-nos quem era ela realmente.

CAPÍTULO

5

O suprassumo das máquinas de quatro rodas. Era como todos os adolescentes o denominavam, era o que lhe chamava Dwayne, e Mattie Purvis ia a conduzir aquela máquina poderosa pela West Central Street, piscando os olhos para afastar as lágrimas e pensando: *Tens de estar lá. Por favor, Dwayne, está lá.* Mas não sabia se ele estaria. Havia tanta coisa em relação ao marido que ela presentemente não compreendia que era como se um estranho tivesse ocupado o seu lugar, um estranho que mal lhe dava atenção. Que dificilmente olhava sequer para ela. *Quero o meu marido de volta. Mas nem sequer sei como o perdi.*

A placa gigantesca à sua frente, onde se lia «Purvis BMW», atraía a sua atenção. Deu a volta e entrou, passando por filas de outros suprassumos cintilantes, e descobriu o automóvel de Dwayne, estacionado junto da porta do salão de exposições.

Estacionou o automóvel no espaço ao lado do dele e desligou o motor. Continuou sentada por momentos, respirando fundo. Inspirações de limpeza, tal como lhe ensinavam no curso de preparação para o parto pelo método Lamaze. Curso que Dwayne deixara de frequentar havia um mês, porque achava que era uma perda de tempo. *Quem vai ter o bebé és tu, não sou eu. Porque preciso de estar lá?*

Oh, demasiadas respirações profundas. Subitamente tonta, tombou para a frente sobre o volante. Acidentalmente, tocou na buzina e estremeceu quando aquela deu uma forte apitadela. Olhou para o exterior pelo vidro e viu um dos mecânicos a fitá-la. A olhar para a idiota da mulher de Dwayne, a tocar a buzina sem necessidade. Corando, abriu a porta, conseguiu tirar a grande barriga de detrás do volante e dirigiu-se para o salão de exposições dos *BMW*.

Lá dentro cheirava a cabedal e a cera para automóveis. Um afrodisíaco para os homens, assim classificava Dwayne aquele banquete de aromas que agora fazia Mattie sentir-se levemente enjoada. Deteve-se entre as sensuais sereias do salão: modelos novos daquele ano, todos curvas e cromados, a brilhar sob os projetores. Um homem podia perder a alma naquela sala. Passava a mão sobre um flanco azul metálico, olhava demasiado tempo para o seu próprio reflexo no para-brisas e começava a ver materializarem-se os seus sonhos. Começava a ver o homem que *podia* ser se possuísse uma daquelas máquinas.

— Senhora Purvis?

Mattie voltou-se e viu Bart Thayer, um dos vendedores do marido, que lhe acenava.

— Oh, olá — disse ela.

— Está à procura de Dwayne?

— Sim. Onde está ele?

— Acho que, hã... — Bart olhou de soslaio para os escritórios das traseiras. — Deixe-me verificar.

— Tudo bem, posso procurá-lo.

— *Não!* Quer dizer, hã, deixe-me ir lá dentro, está bem? Devia sentar-se, descansar desse peso. Nesse estado, não devia andar por aí. — Era engraçado ouvir Bart dizer aquilo, ele que tinha uma barriga maior do que a dela.

Mattie conseguiu arranjar um sorriso.

— Só estou grávida, Bart. Não estou aleijada.

— Então, quando é o grande dia?

— Dentro de duas semanas. Pelo menos, é para quando estou à espera. Mas nunca se sabe.

— Lá isso é verdade. O meu primeiro filho não queria vir cá para fora. Nasceu com um atraso de três semanas e desde então anda atrasado para tudo. — Piscou os olhos. — Deixe-me ir chamar Dwayne.

Ficou a vê-lo afastar-se em direção aos escritórios. Seguiu lentamente atrás dele, o suficiente para o ver bater à porta de Dwayne. Não houve resposta e, por isso, voltou a bater. Por fim, a porta abriu-se e Dwayne pôs a cabeça de fora. Sobressaltou-se quando viu Mattie a acenar-lhe da sala de exposições.

— Posso falar contigo? — perguntou ela.

Dwayne saiu do escritório, fechando a porta atrás de si.

— Que estás a fazer aqui? — perguntou com irritação.

Bart olhou para um e para outro. Lentamente, começou a afastar-se em direção à saída.

— Bem, Dwayne, pensei que podíamos tomar agora um cafezinho.

— Sim, sim — resmungou Dwayne. — Pode ser.

Bart desandou da sala de exposições. Marido e mulher fitaram-se.

— Estive à tua espera — disse Mattie.

— Quê?

— A minha consulta de obstetrícia, Dwayne. Disseste que ias. A doutora Fishman esperou vinte minutos, mas depois não pôde aguardar mais. Não viste a ecografia.

— Oh! Oh, Jesus, esqueci-me. — Dwayne passou a mão pela cabeça, alisando os cabelos escuros. Sempre a mexer no cabelo, na camisa, na gravata. Quando se lida com um produto de tecnologia de ponta, gostava Dwayne de dizer, temos de reparar nos pormenores. — Desculpa.

Mattie meteu a mão na carteira e retirou uma foto.

— Ao menos queres dar uma olhadela à fotografia?

— Que é isso?

— É a nossa filha. É uma foto da ecografia.

Dwayne olhou de relance para a foto e encolheu os ombros.

— Não se vê grande coisa.

— Vê-se aqui o braço e a perna. Se olhares com atenção, quase consegues ver-lhe o rosto.

— Sim, fixe. — Devolveu-lhe a foto. — Esta noite chego um pouco tarde, está bem? Vem cá um indivíduo às seis da tarde para experimentar um automóvel. Janto qualquer coisa por aí.

Mattie voltou a guardar a foto na carteira e suspirou.

— Dwayne...

Dwayne deu-lhe um beijo rápido na testa.

— Deixa-me acompanhar-te. Vamos.

— Não podemos ir tomar um café ou outra coisa?

— Tenho clientes.

— Mas não está ninguém no salão de exposições...

— Mattie, *por favor*. Deixa-me trabalhar, está bem?

A porta do escritório de Dwayne abriu-se subitamente. A cabeça de Mattie girou quando de lá saiu uma mulher, uma loura esgalgada, que percorreu rapidamente o salão até outro escritório.

— Quem é aquela? — perguntou Mattie.

— Quê?

— Aquela mulher que acabou de sair do teu escritório.

— Oh! Ela? — Pigarreou. — Uma empregada nova. Achei que já era tempo de metermos uma vendedora. Diversifica a equipa, percebes? Mostrou-se uma excelente aquisição. Vendeu mais carros o mês passado do que Bart, e isso quer dizer qualquer coisa.

Mattie fitou a porta fechada de Dwayne, pensando: *Foi quando isto começou. O mês passado. Foi quando tudo mudou entre nós, quando a estranha se mudou para o corpo de Dwayne.*

— Como se chama ela? — perguntou.

— Olha, tenho mesmo de voltar para o trabalho.

— Só quero saber como se chama. — Voltou-se e fitou o marido e, nesse instante, viu que nos olhos dele a culpa brilhava como néon.

— Oh, Jesus. — Dwayne voltou-lhe as costas. — Não tenho necessidade disto.

— Senhora Purvis? — Era Bart, que a chamava da entrada do salão de exposições. — Sabia que tem um pneu vazio? O mecânico acabou de me dizer.

Espantada, voltou-se e fitou-o.

— Não... Eu... não sabia.

— Como é possível que *não* repares num pneu vazio? — exclamou Dwayne.

— Isso deve ter... bem, pareceu-me um pouco pesado, mas...

— Não acredito! — Dwayne dirigia-se já para a porta. *Afasta-se de mim como sempre,* pensou ela. *E agora está furioso. Como é que de repente a culpada de tudo sou eu?*

Mattie e Bart foram atrás dele. Dwayne estava agachado junto da roda de trás do automóvel e abanava a cabeça.

— Acreditas que ela não deu por nada? — disse a Bart. — Olha-me para este pneu! Rasgou o maldito pneu!

— Pronto, isso acontece — respondeu Bart, olhando para Mattie com uma expressão de compreensão. — Escuta, vou pedir a Ed que o substitua por um novo. Não há problema.

— Mas olha-me para a jante, toda estragada. Quantos quilómetros terá ela conduzido com isto assim? Como pode alguém ser tão tapado?

— Vamos, Dwayne — replicou Bart. — Não é nada do outro mundo.

— Não dei por nada. Sinto muito — disse Mattie.

— Conduziste o automóvel assim desde o consultório do médico? — Dwayne olhou para ela por cima do ombro e a irritação que Mattie viu nos olhos dele assustou-a. — Estavas a sonhar acordada ou quê?

— Dwayne, *não reparei!*

Bart deu uma palmadinha no ombro de Dwayne.

— Talvez devesses acalmar-te um pouco, que achas?

— Não te metas nisto! — bufou Dwayne.

Bart recuou, erguendo as mãos em sinal de submissão.

— Pronto, pronto. — Deitou a Mattie um último olhar, um olhar de «Boa sorte, querida», e afastou-se.

— É só um pneu — comentou Mattie.

— Deves ter vindo a atirar fagulhas pela estrada fora. Quantas pessoas achas que te viram a conduzir dessa maneira?

— Isso interessa?

— Acorda! Isto é um *BMW*. Quando conduzimos uma máquina destas, defendemos uma imagem. As pessoas veem o carro e esperam que o condutor seja um pouco mais esperto, um pouco mais progressista do que os outros. Quando andamos a fazer barulho com um pneu vazio, *estragamos* a imagem. Todos os outros condutores de *BMW* ficam mal vistos. *Eu* fico mal visto.

— É só um pneu.

— Para de dizer isso.

— Mas é.

Dwayne resfolgou com desprezo e endireitou-se.

— Desisto.

— O problema não é o pneu, pois não, Dwayne? — disse Mattie engolindo as lágrimas.

— Quê?

— Esta discussão tem a ver connosco. Qualquer coisa que não está bem *connosco*.

O silêncio dele piorou as coisas. Não olhou para ela e em vez disso voltou-se para fitar o mecânico que vinha na direção deles.

— Olá — disse o mecânico. — Bart disse-me que era preciso mudar esse pneu.

— Sim, trata disso, está bem? — Dwayne fez uma pausa, concentrando a atenção num *Toyota* que acabara de entrar no recinto. Um homem saiu do automóvel e ficou a olhar para um dos *BMW*. Inclinou-se para ler o autocolante do vendedor colado na janela. Dwayne alisou o cabelo, deu um piparote na gravata e começou a aproximar-se do novo cliente.

— Dwayne? — chamou Mattie.

— Tenho aqui um cliente.

— Mas eu sou a tua *mulher*.

Dwayne rodou sobre si mesmo, com uma expressão súbita e chocantemente venenosa nos olhos.

— *Não... abuses... Mattie.*

— Que tenho de fazer para conseguir a tua atenção? — gritou ela. — Comprar-te um automóvel? É isso que é preciso? Porque não conheço outra maneira. — Quebrou-se-lhe a voz. — Não conheço outra maneira.

— Então, talvez devesses simplesmente desistir. Porque já não vejo qual é o interesse.

Mattie viu-o afastar-se. Viu-o parar por momentos para endireitar os ombros e ensaiar um sorriso. A voz, subitamente, saiu-lhe forte, quente e amistosa ao cumprimentar o novo cliente do estabelecimento.

— Senhora Purvis? Minha senhora?

Mattie pestanejou. Voltou-se e olhou para o mecânico.

— Preciso das chaves do automóvel, se não se importa. Para poder levá-lo para a oficina e substituir o pneu. — Estendeu-lhe uma mão manchada de gordura.

Sem dizer palavra, entregou-lhe o chaveiro e depois voltou-se para olhar para Dwayne. Mas este nem sequer olhou na sua direção. Como se ela fosse invisível. Como se ela nada fosse.

Mal se lembrava de regressar a casa.

Deu por si sentada à mesa da cozinha, ainda de chaves na mão, com o correio do dia empilhado à sua frente. Por cima estava o extrato do cartão de crédito, dirigido ao senhor e à senhora Dwayne Purvis. Senhor e senhora. Lembrava-se da primeira vez em que alguém lhe chamara senhora Purvis e da alegria que sentira ao ouvir o nome. Senhora Purvis. Senhora Purvis.

Senhora Ninguém.

As chaves escorregaram para o chão. Pousou a cabeça entre as mãos e começou a chorar. Chorou enquanto dentro de si o bebé dava pontapés, chorou até lhe doer a garganta e o correio ficar ensopado em lágrimas.

Quero-o de volta como ele era. Quando ele me amava.

Por entre os sacões dos seus próprios soluços, ouviu ranger uma porta. O som vinha da garagem. Sentiu-se mais animada e a esperança brotou no seu peito.

Está em casa. Veio a casa para me pedir desculpa.

Levantou-se tão depressa que a cadeira se voltou. Estonteada, abriu a porta e entrou na garagem. Na obscuridade, pestanejou, desorientada. O único carro estacionado era o seu.

— Dwayne? — chamou.

Um raio de sol chamou-lhe a atenção. A porta que dava para o pátio lateral estava aberta. Atravessou a garagem para a fechar. Acabara de empurrar a porta quando ouviu ruído de passos atrás de si. Ficou enregelada e com o coração aos saltos. Soube, nesse instante, que não estava só.

Voltou-se. A meio do movimento, encontrou-se com a escuridão.

6

Maura passou da luz do sol vespertino para a luminosidade fresca da Igreja de Nossa Senhora da Divina Luz. Por momentos, só conseguiu ver sombras, o contorno vago dos bancos e a silhueta de uma paroquiana solitária sentada à frente, de cabeça inclinada. Maura escolheu um banco e sentou-se. Deixou que o silêncio a envolvesse enquanto os olhos se adaptavam ao interior crepuscular. Nas janelas altas de vitral, que cintilavam em matizes ricos e sombrios, uma mulher de cabelos ondulados fitava com adoração uma árvore da qual pendia uma maçã de um vermelho sanguíneo. Eva no Jardim do Éden. A mulher como tentadora, sedutora. Destruidora. Ao observar aquele vitral, Maura teve uma sensação de intranquilidade e os olhos moveram-se para outro. Embora tivesse sido criada por pais católicos, não se sentia à vontade na igreja. Olhava para as imagens em tons de pedras preciosas dos santos mártires enquadrados naqueles vitrais e, embora agora pudessem ser venerados como santos, sabia que, enquanto de carne e osso, não podiam ter sido imaculados. Que o seu tempo na Terra fora decerto manchado por pecados, más escolhas e desejos mesquinhos. Sabia, melhor do que a maioria, que a perfeição não era humana.

Levantou-se, voltou-se para a nave e deteve-se. O padre Brophy estava ali e a luz dos vitrais lançava-lhe sobre o rosto um mosaico de cores. Aproximara-se tão silenciosamente que ela não o ouvira e estavam agora em frente um do outro sem que nenhum deles se atrevesse a quebrar o silêncio.

— Espero que não esteja a preparar-se para se ir já embora — disse ele finalmente.

— Vim meditar por alguns minutos apenas.

— Então, fico satisfeito por a ter apanhado antes de se ir embora. Gostaria de conversar?

Maura olhou para as portas das traseiras, como se pusesse a hipótese de fugir. Depois, soltou um suspiro.

— Sim. Acho que gostava.

A mulher que se encontrava no banco da frente voltara-se e olhava para eles. *Que vê ela?*, perguntou Maura a si mesma. Um padre jovem e bem-parecido. Uma mulher atraente. Murmúrios intensos trocados sob o olhar dos santos.

O padre Brophy parecia partilhar do mal-estar de Maura. Olhou para a outra paroquiana e disse:

— Não precisa de ser aqui.

Caminharam pelo Jamaica Riverway Park, seguindo o caminho à sombra das árvores que acompanhava o curso de água. Naquela tarde quente, partilhavam o parque com corredores, ciclistas e mães que empurravam os carrinhos dos bebés. Num local tão público, um sacerdote a caminhar ao lado de uma paroquiana perturbada dificilmente levantaria boatos. *É assim que agora tem de ser sempre entre nós,* pensava ela, ao baixarem-se para passar sob os ramos caídos de um salgueiro. *Nem ponta de escândalo, nem o mais leve cheiro a pecado. Aquilo que mais quero dele é o que ele não pode dar-me. Porém, estou aqui.*

Ali estavam ambos.

— Perguntava-me quando é que viria visitar-me — disse ele.

— Queria vir, mas a semana tem sido difícil. — Maura parou e fitou o rio. O zunzum do trânsito da estrada próxima ocultava o som da água corrente. — Ultimamente, tenho sentido a minha própria mortalidade.

— E antes não?

— Não assim. Quando assisti à autópsia a semana passada...

— Assiste a tantas...

— Não assisto só, Daniel. *Executo-as.* Pego com a minha mão no bisturi e corto. Faço isso praticamente todos os dias no meu trabalho e nunca fiquei incomodada. Talvez isso signifique que perdi o contacto com a humanidade. Tenho vindo a desligar-me tanto que nem sequer reparo que estou a cortar carne humana. Mas, naquele dia, enquanto assistia à autópsia, tudo se tornou pessoal. Olhava para ela e via-me a mim mesma na mesa. Agora não consigo agarrar num bisturi sem pensar nela. Sobre como terá sido a sua vida, o que sentia, em que estava a pensar quando... — Maura parou e suspirou. — Tem sido difícil voltar ao trabalho. Só isso.

— Tem mesmo de voltar?

Perplexa com a pergunta, olhou para ele.

— Tenho outra opção?

— Da maneira como fala, parece que se trata de escravatura.

— É o meu trabalho. É o que faço bem.

— O que, por si só, não é razão para o fazer. Portanto, porque o faz?

— Porque é que você é padre?

Era agora a vez de Daniel parecer perplexo. Pensou no assunto por momentos, muito quieto ao lado dela. O azul dos seus olhos havia-se transformado em sombras lançadas pelos salgueiros.

— Fiz essa escolha há muito tempo — respondeu. — Já não penso muito nisso. Nem o questiono.

— Deve ter acreditado.

— Ainda acredito.

— Isso basta?

— Acha mesmo que a única coisa que se exige é a fé?

— Não, é evidente que não. — Voltou-se e recomeçou a andar pelo caminho juncado de luz e sombras. Receosa de encontrar os olhos dele, receosa de que ele visse demasiado nos dela.

— Por vezes, é bom vermo-nos frente a frente com a nossa própria mortalidade — disse ele. — Faz-nos reconsiderar as nossas vidas.

— Preferia não o fazer.

— Porquê?

— Não sou muito boa em introspeção. As aulas de filosofia impacientavam-me imenso. Todas aquelas perguntas sem resposta. Já a física e a química eu podia entender! Reconfortam-me porque ensinam princípios que são reprodutíveis e metódicos. — Parou para observar uma jovem que passava de patins de rodas e a empurrar um carrinho de bebé. — Não gosto do inexplicável.

— Sim, eu sei. Quer sempre ver resolvidas as suas equações matemáticas. Por isso está a passar por tantas dificuldades com o assassínio daquela mulher.

— É uma pergunta sem resposta. O género de coisas que detesto.

Sentou-se num banco de madeira de frente para o rio. A luz esmorecia e as águas refluíam nas sombras que se adensavam. O padre também se sentou e, embora não se tocassem, Maura tinha consciência dele sentado tão junto de si que quase conseguia sentir-lhe o calor contra o braço nu.

— Soube mais alguma coisa acerca do caso pela detetive Rizzoli?

— Ela não me tem posto exatamente ao corrente.

— E esperava que o fizesse?

— Enquanto polícia, não. Não devia.

— E como amiga?

— É isso precisamente. Julgava que *éramos* amigas. Mas ela disse-me tão pouco...

— Não pode censurá-la. A vítima foi encontrada no exterior de sua casa. Ela tem de pensar...

— O quê, que sou suspeita?

— Ou que era o alvo pretendido. Foi o que todos pensámos naquela noite. Que era você quem estava no automóvel. — Olhou para o rio. — Diz que não consegue deixar de pensar na autópsia. Bem, eu não consigo deixar de pensar naquela noite em que estive na sua rua com todos aqueles carros da polícia. Não conseguia acreditar que aquilo estava a acontecer. *Recusei-me* a acreditar.

Ficaram ambos em silêncio. Diante deles, corria um rio de águas escuras e, atrás, um rio de automóveis.

Subitamente, Maura perguntou-lhe:

— Quer jantar comigo hoje à noite?

O sacerdote não respondeu por momentos e a sua hesitação fê-la corar de vergonha. Que pergunta tão tola! Gostaria de a retirar, de refazer os últimos sessenta segundos. Teria sido muito melhor dizer simplesmente adeus e afastar-se. Em vez disso, deixara escapar aquele convite irrefletido, convite que ambos sabiam que ele não aceitaria.

— Desculpe — murmurou ela. — Acho que não foi muito boa...

— Sim — respondeu ele. — Com muito gosto.

Maura estava na cozinha a cortar tomate em cubos para a salada; a mão agarrava na faca com nervosismo. No fogão fervilhava um tacho de *coq au vin,* que lançava um vapor fragrante à conta dos perfumes do vinho tinto e do frango. Uma refeição fácil e familiar que podia preparar sem consultar o livro de receitas, sem ter de parar para pensar no assunto. Não se sentia capaz de enfrentar uma refeição mais complicada. Tinha a mente totalmente concentrada no homem que estava agora a servir dois copos de *pinot noir.*

Ele pousou um copo junto dela na bancada.

— Que mais posso fazer?

— Mais nada.

— Posso fazer o molho da salada? Lavar a alface?

— Não o convidei para vir trabalhar. Simplesmente, pensei que preferiria vir cá a ir a um restaurante, que é muito público.

— Deve estar farta de estar sempre sob a mira do público — comentou ele.

— Estava a pensar principalmente em si.

— Até os padres comem em restaurantes, Maura.

— Não, quero dizer... — Sentiu que corava e renovou de esforços com o tomate.

— Calculo que as pessoas ficariam a magicar — disse ele. — Se nos vissem juntos. — Fitou-a por momentos. O único som era o da faca a raspar na tábua.

Que faz uma pessoa com um padre na cozinha?, perguntava-se ela. Pede-lhe que abençoe os alimentos? Nenhum outro homem conseguiria fazê-la sentir-se tão constrangida, tão humana, tão imperfeita. *E quais são os teus defeitos, Daniel?*, interrogava-se, enquanto deitava os cubos de tomate na tigela da salada, temperada com azeite e vinagre balsâmico. *Esse colarinho branco torna-te imune à tentação?*

— Pelo menos deixe-me cortar o pepino — pediu ele.

— Não consegue mesmo descontrair, pois não?

— Não gosto de estar sem fazer nada enquanto os outros trabalham.

— Junte-se ao clube — replicou Maura, rindo-se.

— Não será o clube dos inveterados viciados no trabalho? É que sou membro encartado! — Retirou uma faca do bloco de madeira e começou a cortar o pepino, libertando-lhe o aroma fresco e estival. — Vem do facto de ter ajudado a criar cinco irmãos e uma irmã.

— Eram sete na família? Meu Deus!

— Tenho a certeza de que era o que o meu pai afirmava de cada vez que ouvia dizer que vinha outro a caminho.

— E qual era o seu lugar entre esses sete?

— O número quatro. Entalado no meio. Coisa que, segundo os psicólogos, me torna num mediador inato. Aquele que está sempre a tentar manter a paz. — Ergueu os olhos e sorriu-lhe. — Também significa que sei entrar e sair do duche realmente depressa.

— E como é que passou de rebento número quatro a sacerdote?

Daniel voltou a olhar para a tábua dos legumes.

— Como deve calcular, é uma longa história.

— Sobre a qual não deseja falar?

— As minhas razões parecer-lhe-iam provavelmente ilógicas.

— Bem, é engraçado como as decisões mais importantes da nossa vida são habitualmente as menos lógicas. A pessoa com quem escolhemos casar, por exemplo. — Tomou um gole de vinho e voltou a pousar o copo. — Eu, de certeza, não poderia defender o meu próprio casamento com base na lógica.

Daniel ergueu os olhos.

— Desejo carnal?

— É a palavra exata. Foi como cometi o maior erro da minha vida. Até aqui, pelo menos. — Tomou outro gole de vinho. *E tu podias ser o meu erro seguinte. Se Deus queria que nos portássemos bem, não devia ter criado a tentação.*

O padre colocou o pepino cortado na saladeira e lavou a faca. Maura observava-o junto da pia, de costas para ela. Tinha a constituição alta e esbelta de um corredor de fundo. *Porque faço isto a mim mesma?* interrogou-se. *Com tanto homem por quem podia sentir-me atraída, porque havia de ser por este?*

— Perguntou porque escolhi o sacerdócio — disse ele.

— Porquê?

Voltou-se e olhou para ela.

— A minha irmã teve leucemia.

Atónita, Maura não soube o que dizer. Nada lhe parecia apropriado.

— Sophie tinha seis anos — continuou ele. — Era a mais nova da família e a única rapariga. — Pegou num pano da louça para secar as mãos e voltou a pendurá-lo cuidadosamente, demorando-se, como se sentisse necessidade de medir as palavras. — Era uma leucemia linfocítica aguda. Creio que se pode dizer que era do tipo bom, se é que existe uma leucemia boa.

— É a que tem melhor prognóstico em crianças. Com uma taxa de oitenta por cento de sobrevivência. — A afirmação era verdadeira, mas Maura arrependeu-se mal disse aquilo. A lógica doutora Isles, reagindo perante a tragédia com os dados úteis e as estatísticas impiedosas do costume. Era o modo como sempre lidara com as confusas emoções dos que a cercavam, refugiando-se no seu papel de cientista. Um amigo morreu de cancro do pulmão? Um familiar ficou tetraplégico devido a um acidente de automóvel? Para cada tragédia podia citar uma estatística, retirando confiança da tonificante certeza dos números. Convicta de que por trás de cada horror há uma explicação.

Perguntou-se se Daniel a acharia desprendida, ou mesmo insensível, por causa da resposta. Mas Daniel não pareceu ofendido. Acenou com a cabeça simplesmente, aceitando a estatística com o espírito com que ela a oferecera, como um simples facto.

— Os índices de sobrevivência de cinco anos não eram tão bons naquela época — disse ele. — Quando foi diagnosticada, já a minha irmã estava bastante doente. Não conseguiria dizer-lhe como ficámos devastados, todos nós. Especialmente a minha mãe. A sua única filha. O seu bebé.

Na altura eu tinha catorze anos e como que me responsabilizava por tomar conta de Sophie. Mesmo com toda a atenção que recebeu, todos os cuidados, nunca ficou estragada com mimos. Nunca deixou de ser a criança mais doce que se pode imaginar. — Ainda não olhara para Maura; fitava o chão, como se não desejasse revelar a profundidade da sua dor.

— Daniel? — disse ela.

Daniel inspirou profundamente e endireitou-se.

— Não tenho a certeza de como hei de contar esta história a uma cética empedernida como você.

— Que aconteceu?

— O médico informou-nos de que ela se encontrava em estado terminal. Naquele tempo, quando um médico dava a sua opinião, aceitávamo-la como se fossem os evangelhos. Naquela noite, os meus pais e os meus irmãos foram para a igreja. Rezar por um milagre, calculo. Eu fiquei no hospital para que Sophie não estivesse sozinha. Nessa altura, estava calva. Perdera todo o cabelo com a quimioterapia. Lembro-me de ela adormecer no meu colo. Eu rezava. Rezei durante horas e fiz toda a espécie de promessas loucas a Deus. Se ela tivesse morrido, acho que nunca mais poria os pés numa igreja.

— Mas ela sobreviveu — disse Maura suavemente.

Ele fitou-a e sorriu.

— Sim, sobreviveu. E eu mantive todas as promessas que fiz. Todas elas. Porque, naquele dia, Ele estava a ouvir-me. Não tenho dúvidas.

— Onde está Sophie agora?

— Tem um casamento feliz e vive em Manchester. Tem dois filhos adotivos. — Sentou-se diante dela à mesa da cozinha. — E, assim, aqui estou.

— O padre Brophy.

— Agora já sabe porque fiz a minha escolha.

E foi a correta?, gostaria ela de perguntar, mas não o fez.

Voltaram a encher os copos. Maura cortou o pão estaladiço em fatias e mexeu a salada. Serviu os pratos com o *coq au vin* fumegante. O caminho para o coração de um homem é através do estômago; era onde ela estava a tentar chegar? O que realmente queria, o coração de Daniel Brophy?

Talvez porque não o posso ter, me sinta tão segura de o querer. Está fora do meu alcance e portanto não pode magoar-me como Victor fez.

Mas quando se casara com Victor, também pensara que ele nunca a magoaria.

Nunca somos tão inacessíveis quanto pensamos.

Tinham acabado a refeição quando o toque da campainha da porta os fez empertigar. Por mais inocente que a noite tivesse sido, trocaram olhares incomodados, como dois amantes apanhados em flagrante.

Jane Rizzoli estava à entrada da casa de Maura, com o seu cabelo frisado numa massa indomável de caracóis devido ao ar húmido de verão. Embora a noite estivesse quente, vestia um dos fatos escuros que usava sempre no trabalho. Não era uma visita social, pensou Maura ao encontrar os olhos sombrios de Rizzoli. Baixando o olhar, viu que Rizzoli trazia uma pasta.

— Desculpe incomodá-la em casa, doutora. Mas precisamos de conversar. Pensei que era melhor encontrarmo-nos aqui e não no seu gabinete.

— É sobre o caso?

Rizzoli assentiu. Nem uma nem outra precisava de especificar de que caso falavam; ambas sabiam. Embora Maura e Rizzoli se respeitassem como profissionais, nunca haviam atravessado essa linha em direção a uma agradável amizade e, naquela noite, fitaram-se com algum desconforto. *Aconteceu alguma coisa,* pensou Maura. *Algo que a fez ficar preocupada comigo.*

— Entre, por favor.

Rizzoli entrou em casa e parou, farejando o cheiro a comida.

— Interrompi o seu jantar?

— Não, acabámos agora mesmo.

Aquele plural não escapou à atenção de Rizzoli. Deitou a Maura um olhar inquiridor. Ouviu passos, voltou-se e no corredor viu Daniel, que levava os copos de vinho para a cozinha.

— Boa noite, detetive! — exclamou ele.

— Padre Brophy! — respondeu Rizzoli, pestanejando de surpresa.

O padre continuou a dirigir-se para a cozinha e Rizzoli voltou-se para Maura. Embora nada dissesse, era evidente o que estava a pensar. A mesma coisa que a paroquiana pensara. *Sim, parece mal, mas não aconteceu nada. Nada exceto um jantar e muita conversa. Por que diabo hás de olhar para mim assim?*

— Bem — disse Rizzoli. Aquela simples palavra estava carregada de significado. Ouviu-se tilintar louça e talheres. Daniel estava a carregar a máquina de lavar louça. Um sacerdote à vontade na cozinha dela.

— Gostaria de falar consigo em privado, se pudesse ser — pediu Rizzoli.

— É realmente necessário? O padre Brophy é meu amigo.

— Da maneira como as coisas estão, vai ser bastante duro falar no assunto.

— Não posso dizer-lhe simplesmente que se vá embora. — Deteve-se ao ouvir o som dos passos de Daniel, que saía da cozinha.

— Mas realmente tenho de ir — disse ele. Olhou de relance para a pasta de Rizzoli. — Além de que é óbvio que têm assuntos a discutir.

— Realmente, temos — confirmou Rizzoli.

— Obrigado pelo jantar — agradeceu Daniel a Maura, sorrindo-lhe.

— Espere, Daniel — disse Maura. — Saiu com ele para o alpendre da frente e fechou a porta atrás de si.

— Não tem de ir-se embora — disse.

— Ela precisa de falar consigo em privado.

— Sinto muito.

— Porquê? Foi uma noite maravilhosa.

— Sinto-me como se o estivesse a expulsar de minha casa.

Daniel estendeu a mão e agarrou-lhe no braço, apertando-o de modo caloroso e tranquilizador.

— Telefone-me sempre que precisar de voltar a conversar — disse. — Não importa a hora.

Maura viu-o dirigir-se para o carro. As roupas pretas fundiam-se com a noite estival. Quando ele se voltou para lhe acenar um adeus, Maura viu de relance o colarinho, derradeiro vislumbre de branco no meio das trevas.

Voltou a entrar em casa e encontrou Rizzoli ainda de pé no corredor e a observá-la. Interrogando-se sobre Daniel, é claro. Não era cega; conseguia perceber que algo mais do que amizade estava a crescer entre eles.

— Então, posso oferecer-lhe uma bebida? — perguntou Maura.

— Seria ótimo. Nada que seja alcoólico. — Rizzoli afagou a barriga. — O Júnior ainda é muito novo para beber.

— Claro.

Maura foi à frente pelo corredor, obrigando-se a desempenhar corretamente o papel de anfitriã. Na cozinha, deitou cubos de gelo em dois copos e encheu-os de sumo de laranja. Acrescentou uma golada de vodca ao seu. Ao voltar-se para pousar as bebidas na mesa da cozinha, viu Rizzoli retirar um processo da pasta e pousá-lo na mesa.

— Que é isso? — perguntou Maura.

— Porque não nos sentamos primeiro, doutora? Porque o que lhe vou dizer pode ser bastante inquietante.

Maura afundou-se numa cadeira junto à mesa da cozinha e Rizzoli fez o mesmo. Sentaram-se uma em frente da outra e com o processo entre ambas. *Uma caixa de segredos de Pandora,* pensou Maura, fitando o processo. *Talvez não queira saber realmente o que está lá dentro.*

— Lembra-se do que lhe disse a semana passada sobre Anna Jessop? Que quase não conseguíamos encontrar registos sobre ela que recuassem a mais de seis meses? E que a única morada que tínhamos dela era um apartamento vazio?

— Você chamou-lhe fantasma.

— De certo modo, é verdade. Anna Jessop não existia realmente.

— Como é isso possível?

— Porque não havia nenhuma Anna Jessop. Era um nome falso. O seu verdadeiro nome era Anna Leoni. Há cerca de seis meses, assumiu uma identidade totalmente nova. Começou por encerrar as contas e finalmente mudou de casa. Sob o novo nome, arrendou um apartamento em Brighton para o qual nunca fez tenções de se mudar. Era só um beco sem saída para o caso de alguém conseguir saber o seu novo nome. Depois, fez as malas e mudou-se para o Maine. Uma cidade pequena, a meio da costa. Foi onde viveu nos dois últimos meses.

— Como soube disto tudo?

— Falei com o agente da polícia que a ajudou a fazer isto.

— Um polícia?

— Um tal detetive Ballard, de Newton.

— Então, o pseudónimo... era porque andava fugida da lei?

— Não. Provavelmente, é capaz de adivinhar de quem ela andava fugida. É uma velha história.

— Um homem?

— Infelizmente, um homem muito rico. O doutor Charles Cassell.

— Não conheço o nome.

— Da Castle Pharmaceuticals. Foi ele quem a fundou. Anna era investigadora na empresa. Envolveram-se, mas, três anos depois, ela tentou deixá-lo.

— E ele não consentiu.

— O doutor Cassell parece ser o género de indivíduo que não se abandona. Uma noite, ela acabou no Serviço de Urgências de Newton com um olho negro. Daí em diante, a situação tornou-se bastante assustadora. Perseguições. Ameaças de morte. Até um canário morto na caixa do correio dela.

— Credo!

— Sim, aquilo é que era verdadeiro amor! Às vezes, a única maneira de impedir que um homem nos faça mal é dar-lhe um tiro... ou escondermo-nos. Talvez ela ainda estivesse viva se tivesse optado pela primeira solução.

— Ele descobriu-a.

— Só precisamos de provar isso.

— Consegue?

— Ainda não conseguimos falar com o doutor Cassell. Desde a semana passada que anda em viagem de negócios e só o esperam amanhã. — Rizzoli levou o copo de sumo de laranja aos lábios e o tilintar dos cubos de gelo irritou os nervos de Maura. Rizzoli voltou a pousar a bebida e ficou em silêncio por momentos. Parecia estar a ganhar tempo. *Mas para quê?,* interrogava-se Maura. — Há mais uma coisa acerca de Anna Leoni que precisa de saber — acrescentou Rizzoli. Apontou para o processo que se encontrava em cima da mesa. — Trouxe-lhe aquilo.

Maura abriu o processo e sentiu um sobressalto de reconhecimento. Era uma fotocópia a cores de uma fotografia de carteira. Uma jovem de cabelo preto e olhar sério estava entre um casal mais velho, cujos braços a enlaçavam de modo protetor. Suavemente, disse:

— Esta rapariga podia ser eu.

— Trazia esta fotografia na carteira. Estamos convencidos de que se trata de Anna com cerca de dez anos, com os pais, Ruth e William Leoni. Já morreram ambos.

— São os pais dela?

— São.

— Mas... são tão idosos...

— Sim, eram. A mãe, Ruth, tinha sessenta e dois anos quando essa foto foi tirada. — Rizzoli fez uma pausa. — Anna era filha única.

Filha única. Pais mais velhos. Sei para onde isto se encaminha, pensou Maura, *e tenho medo do que ela está prestes a dizer-me.*

Foi por isso que ela cá veio esta noite. Não é só por causa de Anna Leoni e do amante abusador, é por causa de qualquer coisa mais espantosa.

Maura ergueu os olhos para Rizzoli e perguntou:

— Foi adotada?

Rizzoli assentiu.

— A senhora Leoni tinha cinquenta e dois anos quando Anna nasceu.

— Idosa de mais para a maioria das agências.

— Razão pela qual provavelmente tiveram de arranjar uma adoção privada, através de um advogado.

Maura pensou nos próprios pais, ambos já falecidos. Também o já tinham sido com uma certa idade, na casa dos quarenta.

— Que sabe acerca da sua própria adoção, doutora?

Maura inspirou profundamente.

— Depois da morte do meu pai, encontrei os documentos de adoção. Foi tudo tratado através de um advogado aqui de Boston. Telefonei-lhe há uns anos a fim de saber se ele me dizia o nome da minha mãe biológica.

— E disse?

— Disse que os meus registos eram confidenciais. Recusou-se a dar qualquer informação.

— E você não insistiu?

— Não, não insisti.

— O nome do advogado era Terence Van Gates?

Maura ficou mortalmente silenciosa. Não precisava de responder à pergunta; sabia que Rizzoli era capaz de ler a resposta no seu olhar espantado.

— Como soube? — perguntou.

— Dois dias antes da sua morte, Anna hospedou-se no Tremont Hotel, aqui em Boston. Do quarto do hotel, fez dois telefonemas. Um para o detetive Ballard, que, na altura, se encontrava fora da cidade. O outro foi para o escritório desse advogado, Van Gates. Não sabemos por que motivo o contactou, pois ele ainda não respondeu aos meus telefonemas.

A revelação começou a surgir, pensou Maura. *A verdadeira razão que a trouxe cá esta noite, à minha cozinha.*

— Sabemos que Anna Leoni foi adotada. Tinha o seu grupo sanguíneo e nasceu no mesmo dia que a doutora. E mesmo antes de morrer, falou com Van Gates, o advogado que tratou da *sua* adoção. Uma espantosa série de coincidências.

— Há quanto tempo sabe disto tudo?

— Há uns dias.

— E não me contou? Escondeu-o de mim.

— Não quis perturbá-la sem necessidade.

— Bem, *estou* perturbada por ter esperado tanto tempo.

— Tinha de ser, porque havia mais uma coisa que precisava de descobrir. — Rizzoli inspirou profundamente. — Esta tarde, tive uma conversa com Walt DeGroot, do laboratório de ADN. Uns dias antes, pedi-lhe que despachasse o exame que você pedira. Esta tarde, ele mostrou-me as autorradiografias que revelara. Executou dois perfis VNTR separados. Um era de Anna Leoni. Outro era seu.

Maura ficou sentada, gelada, reunindo forças para o golpe que, como sabia, estava prestes a atingi-la.

— Coincidem — disse Rizzoli. — Os dois perfis genéticos são idênticos.

O relógio de parede da cozinha tiquetaqueava. Os cubos de gelo derretiam-se lentamente nos copos que estavam sobre a mesa. O tempo avançava, mas Maura sentia-se encurralada naquele momento e as palavras de Rizzoli rodopiavam-lhe de modo interminável na mente.

— Sinto muito — disse Rizzoli. — Não sabia de que outro modo havia de contar-lhe, mas achei que tinha o direito de saber que tem uma... — A detetive calou-se.

Tinha. Tinha uma irmã. E nunca soube que existia.

Rizzoli estendeu o braço e pegou na mão de Maura. Não era nada próprio dela; Rizzoli não era mulher para facilmente dizer palavras de consolo ou oferecer abraços. Mas ali estava ela, segurando na mão de Maura e observando-a como se esperasse que Maura se desmoronasse.

— Fale-me dela — disse Maura suavemente. — Diga-me que espécie de mulher ela era.

— O detetive Ballard é a pessoa com quem deve falar.

— Quem?

— Rick Ballard. Está em Newton. Foi-lhe atribuído o caso dela depois de o doutor Cassell a ter agredido. Acho que ele acabou por conhecê-la bastante bem.

— Que lhe contou ele acerca dela?

— Que cresceu em Concord. Esteve casada por pouco tempo, aos vinte e cinco anos, mas o casamento não perdurou. Tiveram um divórcio amigável e não houve filhos.

— O ex-marido não é suspeito?

— Não. Já voltou a casar e vive em Londres.

Divorciada como eu. Há algum gene que predetermine casamentos falhados?

— Como disse, ela trabalhou para a empresa de Charles Cassell, a Castle Pharmaceuticals. Era microbióloga e trabalhava na divisão de investigação.

— Como cientista.

— Sim.

Como eu, mais uma vez, pensou Maura, fitando o rosto da irmã na fotografia. *Portanto, sei que apreciava o raciocínio e a lógica, como eu. Os cientistas são regidos pelo intelecto. Retiram conforto dos factos. Ter-nos-íamos compreendido mutuamente.*

— É muita coisa para interiorizar, sei que é — disse Rizzoli. — Estou a tentar pôr-me no seu lugar e realmente não consigo imaginar. É como descobrir um universo paralelo, onde existe uma outra versão nossa. Descobrir que ela esteve sempre aqui, a viver na mesma cidade... Se ao menos... — Rizzoli calou-se.

Há alguma frase mais inútil do que «Se ao menos»?

— Sinto muito — rematou Rizzoli.

Maura inspirou profundamente e endireitou-se na cadeira, indicando que não precisava de que lhe agarrassem na mão. Que era capaz de lidar com a situação. Fechou o processo e devolveu-o a Rizzoli.

— Obrigada, Jane.

— Não, fique com ele. As fotocópias destinavam-se a si.

Levantaram-se ambas. Rizzoli meteu a mão no bolso e pousou na mesa um cartão de visita.

— Talvez também queira isto. Ele disse que podia telefonar-lhe para quaisquer perguntas.

Maura baixou o olhar para o nome escrito no cartão: RICHARD D. BALLARD, DETETIVE, DEPARTAMENTO DE POLÍCIA DE NEWTON.

— É com ele que deve falar — repetiu Rizzoli.

Dirigiram-se juntas para a porta da frente. Maura continuava a controlar as emoções e a desempenhar o papel de perfeita anfitriã. Ficou no alpendre o tempo suficiente para fazer um aceno de adeus, depois fechou a porta e foi para a sala, onde ficou a ouvir o automóvel de Rizzoli afastar-se, restando apenas o silêncio de uma rua suburbana. *Sozinha,* pensou. *Mais uma vez, estou sozinha.*

Deixou-se estar na sala. De uma estante, retirou um velho álbum de fotografias. Havia anos que não olhava para aquelas páginas, pelo menos desde o falecimento do pai, quando limpara a casa dele umas semanas após o funeral. Encontrara o álbum na mesinha de cabeceira e imaginara-o sentado na cama na última noite da sua vida, sozinho naquela casa enorme, olhando para as fotos da família ainda jovem. As últimas imagens que terá visto antes de apagar a luz seriam as de rostos felizes.

Abriu o álbum, fitando agora aqueles rostos. As páginas estavam quebradiças, algumas das fotografias tinham quase quarenta anos. Demorou-se na primeira, a de sua mãe, inclinada para a máquina fotográfica, com um bebé de cabelo escuro nos braços. Atrás, estava uma casa de que Maura não se lembrava, de traça vitoriana e janelas salientes. Na

foto, em baixo, a mãe, Ginny, escrevera com a sua caligra-
fia característica e nítida: «Quando trouxemos Maura para
casa.»

Não havia fotografias tiradas no hospital, nenhuma da
mãe grávida. Apenas uma imagem súbita e bem definida de
Ginny, sorrindo, ao sol, segurando no seu bebé instantâ-
neo. Pensou noutro bebé de cabelo escuro nos braços de
uma outra mãe. Talvez nesse mesmo dia um pai orgulhoso,
noutra cidade, tivesse tirado uma foto da sua nova filha.
Uma menina chamada Anna.

Maura folheou as páginas. Viu-se primeiro a gatinhar
e depois no jardim de infância. Aqui, numa bicicleta nova,
equilibrada pela mão do pai. Ali, o seu primeiro recital de
piano, o cabelo preto preso atrás com um laço verde, as
mãos pousadas no teclado.

Voltou a última página. Natal. Maura, com cerca de sete anos, ladeada pela mãe e pelo pai, com os braços enlaça-
dos num entrançado amoroso. Atrás deles, uma árvore de
Natal enfeitada, cintilante de fios prateados. Todos sorriam.
Um momento perfeito no tempo, pensou Maura. Mas esses momentos nunca perduram; chegam e depois desaparecem
e não podemos recuperá-los, temos de construir outros.

Chegara ao fim do álbum. Havia outros, é evidente, pelo menos mais quatro volumes da história de Maura, cada
acontecimento registado e catalogado pelos pais. Mas este
era o volume que o pai escolhera para ter junto da cama,
com as fotos da filha ainda bebé, de si mesmo e de Ginny
como pais cheios de energia, antes de a cor cinza, lenta e silenciosamente, ter trepado para os seus cabelos. Antes de
o sofrimento, e a morte de Ginny, ter tocado nas suas
vidas.

Fitou os rostos dos pais e pensou: *Fui tão feliz por me terem escolhido. Tenho saudades vossas. Tenho muitas saudades de ambos.* Fechou o álbum e, por entre lágrimas, fitou a capa de cabedal.

Se ao menos vocês estivessem aqui. Se ao menos pudessem dizer-me quem eu sou realmente.

Dirigiu-se à cozinha e pegou no cartão que Rizzoli deixara em cima da mesa. Na frente estava impresso o número de telefone do trabalho de Rick Ballard na polícia de Newton. Virou o cartão e viu que ele escrevera também o número de telefone de casa, com as palavras: «Telefone-me a qualquer hora. Do dia ou da noite. R.B.»

Dirigiu-se para o telefone e discou o número de casa do detetive. Ao terceiro toque, respondeu uma voz:

— Ballard. — Apenas aquele único nome, pronunciado com viva eficiência. *É um homem que vai direto ao assunto,* pensou Maura. *Não receberá bem um telefonema de uma mulher num turbilhão emocional.* Ao fundo, ouvia-se a música de um anúncio de televisão. Estava em casa, a descontrair; a última coisa que desejava era que o incomodassem.

— Está lá? — disse o detetive, agora com uma nota de impaciência.

Maura pigarreou.

— Desculpe telefonar-lhe para casa. A detetive Rizzoli deu-me o seu cartão. Chamo-me Maura Isles e... — *E quê? Quero que me ajude a ultrapassar esta noite?*

— Estava à espera da sua chamada, doutora Isles — respondeu ele.

— Sei que devia ter esperado pela manhã, mas...

— De modo nenhum. Deve ter inúmeras perguntas.

— Realmente, estou a passar um mau bocado com isto. Nunca soube que tinha uma irmã. E, de repente...

— Tudo mudou para si, não foi? — A voz que soara brusca apenas um momento antes era agora tão calma, tão compassiva, que Maura teve de pestanejar devido às lágrimas.

— Sim — murmurou.

— Talvez devêssemos encontrar-nos. Posso ir ter consigo em qualquer dia da próxima semana. Ou, se quiser encontrar-se comigo à noite...

— Podia receber-me esta noite?

— Tenho cá a minha filha. Agora não posso sair.

Claro que ele tinha família, pensou Maura. Deu uma risada embaraçada.

— Desculpe. Não estava a pensar bem...

— Então, porque não vem até cá, a minha casa?

Maura fez um breve silêncio, sentindo o coração pulsar-lhe nos ouvidos.

— Onde vive? — perguntou.

Vivia em Newton, um subúrbio confortável a oeste da Boston metropolitana, a pouco mais de cinco quilómetros da sua casa em Brookline. A casa dele era igual a todas as outras casas daquela rua sossegada, banal mas bem tratada, embora fosse mais uma casa do tipo caixote num bairro onde nenhuma das casas era especialmente notável. Do alpendre da frente, viu o brilho azulado do ecrã de televisão e ouviu a batida monótona de música *pop*. MTV — de modo algum o que seria de esperar que um agente estivesse a ver.

Tocou a campainha. A porta abriu-se e apareceu uma rapariga loura, vestida de *blue jeans* rasgadas e *T-shirt* que lhe deixava o umbigo à mostra. Traje provocante para uma rapariga que não podia ter mais de catorze anos, a julgar pelas ancas estreitas e pelos seios quase inexistentes. A rapariga não disse nada, limitou-se a fitar Maura com um olhar mal-humorado, como se estivesse de guarda para impedir a entrada daquela nova intrusa.

— Olá — disse Maura. — Sou Maura Isles, para o detetive Ballard.

— O meu pai está à sua espera?

Uma voz masculina exclamou:

— Katie, é para mim!

— Pensei que fosse a mãe. Já cá devia estar.

Ballard apareceu à porta, muito mais alto do que a filha. Maura achou difícil acreditar que aquele homem, com o seu corte de cabelo conservador e camisa azul-escura engomada, pudesse ser pai de uma adolescente fanática por música *pop*. Estendeu a mão e apertou a dela com firmeza.

— Rick Ballard. Entre, doutora Isles.

Quando Maura entrou em casa, a rapariga voltou-lhe as costas e regressou à sala, deixando-se cair diante da televisão.

— Katie, pelo menos diz «Olá» à nossa visita.

— Estou a perder o meu programa.

— Podes perder um instante para seres bem-educada, não?

Katie suspirou ruidosamente e fez um aceno de cabeça mal-humorado na direção de Maura.

— Olá — disse, e voltou a pregar os olhos no televisor.

Ballard fitou a filha por um momento, como se debatesse se valia a pena esforçar-se por exigir alguma delicadeza.

— Bem, baixa o som — disse. — A doutora Isles e eu precisamos de conversar.

A rapariga pegou no comando e apontou-o ao televisor como se fosse uma arma. O volume baixou impercetivelmente. Ballard olhou para Maura.

— Toma um café? Chá?

— Não, obrigada.

Ballard acenou compreensivamente.

— Só quer saber de Anna.

— Sim.

— Tenho uma cópia do processo dela no meu escritório.

Se o escritório refletia o homem, então Rick Ballard era tão sólido e fiável quanto a secretária de carvalho que dominava o aposento. Preferiu não se retirar para trás da secretária; em vez disso, apontou-lhe um sofá e sentou-se num cadeirão de frente para ela. Não havia barreiras entre ambos, exceto uma mesa de centro onde estava pousada uma única pasta. Pela porta fechada, ainda conseguiam ouvir as batidas frenéticas da televisão.

— Tenho de pedir desculpa pela falta de educação da minha filha — disse ele. — Katie está a passar por um período difícil e não estou muito certo quanto à maneira de lidar com ela atualmente. Com criminosos sei lidar, mas raparigas de catorze anos? — Deu uma risada pesarosa.

— Espero que a minha visita não piore as coisas.

— Não tem nada a ver consigo, acredite. A nossa família está neste momento a passar por uma transição difícil. A minha mulher e eu separámo-nos o ano passado e Katie recusa-se a aceitar isso, o que tem levado a muitas discussões e a muita tensão.

— Sinto muito saber disso.

— O divórcio nunca é agradável.

121

— O meu não foi, de certeza.

— Mas ultrapassou-o.

Maura pensou em Victor, que ainda há pouco tempo se intrometera na sua vida e como ultimamente, por um breve período, tentara engodá-la com ideias de reconciliação.

— Não tenho a certeza de que alguma vez se chegue a ultrapassá-lo — respondeu. — Depois de nos casarmos com alguém, esse alguém faz sempre parte, boa ou má, da nossa vida. O segredo é lembrarmo-nos das partes boas.

— Às vezes, não é assim tão simples.

Ficaram em silêncio por momentos. O único som era a irritante pulsação de desafio púbere da televisão. Depois, Ballard endireitou-se, pôs para trás os ombros largos e olhou para ela. Era um olhar do qual não se fugia facilmente, um olhar que lhe dizia que era o único foco da sua atenção.

— Bem. Veio para saber de Anna.

— Sim. A detetive Rizzoli disse-me que você a conhecia. Que tentou protegê-la.

— Não fiz suficientemente bem o meu trabalho — respondeu ele de forma calma. Maura viu-lhe nos olhos um relâmpago de dor. Depois, o olhar dele caiu sobre o processo que se encontrava em cima da mesa de centro. Pegou na pasta e entregou-lha. — Não é agradável olhar para isto. Mas tem o direito de ver.

Maura abriu a pasta e viu uma fotografia de Anna Leoni tirada contra uma parede totalmente branca. Vestia uma camisa de papel de hospital. Um olho estava quase fechado de tão inchado e uma das faces estava cor de púrpura. O olho intacto fitava a câmara com expressão atordoada.

— Era este o aspeto dela quando a conheci — disse o detetive. — A fotografia foi tirada nas Urgências, no ano passado, depois de o indivíduo com quem ela vivia a ter espancado. Ela acabara de sair de casa dele em Marblehead e arrendara uma casa aqui em Newton. Ele apareceu à porta de casa uma noite e tentou convencê-la a deixá-lo entrar. Ela disse-lhe que se fosse embora. Bem, não se *diz* a Charles Cassell para fazer seja o que for. Foi o que aconteceu.

Maura ouviu raiva na voz dele e ergueu os olhos. Viu que ele tinha os lábios apertados.

— Soube que ela apresentou queixa.

— Sim, sim. Acompanhei-a no processo passo a passo. Um homem que bate numa mulher só entende uma coisa: castigo. E eu resolvi certificar-me de que ele enfrentava as consequências. Lido com maus-tratos domésticos a toda a hora e de todas as vezes isso deixa-me furioso. É como se ligassem um interruptor dentro de mim e a única coisa que quero é apanhar o tipo. Foi o que tentei fazer com Charles Cassell.

— E que aconteceu?

Ballard abanou a cabeça com repugnância.

— Acabou na cadeia por uma única noite. Quando se tem dinheiro, compra-se praticamente tudo o que se quer. Fiquei com esperanças de que aquilo tivesse acabado e que ele se mantivesse longe dela, mas é um homem que não está habituado a perder. Continuou a telefonar-lhe e a aparecer-lhe à porta. Ela mudou de casa duas vezes, mas ele encontrou-a sempre. Por fim, ela pediu uma ordem de restrição, mas isso não o impediu de passar de carro pela casa dela. Depois, há cerca de seis meses, a situação começou a tornar-se verdadeiramente séria.

— Como?

Ele apontou com a cabeça para a pasta.

— Está aí. Ela encontrou isso preso à porta uma manhã.

Maura olhou para uma folha de fotocópia. Nela havia apenas duas palavras datilografadas numa folha de papel em branco.

Estás morta.

O medo rastejou pela espinha de Maura acima. Imaginou-se a acordar uma manhã. A abrir a porta da frente para apanhar o jornal e a ver aquela simples folha branca de papel flutuar até ao chão. A desdobrá-la para ler aquelas duas palavras.

— Foi só o primeiro bilhete — disse ele. — Houve outros, que apareceram depois.

Maura olhou para a página seguinte. Tinha as mesmas duas palavras.

Estás morta.

E para uma terceira e uma quarta folhas.

Estás morta.

Estás morta.

Sentiu a garganta seca. Olhou para Ballard.

— Não havia nada que ela pudesse fazer para o deter?

— Tentámos, mas nunca conseguimos provar que Cassell tivesse realmente escrito aquilo. Assim como nunca conseguimos provar que tivesse sido ele quem riscou o carro ou rasgou as redes das janelas. Depois, um dia, ela abriu a caixa do correio, e lá dentro estava um canário morto com o pescoço partido. Foi quando resolveu que ia fugir a sete pés de Boston. Queria desaparecer.

— E você ajudou-a.

— Nunca deixei de a ajudar. Era eu quem ela chamava sempre que Cassell aparecia para a molestar. Ajudei-a a conseguir a ordem de restrição. E quando ela decidiu sair da cidade, ajudei-a a fazer isso também. Não é fácil desaparecer simplesmente, sobretudo quando alguém com os recursos de Cassell anda à nossa procura. Não só mudou de nome, como pretensamente montou casa com esse novo nome. Arrendou um apartamento, mas nunca foi viver para lá, destinava-se apenas a confundir quem a seguisse. A ideia é que a pessoa vá para outro lugar completamente diferente, onde paga tudo a dinheiro. Deixa para trás tudo e todos. É assim que é suposto o sistema funcionar.

— Mas, apesar disso, ele descobriu-a.

— Penso que foi por isso que ela voltou para Boston. Sabia que lá já não estava em segurança. Sabe que ela me telefonou, não sabe? Na noite anterior?

— Foi o que Rizzoli me disse — respondeu Maura com um aceno de cabeça.

— Deixou uma mensagem no gravador de chamadas em que me dizia que estava no Tremont Hotel. Eu estava em Denver, de visita à minha irmã, e por isso só ouvi a mensagem quando cheguei a casa. Entretanto, Anna estava morta. — Encontrou os olhos de Maura. — Cassell vai negar, é evidente. Mas, se conseguiu seguir o rasto dela até Fox Harbor, então deve existir nessa cidade alguém que o tenha visto. É o que estou a planear fazer a seguir: provar que ele esteve lá. Descobrir se alguém se lembra dele.

— Mas ela não foi morta no Maine. Foi morta em frente da *minha* casa.

Ballard abanou a cabeça.

— Não sei quando é que a senhora entra nisto, doutora Isles. Mas não creio que a morte de Anna tenha alguma coisa a ver consigo.

Ouviram o carrilhão da campainha da porta. Ballard não fez qualquer gesto para se levantar e atender, ficou sentado na sua cadeira com o olhar pousado nela. Era um olhar tão intenso que Maura não conseguia desviar-se dele, apenas retribuir-lho, pensando: *Quero acreditar nele, porque não suporto pensar que a morte dela foi de algum modo culpa minha.*

— Quero ver Cassell preso — disse Ballard. — E tudo farei para ajudar Rizzoli a consegui-lo. Vi tudo isto desenrolar-se e soube desde o princípio como ia terminar. No entanto, não pude impedi-lo. Devo-lhe isso, a Anna. Preciso de acompanhar isto até ao fim.

Subitamente, vozes irritadas chamaram a atenção de Maura. No outro aposento, a televisão calara-se, mas Katie e uma mulher trocavam agora palavras duras. Ballard olhou de relance para a porta quando as vozes desataram aos gritos.

— Que diabo pensas tu? — berrava a mulher.

Ballard levantou-se.

— Desculpe-me, provavelmente tenho de ir ver qual a razão de todo este rebuliço.

Saiu e Maura ouviu-o perguntar:

— Carmen, que se passa?

— Devias fazer essa pergunta à tua filha — respondeu a mulher.

— Tem dó, mãe! Tem dó!

— Diz ao teu pai o que aconteceu hoje. Vamos, conta-lhe o que encontraram no teu cacifo.

— *Não* foi nada de especial!

— *Conta-lhe,* Katie!

— Estás a ser muito exagerada.

— Que aconteceu, Carmen? — perguntou Ballard.

— O diretor da escola telefonou-me esta tarde. A escola fez uma busca ao acaso nos cacifos e adivinha o que encontraram no cacifo da tua filha? Um charro. Que diabo te parece? Ela, que tem pai e mãe nas forças da lei, tem drogas no cacifo! Temos muita sorte por o diretor nos permitir tratarmos nós do problema. E se ele tivesse feito queixa? Só me imagino a ter de prender a minha própria filha!

— Oh, meu Deus!

— Temos de tratar disto juntos, Rick. Temos de chegar a acordo sobre como lidar com o assunto.

Maura levantou-se do sofá e dirigiu-se para a porta, sem saber exatamente como fazer uma saída airosa. Não queria intrometer-se na privacidade da família, mas ali estava ela, ouvindo uma conversa que sabia que não devia ouvir. *Devia dizer apenas adeus e ir-me embora,* pensou. Deixar em paz estes pais em pé de guerra.

Percorreu o corredor e parou ao aproximar-se da sala. A mãe de Katie levantou os olhos, espantada por ver em casa uma visita inesperada. Se a mãe servia de exemplo quanto ao futuro aspeto de Katie, então a adolescente intratável estava destinada a ser uma loura escultural. A mulher era quase tão alta quanto Ballard e possuía a magreza esguia de uma atleta. O cabelo estava preso atrás num simples rabo de cavalo e não trazia vestígios de maquilhagem, mas uma mulher com os seus espantosos malares não precisava de grandes realces.

— Desculpem por interromper — disse Maura.

Ballard voltou-se para ela e deu uma risada cansada.

— Receio que não esteja a ver-nos na nossa melhor faceta. A mãe de Katie, Carmen. A doutora Maura Isles.

— Vou-me já embora — disse Maura.

— Mas mal tivemos oportunidade de conversar...

— Telefono-lhe noutra altura. Vejo que tem outras preocupações. — Cumprimentou Carmen inclinando a cabeça. — Prazer em conhecê-la. Boa noite.

— Deixe-me acompanhá-la — disse Ballard.

Saíram de casa e Ballard suspirou, como se se sentisse aliviado por se afastar das exigências da família.

— Lamento ter-me intrometido — disse ela.

— Lamento que tenha ouvido aquilo.

— Já reparou que ainda não parámos de pedir desculpa um ao outro?

— Não tem nada de que pedir-me desculpa, Maura.

Chegaram junto do automóvel dela e pararam por momentos.

— Não consegui dizer-lhe muito acerca da sua irmã — comentou ele.

— Da próxima vez que nos encontrarmos?

— Da próxima vez — assentiu ele.

Maura entrou no automóvel e fechou a porta. Baixou o vidro da janela quando o viu inclinar-se para lhe falar.

— Vou dizer-lhe uma coisa acerca dela — disse.

— Sim?

— Você é tão parecida com Anna que me tira o fôlego.

Maura não conseguia deixar de pensar naquelas palavras, sentada na sua sala de estar, estudando a foto da jovem Anna Leoni com os pais. *Durante todos estes anos,* pensava ela, *estiveste ausente da minha vida e nunca me apercebi. Mas devo ter sabido; num qualquer nível, devo ter sentido a ausência da minha irmã.*

Você é tão parecida com Anna que me tira o fôlego.

Sim, pensou, tocando no rosto de Anna na foto. *Também me tira o fôlego.* Ela e Anna tinham partilhado o mesmo ADN; que mais teriam partilhado? Anna também optara por uma carreira científica, um trabalho regido pela razão e pela lógica. Também ela devia ter sido excelente em matemática. Teria tocado piano, como Maura? Teria adorado livros, vinhos australianos e o History Channel?

Há muitíssimo mais coisas sobre ti que quero saber.

Era tarde; desligou o candeeiro e foi para o quarto fazer a mala.

CAPÍTULO
8

Escuro como breu. Dor de cabeça. Odor a madeira e a terra molhada e... algo mais que não fazia sentido. Chocolate. Cheirava-lhe a chocolate.

Mattie Purvis abriu muito os olhos, mas bem podia tê-los mantido fortemente fechados porque não conseguiu ver nada. Nem um reflexo de luz, nem uma insignificante sombra sobre sombra. *Oh, Deus, estou cega? Onde estou?*

Não estava na sua própria cama. Estava deitada sobre algo duro e que lhe magoava as costas. O chão? Não, debaixo dela não havia madeira encerada, mas tábuas grosseiras e cobertas de terra.

Se ao menos a cabeça deixasse de me martelar!

Fechou os olhos e lutou contra as náuseas, tentando, mesmo através da dor, lembrar-se de como podia ter chegado àquele lugar estranho e escuro onde nada lhe parecia familiar. *Dwayne*, pensou. *Tivemos uma discussão e depois fui para casa*. Lembrava-se de uma pilha de correio em cima da mesa. Lembrava-se de chorar e de as lágrimas pingarem sobre os sobrescritos. Lembrava-se de dar um salto e de a cadeira ter tombado.

Ouvi um ruído. Fui à garagem. Ouvi um ruído, fui à garagem e...
Nada. Depois disso, não conseguia lembrar-se de nada.

Abriu os olhos. Ainda estava escuro. *Oh, isto é mau, Mattie*, pensou, *isto é muito, muito mau. Dói-te a cabeça, perdeste a memória e estás cega.*

— Dwayne? — chamou. Ouviu apenas o bater da sua própria pulsação.

Tinha de levantar-se. Tinha de arranjar auxílio, tinha de descobrir pelo menos um telefone.

Rolou sobre o lado direito para tentar erguer-se e o seu rosto embateu contra uma parede. O impacto colocou-a de novo de costas. Ficou estendida, atordoada e com o nariz a doer. Que fazia ali uma parede? Estendeu a mão para lhe tocar e sentiu outras pranchas de madeira áspera. *Muito bem*, pensou, *vou rolar sobre o outro lado.* Voltou-se para a esquerda.

E colidiu com outra parede.

O coração começou a bater com mais força e mais depressa. Deitou-se outra vez de costas, pensando: *Paredes de ambos os lados. Isto não pode ser. Isto não é real.* Apoiando-se no solo, sentou-se e bateu com o alto da cabeça. Caiu, de novo, sobre as costas.

Não, não, não!

Foi tomada de pânico. Agitando os braços, embateu contra barreiras em todas as direções. Agarrou-se à madeira, espetando lascas nos dedos. Ouviu gritos mas não reconheceu a sua própria voz. Por toda a parte, paredes. Esbracejou e debateu-se, socando cegamente com os punhos até as mãos ficarem negras e rasgadas e os membros demasiado exaustos para conseguir mover-se. Lentamente, os gritos transformaram-se em soluços. Por fim, em silêncio aturdido.

Um caixote. Estou encurralada num caixote.

Respirou fundo e inalou o aroma do seu próprio suor, do seu próprio medo. Sentiu a bebé contorcer-se dentro dela, outra prisioneira encurralada num pequeno espaço. Pensou nas bonecas russas que a avó lhe dera havia muito tempo. Uma boneca dentro de uma boneca, dentro de outra boneca.

Vamos morrer aqui. Vamos morrer ambas aqui, a minha bebé e eu.

Fechando os olhos, lutou contra uma nova vaga de pânico. *Para. Para imediatamente. Pensa, Mattie.*

Com as mãos a tremer, estendeu o braço para o lado direito e tocou numa parede. Estendeu-o para o lado esquerdo. Tocou noutra parede. Qual a distância entre uma e outra? Talvez quase um metro, talvez mais. E que comprimento? Estendeu o braço atrás da cabeça e sentiu um espaço de uns trinta centímetros. Nessa direção não estava muito mal. Havia ali algum espaço. Os dedos roçaram em algo macio logo atrás da cabeça. Apalpou e percebeu que era um cobertor. Ao abri-lo, algo pesado tombou no chão. Um cilindro de metal frio. Tinha o coração novamente aos pulos, desta vez não de pânico, mas de esperança.

Uma lanterna.

Encontrou o botão e acendeu-a. Soltou um profundo suspiro de alívio quando o raio de luz rasgou a escuridão. *Consigo ver, consigo ver!* O raio de luz varreu as paredes da sua prisão. Apontou a lanterna para o teto e viu que mal sobrava espaço para se sentar e isso se curvasse a cabeça.

Com o ventre grande, desajeitada, teve de lutar para se colocar na posição de sentada. Só então conseguiu ver o que se encontrava a seus pés: um balde de plástico e um bacio. Dois grandes jarros de água. Um saco de mercearias.

Contorcendo-se, pegou no saco e olhou para dentro. *Por isso me cheirava a chocolate*, pensou. Lá dentro, havia barras de chocolate, pacotes de charcutarias e bolachas d'água e sal. E pilhas — três pacotes de pilhas novas.

Encostou-se à parede. Ouviu-se subitamente a rir. Um riso louco e assustador que não era de modo algum seu. Era o de uma louca. *Bem, isto é esplêndido. Tenho tudo aquilo de que preciso para sobreviver, exceto...*

Ar.

O riso morreu. Sentou-se, escutando o som da sua própria respiração. Entra oxigénio, sai dióxido de carbono. Respirações purificantes. Mas o oxigénio acaba por esgotar-se. Um caixote só consegue conter uma certa quantidade. O ar não parece já mais saturado? Além de que entrara em pânico e fizera todo aquele rebuliço. Provavelmente, consumira a maior parte do oxigénio.

Depois, sentiu um sopro fresco nos cabelos. Olhou para cima. Apontando a lanterna mesmo por cima da cabeça, viu uma grelha circular. Tinha apenas uns centímetros de diâmetro, mas era o suficiente para trazer ar puro de cima. Olhou para a grelha, desnorteada. *Estou encurralada num caixote*, pensou. *Tenho comida, água e ar.*

Quem quer que a pusera ali queria mantê-la viva.

Rick Ballard dissera-lhe que o doutor Charles Cassell era rico, mas Jane Rizzoli não esperava *aquilo*. A propriedade de Marblehead era rodeada por um muro alto de tijolo e através das barras do portão de ferro forjado ela e Frost conseguiam ver a casa, um maciço edifício branco cercado por, no mínimo, um hectare e meio de relvado verde-esmeralda. Atrás, cintilavam as águas da baía de Massachusetts.

— Ena! — exclamou Frost. — Tudo isto veio da indústria farmacêutica?

— Ele começou por comercializar um único medicamento para perder peso — disse Rizzoli. — Em vinte anos, construiu *isto*. Ballard diz que é o género de indivíduo com quem preferimos não nos cruzarmos. — Olhou para Frost. — E se for uma mulher, com toda a certeza que não o abandona.

Baixou o vidro da janela e carregou no botão do intercomunicador.

No altifalante crepitou uma voz masculina:

— Nome, por favor?

— Detetives Rizzoli e Frost, do departamento de Boston. Para falarmos com o doutor Cassell.

O portão abriu-se, guinchando. Entraram e percorreram um caminho serpenteante que os levou a um pórtico imponente. Rizzoli estacionou atrás de um *Ferrari* vermelho cor de fogo — provavelmente o mais próximo que o seu velho *Subaru* alguma vez estaria do reino dos carros das celebridades. A porta da frente abriu-se ainda antes de baterem e apareceu um homem corpulento cujo olhar não era nem simpático nem antipático. Embora vestisse um polo e sapatos castanhos, não havia nada de casual no modo como aquele homem os estava a observar.

— Sou Paul, assistente do doutor Cassell — disse ele.

— Detetive Rizzoli. — Estendeu a mão, mas o indivíduo nem sequer olhou para ela, como se não fosse digna da sua atenção.

Paul conduziu-os por uma casa que não era de modo algum o que Rizzoli esperara. Embora o exterior fosse de estilo colonial tradicional, lá dentro encontrou um cenário estritamente moderno e até frio, uma galeria de paredes brancas com arte abstrata. O vestíbulo era dominado por uma escultura de bronze de curvas entrelaçadas, vagamente sexual.

— Decerto sabem que o doutor Cassell chegou de viagem ontem à noite — disse Paul. — Está a ressentir-se da diferença horária e não está muito bem. Portanto, agradece que sejam breves.

— Esteve fora em negócios? — perguntou Frost.

— Sim. A viagem estava combinada há mais de um mês, caso tenham dúvidas.

O que não significava nada, pensou Rizzoli, senão que Cassell era capaz de planear com antecedência as suas jogadas.

Paul conduziu-os através de uma sala decorada a preto e branco e com uma única jarra escarlate que chocava o olhar.

Um ecrã plano de televisão dominava uma parede e um armário de vidro fumado continha uma espantosa exibição de aparelhos eletrónicos. *A sala de sonho de um solteirão*, pensou Rizzoli. Nem um único toque feminino, só coisas masculinas. Ouvia-se música e partiu do princípio de que estavam a tocar um CD. Acordes de *jazz* tocados num piano misturavam-se num lamentoso passeio pelo teclado. Não havia melodia, nenhuma canção, apenas notas que se combinavam num lamento sem palavras. A música tornou-se mais forte à medida que Paul os levava até uma série de portas de correr. Abriu-as e anunciou:

— A polícia está aqui.

— Obrigado.

— Deseja que eu fique?

— Não, Paul, pode deixar-nos.

Rizzoli e Frost entraram no aposento e Paul correu as portas atrás de si. Encontraram-se num espaço tão escuro que mal conseguiam distinguir o homem que estava sentado ao piano imponente. Era, então, música ao vivo e não um CD a tocar. Nas janelas, estavam corridos pesados reposteiros, que não permitiam senão um raiozinho de luz. Cassell estendeu a mão para um candeeiro e ligou-o. Era apenas um globo débil coberto por papel de arroz japonês, mas que o fez piscar os olhos. Um copo de algo que parecia uísque estava pousado junto dele em cima do piano. Não se barbeara e tinha os olhos injetados — não era o rosto de um frio tubarão dos negócios, mas de um homem demasiado perturbado para se preocupar com a aparência. Mesmo assim, era um rosto de uma beleza atraente e com um olhar tão intenso que parecia abrir a fogo o caminho até ao cérebro de Rizzoli. Era mais novo do que ela esperava de alguém tão poderoso e que se fizera a si mesmo, teria quarenta e muitos. Ainda suficientemente jovem para acreditar na sua própria invencibilidade.

— Doutor Cassell — disse Rizzoli —, sou a detetive Rizzoli da polícia de Boston, e este é o detetive Frost. Sabe por que motivo estamos aqui?

— Porque ele a atiçou contra mim, não é?

— Quem?

— Aquele detetive Ballard. É pior do que um *pitbull*.

— Estamos aqui porque conhecia Anna Leoni. A vítima.

Cassell pegou no copo de uísque. A avaliar pelo ar esgazeado, não era a primeira bebida do dia.

— Deixe-me dizer-lhe uma coisa sobre o detetive Ballard antes de começar a acreditar em tudo o que ele diz. O homem é um genuíno imbecil de primeira classe. — Emborcou o resto da bebida de um só trago.

Rizzoli pensou em Anna Leoni, no olho fechado devido ao inchaço, na face arroxeada. *Acho que sabemos quem é o verdadeiro imbecil.*

Cassell pousou o copo vazio.

— Conte-me como aquilo aconteceu — disse ele. — Preciso de saber.

— Tenho algumas perguntas, doutor Cassell.

— Primeiro conte-me o que aconteceu.

Foi por isso que ele concordou em nos receber. Quer informações. Quer avaliar até onde é que sabemos.

— Sei que foi um ferimento de bala na cabeça — continuou. — Ela foi encontrada num automóvel?

— É verdade.

— Isso já eu sabia pelo *The Boston Globe*. Que tipo de arma foi usado? De que calibre era a bala?

— Sabe que não posso revelar-lhe isso.

— E isso aconteceu em Brookline? Que diabo estava ela a fazer ali?

— Também não lho posso dizer.

— Não pode dizer-me? — Olhou para Rizzoli. — Ou não sabe?

— Não sabemos.

— Estava alguém com ela quando aquilo aconteceu?

— Não houve outras vítimas.

— Então, quem são os vossos suspeitos? Para além de mim?

— Estamos aqui para fazermos as perguntas *a si,* doutor Cassell.

Cassell levantou-se, em equilíbrio instável, e dirigiu-se a um armário, donde retirou uma garrafa de uísque com que voltou a encher o copo. De forma ostensiva, não ofereceu nenhuma bebida aos visitantes.

— Porque não respondo simplesmente à pergunta que vieram fazer-me? — comentou, voltando a sentar-se no banco do piano. — Não, não a matei. Há meses que não a vejo.

Frost perguntou-lhe:

— Quando viu a menina Leoni pela última vez?

— Deve ter sido algures em março, acho. Passei pela casa dela uma tarde e ela estava cá fora no passeio a retirar o correio.

— Isso não foi depois de ela ter pedido a ordem de restrição contra si?

— Não saí do carro, está a perceber? Nem sequer falei com ela. Viu-me e foi direitinha para casa sem dizer palavra.

138

— Qual foi nesse caso a intenção dessa passeata? — perguntou Rizzoli. — Intimidação?

— Não.

— O quê, então?

— Queria apenas vê-la, nada mais. Tinha saudades. Ainda... — Fez uma pausa e pigarreou. — Ainda tenho saudades.

Agora vai dizer que a amava.

— Amava-a — disse ele. — Porque havia de fazer-lhe mal?

Como se eles nunca tivessem ouvido antes um homem dizer aquilo.

— Além do mais, como poderia? Não sabia onde ela estava. Depois da última mudança não consegui encontrá-la.

— Mas tentou?

— Sim, tentei.

— Sabia que ela estava a viver no Maine? — perguntou Frost.

Uma pausa. Cassell ergueu os olhos e franziu as sobrancelhas.

— No Maine, onde?

— Numa cidadezinha chamada Fox Harbor.

— Não, não sabia disso. Parti do princípio de que estaria algures em Boston.

— Doutor Cassell — prosseguiu Rizzoli —, onde estava na noite da passada quinta-feira?

— Estava aqui em casa.

— Toda a noite?

— A partir das dezassete horas. Estive a fazer as malas para a minha viagem.

— Alguém pode comprovar que estava aqui?

— Não. Paul esteve de folga durante a noite. Admito francamente que não tenho álibi. Era só eu, sozinho com o meu piano. — Tamborilou no teclado, tocando um acorde dissonante. — Apanhei o avião na manhã seguinte. Da Northwest Airlines, se quiser confirmar.

— Assim faremos.

— As reservas foram feitas seis semanas antes. Tinha reuniões já planeadas.

— Foi o que nos disse o seu assistente.

— Sim? Bem, é verdade.

— Possui arma de fogo? — perguntou Rizzoli.

Cassell emudeceu e procurou os olhos dela.

— Honestamente, acha que fui eu?

— Pode responder à pergunta?

— Não, não possuo arma de fogo. Nem pistola, nem carabina, nem espingarda de ar comprimido. E não a matei. Não fiz *metade* das coisas de que ela me acusava.

— Está a dizer que ela mentiu à polícia?

— Estou a dizer que exagerava.

— Vimos a fotografia que lhe tiraram no Serviço de Urgências na noite em que lhe pôs um olho negro. Também exagerou essa acusação?

Cassell baixou os olhos como se não conseguisse suportar a sua expressão acusadora.

— Não — disse tranquilamente. — Não nego ter-lhe batido. Lamento, mas não o nego.

— E quanto a passar repetidamente diante de casa dela? Ter contratado um detetive privado para a seguir? Aparecer-lhe à porta, exigindo falar com ela?

— Ela não respondia aos meus telefonemas. Que esperavam que eu fizesse?

— Tirar ilações, talvez?

— Não sou pessoa para me sentar e deixar que as coisas me *aconteçam,* detetive. Nunca fui. Por isso é que sou dono desta casa, com aquela vista lá fora. Quando quero realmente alguma coisa, esforço-me muito por consegui-la e depois tento conservá-la. Não ia deixá-la desaparecer da minha vida sem mais nem menos.

— Que era Anna para si, exatamente? Mais uma propriedade?

— Não era uma propriedade. — Fitou-a e tinha os olhos magoados pela perda. — Anna Leoni foi o amor da minha vida.

A resposta deixou Rizzoli surpreendida. Aquela afirmação simples, expressa tão serenamente, tinha o honesto halo da verdade.

— Disseram-me que estiveram juntos três anos — disse a detetive.

Cassell assentiu.

— Anna era microbióloga e trabalhava na minha divisão de investigação. Foi assim que nos conhecemos. Um dia, ela foi a uma reunião de direção para nos pôr a par dos ensaios com antibióticos. Olhei para ela e pensei: *É a tal.* Sabe o que é amar tanto alguém e depois ficar a ver esse alguém afastar-se?

— Porque se afastou ela?

— Não sei.

— Deve ter uma ideia.

— Não tenho. Repare no que ela tinha aqui! Esta casa, tudo o que queria. Não me acho feio. Qualquer mulher adoraria estar comigo.

— Até que você começou a agredi-la.

Silêncio.

— Quantas vezes isso aconteceu, doutor Cassell?

— Tenho um trabalho muito desgastante... — respondeu com um suspiro.

— É essa a sua explicação? Esbofeteia a sua namorada porque teve um dia difícil no escritório?

Cassell não respondeu. Em vez disso, estendeu a mão para o copo. *Sem dúvida que isso era parte do problema*, pensou Rizzoli. *Misture-se um executivo demasiado ocupado com álcool em excesso e temos uma namorada com um olho negro.* Cassell voltou a pousar o copo.

— Só queria que ela voltasse.

— E a sua maneira de a convencer foi meter-lhe ameaças de morte por debaixo da porta?

— Não fiz isso.

— Mas ela apresentou múltiplas queixas à polícia.

— Isso nunca aconteceu.

— O detetive Ballard diz que sim.

Cassell resfolgou.

— Esse imbecil acreditava em tudo o que ela lhe contava. Gosta de fazer de Sir Galahad, fá-lo sentir-se importante. Sabia que uma vez ele apareceu cá e me disse que se voltasse a tocar-lhe dava cabo de mim? Acho lastimável.

— Ela afirmou que você lhe cortou a rede das janelas.

— Não fiz nada disso.

— Quer dizer que foi ela mesma que o fez?

— Digo apenas que eu não o fiz.

— Riscou-lhe o automóvel?

— Quê?

— Marcou-lhe a porta do carro?

— Essa é novidade. Quando é que isso supostamente aconteceu?

— E o canário morto na caixa do correio?

Cassell deu uma gargalhada de incredulidade.

— Tenho *aspeto* de ser capaz de cometer tal perversidade? Nem sequer estava na cidade quando isso supostamente aconteceu. Onde estão as provas de que fui eu?

Rizzoli fitou-o por momentos, pensando: *É evidente que ele nega porque tem razão para o fazer; não podemos provar que cortou as redes, riscou o automóvel ou meteu um passarinho morto na caixa do correio. Este homem não chegou onde chegou sendo estúpido.*

— Porque mentiria Anna acerca disso? — acrescentou a detetive.

— Não sei — respondeu Cassell. — Mas mentiu.

10

Ao meio-dia, Maura estava na estrada. Era mais um dos condutores de fim de semana presos no trânsito que corria para norte, como salmões em migração, saindo de uma cidade onde as ruas já pareciam tremular devido ao calor. Encurralados nos seus automóveis e com os filhos a choramingar nos bancos de trás, os veraneantes só conseguiam avançar uns centímetros de cada vez em direção à promessa de praias frescas e ar salgado. Era a visão que se deparava a Maura ali parada no trânsito, fitando a fila de carros que se estendia até ao horizonte. Nunca estivera no Maine. Só o conhecia como cenário do catálogo da *L.L. Bean,* onde homens e mulheres bronzeados vestiam *parkas* e botas de caminhar, enquanto, a seus pés, *golden retrievers* se espojavam na relva. No mundo da *L.L. Bean,* o Maine era a terra das florestas e praias brumosas, lugar mítico demasiado belo para existir exceto enquanto esperança, enquanto sonho. *Tenho a certeza de que vou ficar dececionada*, pensava, fitando a luz refletida pela interminável fila de automóveis. Mas era onde residiam as respostas.

Havia meses, Anna Leoni fizera aquela mesma viagem para norte. Deve ter sido num dia do princípio da primavera, ainda frio, mas com um trânsito nem de longe tão denso. Ao sair de Boston, também ela devia ter atravessado a Tobin Bridge, encaminhando-se depois para norte pela estrada 95, em direção à fronteira entre o Massachusetts e o New Hampshire.

Sigo na tua peugada. Preciso de saber quem eras. É a única maneira de saber quem sou.

Às duas da tarde, passou do New Hampshire para o Maine, onde o trânsito magicamente se dissolveu, como se a provação até ali tivesse sido apenas um teste e as portas se abrissem agora aos merecedores. Parou o tempo suficiente para comprar uma sandes numa área de serviço. Cerca das três horas, já deixara a interestadual e viajava agora pela estrada 1 do Maine, que abraçava o litoral ao prosseguir em direção a norte.

Também vieste por aqui.

A paisagem que Anna vira devia ser diferente, os campos começavam a verdecer e as árvores ainda estavam nuas. Mas decerto que Anna passara pelo mesmo restaurante que servia lagosta, olhara de relance para o mesmo recinto de um comerciante de sucata onde estavam dispostas na relva as eternas estruturas ferrugentas de camas, e reagira, como Maura, abanando divertidamente a cabeça. Talvez também tivesse saído da estrada na cidade de Rockport para estender as pernas e se tivesse passeado vagarosamente ao pé da estátua de *Andre,* a foca, enquanto observava o porto, e ter-se-ia arrepiado quando o vento soprara o ar gelado vindo do mar.

Maura entrou no automóvel e prosseguiu para norte.

Quando passou pela cidade litoral de Bucksport e virou para sul, descendo a península, já o Sol se inclinava atrás das árvores. Viu o nevoeiro a rolar sobre o mar, como uma muralha cinzenta que, avançando para a praia como uma fera esfomeada, engolia o horizonte. Pensou que quando o Sol se pusesse o automóvel estaria envolto em nevoeiro. Não reservara quarto de hotel em Fox Harbor, saíra de Boston com a ideia bizarra de que podia simplesmente estacionar num hotel algures junto ao mar e aí encontrar uma cama para passar a noite. Mas viu poucos motéis ao longo da rugosa faixa costeira e todos aqueles por que passou tinham um cartaz a dizer ESGOTADO.

O sol mergulhou mais ainda.

A estrada desenhou uma curva abrupta e Maura agarrou-se ao volante, conseguindo manter-se na sua faixa com alguma dificuldade ao contornar uma ponta rochosa com árvores enfezadas de um lado e o mar do outro.

De repente, lá estava — Fox Harbor, aninhada no abrigo de uma enseada de águas rasas. Não esperava que a cidade fosse tão pequena, pouco mais do que um porto, uma igreja com um campanário e uma fila de casas brancas de frente para a baía. No porto, os barcos de pesca da lagosta balançavam nas amarras como presas empaladas, à espera de serem engolidas pelo banco de nevoeiro que se aproximava.

Conduzindo lentamente pela Main Street, viu alpendres gastos e a precisarem de pintura e janelas onde pendiam cortinas desbotadas. Era evidente que não se tratava de uma cidade abastada, a avaliar pelos camiões ferrugentos estacionados nos passeios. Os únicos veículos de último modelo que viu estavam no parque de estacionamento do Bayview Motel, automóveis com matrícula de Nova Iorque, Massachusetts e Connecticut. Refugiados urbanos que fugiam das cidades quentes em busca de lagosta e de um relance do paraíso.

Estacionou diante da receção de um motel. *Em primeiro lugar, o mais importante: preciso de uma cama para a noite e este parece-me o único sítio da cidade.* Saiu do automóvel, distendeu os músculos rígidos e inalou o ar húmido e salgado. Embora Boston fosse um porto de mar, em casa raramente lhe cheirava a maresia, porque os cheiros urbanos do gasóleo, dos escapes dos automóveis e dos pavimentos tórridos contaminavam qualquer brisa que soprasse do porto. Ali, no entanto, podia saborear realmente o sal, conseguia senti-lo a colar-se-lhe à pele como uma fina bruma. De pé no parque de estacionamento do motel, com o vento no rosto, sentia-se como se tivesse emergido subitamente de um sono profundo e despertasse de novo. Novamente viva.

A decoração do motel era exatamente como esperava: revestimentos de madeira à moda dos anos sessenta, alcatifa verde coçada, um relógio de parede montado na roda do leme de um navio. Não havia ninguém ao balcão. Maura debruçou-se:

— Está aí alguém?

Uma porta rangeu ao abrir-se e apareceu um homem gordo e quase calvo, de óculos delicados empoleirados no nariz como uma libelinha.

— Tem quartos para esta noite? — perguntou Maura.

A pergunta deparou com um silêncio mortal. O homem fitou-a, de queixo caído e os olhos pregados no rosto dela.

— Desculpe — disse ela, pensando que ele não a ouvira. — Tem algum quarto vago?

— A... senhora... quer um quarto?

Não acabei de dizer precisamente isso?

O indivíduo baixou o olhar para o livro de registos e depois olhou novamente para ela.

— Hã... desculpe. Estamos esgotados para esta noite.

— Venho a conduzir desde Boston. Há algum sítio na cidade onde eu possa arranjar um quarto?

O homem engoliu em seco.

— É um fim de semana movimentado. Houve um casal que ainda não há uma hora veio pedir um quarto. Fiz vários telefonemas e tive de enviá-los para Ellsworth.

— Onde fica isso?

— A cerca de cinquenta quilómetros.

Maura olhou para o relógio montado no leme de navio. Eram quase quatro e meia da tarde; a busca de um quarto de motel teria de esperar.

— Preciso de encontrar o escritório da Land and Sea Realty — disse ela.

— Na Main Street. Dois quarteirões mais abaixo, à esquerda.

Ao passar a porta da Land and Sea Realty, Maura encontrou outra receção deserta. Naquela cidade ninguém estava no seu posto? O escritório cheirava a tabaco e sobre a secretária um cinzeiro transbordava de beatas de cigarro. Dispostas na parede, estavam as listas de propriedades da agência. Algumas das fotos já estavam muito amarelecidas. Era evidente que não se tratava de um bom mercado imobiliário. Observando as ofertas, Maura viu um celeiro em ruínas (PERFEITO PARA CRIAÇÃO DE CAVALOS!), uma casa com um alpendre inclinado (PERFEITO PARA UM TOPA-A-TUDO!) e uma fotografia de árvores — isso mesmo, só árvores

(CALMO E RETIRADO! LOTE PERFEITO PARA HABITAÇÃO!) Perguntou a si mesma se havia naquela cidade algo que não fosse *perfeito*.

Ouviu abrir-se uma porta nas traseiras, voltou-se e viu surgir um homem que trazia consigo uma cafeteira, que pingava e que ele pousou na secretária. Era mais baixo do que Maura, de cabeça quadrada e cabelo grisalho cortado rente. As roupas eram excessivamente largas e enrolara as mangas da camisa e as pernas das calças como se estivesse vestido com roupas em segunda mão de um gigante. Com as chaves a chocalharem no cinto, debruçou-se para cumprimentar Maura.

— Desculpe, estava lá atrás a lavar a cafeteira. Deve ser a doutora Isles.

A voz apanhou Maura de surpresa. Mau grado a penumbra causada sem dúvida por todos aqueles cigarros que se encontravam no cinzeiro, a voz era nitidamente feminina. Só então Maura reparou na saliência dos seios sob a camisa largueirona.

— É a... pessoa com quem falei esta manhã? — perguntou Maura.

— Britta Clausen. — Deu a Maura um aperto de mão enérgico e eficiente. — Harvey disse-me que a senhora vinha cá à cidade.

— Harvey?

— Na estrada, o Bayview Motel. Telefonou-me a dizer que a senhora vinha a caminho. — A mulher fez uma pausa e deu a Maura uma rápida vista de olhos. — Bem, creio que não precisa de mostrar-me nenhuma identificação. Olhando para si, não há dúvida de quem é irmã. Quer ir comigo lá a casa?

— Vou atrás de si no meu carro.

Miss Clausen escolheu uma chave de entre as que tinha no cinto e deu um ronco de satisfação.

— Cá está, Skyline Drive. A polícia já terminou as investigações e portanto acho que posso levá-la lá.

Maura seguiu a carrinha de caixa aberta da menina Clausen por uma estrada que subitamente curvou, afastando-se da costa, e serpenteou por um promontório acima. Ao subirem, Maura via de relance a costa, onde a água estava agora obscurecida por um espesso manto de nevoeiro. A aldeia de Fox Harbor desapareceu na neblina. À sua frente, as luzes de travagem da menina Clausen acenderam-se de repente e Maura mal teve tempo para carregar no travão. O *Lexus* deslizou sobre as folhas húmidas e parou com o para-choques ligeiramente encostado a um cartaz da Land and Sea Realty espetado no chão e no qual estava escrito VENDE-SE.

Britta Clausen pôs a cabeça de fora da janela.

— Hei, tudo bem aí atrás?

— Tudo bem. Desculpe, não estava com atenção.

— Sim, esta última curva apanha-nos de surpresa. É este caminho que sai para a direita.

— Estou mesmo atrás de si.

— Não *demasiado* perto, está bem? — respondeu a mulher, rindo-se.

A estrada de terra batida encontrava-se tão apertadamente envolvida pelas árvores que a Maura dava a sensação de estar a conduzir por um túnel numa floresta. Clareou abruptamente, revelando uma pequena casa de campo de toros de cedro. Maura estacionou ao lado da carrinha da menina Clausen e saiu do *Lexus*. Por instantes, ficou no silêncio da clareira e fitou a casa. Degraus de madeira davam para um alpendre onde uma cadeira de baloiço estava imóvel no ar parado. Num jardim pequeno e sombrio, dedaleiras e lírios esforçavam-se por crescer. De todos os lados a floresta parecia exercer pressão e Maura reparou que respirava mais depressa como se estivesse encurralada num pequeno espaço. Como se o próprio ar estivesse demasiado próximo.

— Isto aqui é muito sossegado — observou Maura.

— Sim, está longe da cidade. É o que faz desta colina um investimento tão valioso. Daqui a uns anos, veremos casas ao longo de toda esta estrada. Agora é que é altura de comprar.

Porque é *perfeita,* era o que Maura esperava que ela acrescentasse.

— Tenho um lote de terreno a ser limpo mesmo aqui ao lado — disse a menina Clausen. — Depois de a sua irmã ter vindo para cá, achei que era altura de preparar outros lotes. As pessoas veem alguém a viver cá em cima e a engrenagem põe-se em movimento. Não tarda, está toda a gente a tentar comprar nas vizinhanças. — Lançou um olhar pensativo a Maura. — Então, que tipo de médica é você?

— Sou patologista.

— E isso o que é? Trabalha num laboratório?

A mulher começava a irritá-la. Respondeu bruscamente:

— Trabalho com mortos.

A resposta não pareceu incomodar minimamente a mulher.

151

— Bem, nesse caso deve ter um horário normal. Montes de saídas de fins de semana. Um lugar para passar o verão deve interessar-lhe. Sabe, o lote ao lado muito em breve estará pronto para construção. Se já pensou em adquirir um lugarzinho para férias, não encontra investimento mais em conta.

Era então assim ver-se encurralada por quem vende propriedades para férias.

— Realmente não estou interessada, menina Clausen — respondeu.

— Oh! — arquejou a mulher. Depois, voltou-se e subiu pesadamente os degraus para o alpendre. — Bem, entre lá, então. Agora que está cá pode dizer-me o que hei de fazer com as coisas da sua irmã.

— Não tenho realmente a certeza de possuir autoridade para tanto.

— Não sei que fazer com todas estas coisas, mas de certeza que não pretendo pagar para as armazenar. Terei de esvaziar a casa se a quiser vender ou arrendar de novo. — Fez chocalhar as chaves à procura da correta. — Administro a maioria dos espaços para arrendamento da cidade e este não é o lugar mais fácil de despachar. A sua irmã, não sei se sabe, assinou um contrato de seis meses.

Era tudo o que a morte de Anna significava para ela?, interrogou-se Maura. Nada mais senão cheques da renda e uma propriedade a precisar de novo inquilino? Não gostava daquela mulher, de chaves tilintantes e olhar inquiridor. A rainha dos imóveis de Fox Harbor, cuja única preocupação parecia ser atingir a sua quota de cheques mensais.

Finalmente, a menina Clausen abriu a porta.

— Entre.

Maura entrou. Embora a sala possuísse grandes janelas, a proximidade das árvores e a hora de fim de tarde enchia a casa de sombras. Olhou para o soalho de pinho escuro, um tapete gasto, um sofá claudicante. O papel de parede desbotado tinha folhas verdes de videira que rendilhavam as paredes, aumentando em Maura a sensação de estar a ser sufocada por folhas.

— Totalmente mobilada — disse a menina Clausen. — Fiz-lhe um bom preço, se considerarmos isso.

— Quanto? — perguntou Maura, fitando a muralha de árvores através da janela.

— Seiscentos por mês. Conseguiria quatro vezes mais se a casa estivesse mais perto do mar. Mas o indivíduo que a construiu gostava de privacidade. — A mulher lançou à sala uma olhadela lenta e perscrutadora, como se já há algum tempo a não visse realmente. — Até que me surpreendeu quando a sua irmã me telefonou a pedir a casa, principalmente porque tínhamos outras disponíveis lá em baixo ao pé da praia.

Maura voltou-se para olhar para ela. O dia morria e a menina Clausen mergulhara nas sombras.

— A minha irmã pediu especificamente esta casa?

— Calculo que o preço fosse bom — explicou a menina Clausen, encolhendo os ombros.

Saíram da sala soturna e começaram a percorrer o corredor. Se uma casa reflectisse a personalidade do seu ocupante, algo de Anna Leoni permaneceria dentro daquelas paredes. Mas outros inquilinos haviam reclamado igualmente aquele espaço e Maura perguntou-se que ninharias, que quadros pendurados na parede teriam pertencido a Anna e quais teriam sido deixados por outros antes dela.

Aquela pintura a pastel de um pôr do sol — decerto que não era de Anna. *Nenhuma irmã minha penduraria algo tão horrendo*, pensou. E aquele odor bafiento a tabaco entranhado na casa — decerto que não fora Anna que fumara. Os gémeos idênticos são muitas vezes arrepiantemente iguais. Não partilharia Anna da aversão ao cigarro sentida por Maura? Não espirraria e tossiria à primeira baforada de fumo?

Chegaram a um quarto com um colchão às riscas.

— Não utilizava este quarto, calculo — comentou a menina Clausen. — O roupeiro e as gavetas estão vazios.

A seguir, a casa de banho. Maura entrou e abriu o armário dos medicamentos. Nas prateleiras havia *Advil, Sudafed* e rebuçados *Ricola* para a tosse, nomes de marcas que a espantaram pela sua familiaridade. Eram os mesmos produtos que Maura tinha no armário da sua própria casa de banho. *Até mesmo na escolha dos medicamentos para a gripe*, pensou, *éramos idênticas.*

Fechou a porta do armário. Continuou a percorrer o corredor até à última porta.

— Este era o quarto que ela utilizava — disse a menina Clausen.

O quarto estava perfeitamente arrumado, a roupa de cama bem presa e nenhuma desordem sobre o toucador. *Tal como o meu quarto*, pensou Maura. Dirigiu-se ao roupeiro e abriu a porta. Havia, pendurados, calças, blusas e vestidos passados a ferro. Tamanho 36. O tamanho de Maura.

— A polícia estadual veio cá a semana passada e rebuscou a casa toda.

— Encontraram alguma coisa digna de interesse?

— Nada que me contassem. Ela não tinha cá muita coisa e viveu aqui apenas uns meses.

Maura voltou-se e olhou pela janela. Ainda não anoitecera, mas a obscuridade dos bosques em redor mostrava que a noite estava iminente.

A menina Clausen estava de pé junto da porta do quarto, como se se preparasse para cobrar portagem antes de deixar Maura sair.

— A casa não é nada má — comentou.

É, sim, pensou Maura. *É uma casinha horrenda.*

— Nesta altura do ano, não resta muita coisa para arrendar. Está quase tudo tomado. Hotéis e motéis. Não há quartos na estalagem.

Maura manteve os olhos presos nos bosques. Tudo para evitar que aquela mulher desagradável encetasse mais conversas.

— Bem, isto é só falar. Calculo que tenha encontrado um sítio onde ficar esta noite...

Então, era aí que ela queria chegar. Maura voltou-se para ela.

— Na realidade, não tenho onde ficar. O Bayview Motel estava cheio.

A mulher reagiu com um sorrisinho tenso:

— Está tudo assim.

— Disseram-me que havia vagas em Ellsworth.

— Sim? Se estiver disposta a fazer o percurso até lá... Leva-lhe mais tempo do que julga, com a escuridão e a estrada cheia de curvas. — A menina Clausen apontou para a cama. — Posso arranjar-lhe lençóis lavados. Cobro-lhe o mesmo que o motel. Se estiver interessada.

Maura olhou para a cama e sentiu uma aragem fria subir-lhe pela espinha. *A minha irmã dormiu aqui.*

— Bem, é pegar ou largar.

— Não sei...

— Tenho a impressão de que não tem muito por onde escolher — resmungou a menina Clausen.

Maura parou no alpendre e ficou a ver desaparecer na cortina escura de árvores as luzes de trás da carrinha de Britta Clausen. Imobilizou-se por momentos na escuridão crescente, escutando os grilos e o restolhar das folhas. Ouviu ranger atrás de si. Voltou-se e verificou que o baloiço do alpendre se movia como se fosse empurrado por uma mão espetral. Com um estremecimento, voltou a entrar em casa e preparava-se para fechar a porta à chave quando de repente ficou imóvel, sentindo de novo aquela aragem gélida no pescoço.

Havia quatro ferrolhos na porta.

Viu duas correntes, uma tranca e um ferrolho. As chapas de latão ainda brilhavam e os parafusos estavam imaculados. *Fechaduras novas.* Correu todas as linguetas e introduziu as correntes nas ranhuras. Sentiu nos dedos o frio gelado do metal.

Dirigiu-se à cozinha e acendeu as luzes com um piparote. Viu um oleado já gasto no chão, uma pequena mesa de jantar forrada a fórmica. A um canto, um frigorífico ronronava. Mas foi na porta das traseiras que Maura se concentrou. Tinhas três fechaduras, cujas chapas de latão brilhavam. Sentiu o coração começar a bater mais depressa ao aferrolhá-las. Depois, voltou-se e viu outra porta fechada à chave na cozinha. Para onde daria essa?

Correu o fecho e abriu a porta. Viu uma escada de madeira, estreita, que mergulhava no escuro. De baixo, vinha ar fresco e chegou-lhe o cheiro a terra húmida. Os pelos da nuca eriçaram-se-lhe.

A cave. Por que motivo alguém quereria aferrolhar a porta que dava para a cave?

Fechou essa porta e correu o ferrolho. Foi quando se apercebeu de que aquela fechadura era diferente. Estava enferrujada, já era antiga.

Entretanto, sentiu necessidade de verificar se todas as janelas estavam igualmente bem fechadas. Anna andara tão assustada que transformara a casa numa fortaleza e Maura ainda podia sentir que o medo impregnava todos os aposentos. Verificou as janelas da cozinha e depois foi para a sala.

Só quando se certificou de que todas as janelas do resto da casa estavam fechadas é que começou a explorar o quarto. De pé diante do roupeiro aberto, olhou para as roupas que estavam lá dentro. Fazendo deslizar os cabides no varão, examinou cada peça, notando que eram exatamente do seu tamanho. Retirou um vestido do cabide — preto, de malha, com o corte distinto e simples que ela mesma preferia. Imaginou Anna num grande armazém, examinando o vestido ainda pendurado. Lendo a etiqueta com o preço, pondo o vestido contra o corpo enquanto se examinava ao espelho, pensando: *É este mesmo que quero.*

Maura desabotoou a blusa e tirou as calças. Enfiou-se no vestido preto e, ao puxar o fecho, sentiu o tecido acompanhar-lhe as curvas como uma segunda pele. Voltou-se para ficar de frente para o espelho. *Foi o que Anna viu*, pensou. *O mesmo rosto, a mesma figura. Também teria deplorado o alargamento das ancas, os sinais da meia-idade iminente? Também se teria virado para um e outro lado a fim de comprovar a lisura do ventre? Certamente que todas as mulheres que experimentam um vestido novo executam um bailado idêntico diante do espelho. Uma volta para este lado, uma volta para o outro. Parecerei gorda vista de trás?*

Imobilizou-se com o lado direito de frente para o espelho ao deparar com um fio de cabelo preso ao tecido. Retirou-o e ergueu-o contra a luz. Era preto como os seus, mas mais comprido. Cabelo de uma mulher morta. O toque do telefone fê-la dar uma reviravolta. Dirigiu-se à mesinha de cabeceira e parou com o coração aos pulos quando o telefone tocou uma segunda vez, uma terceira. Cada som era insuportavelmente ruidoso na casa silenciosa. Antes de poder tocar uma quarta vez, pegou no auscultador.

— Está? Está?

Ouviu-se um estalido e depois o som de desligado.

Engano, pensou ela. Apenas isso.

No exterior, estava a levantar-se vento e apesar das janelas fechadas ouvia-se gemer as árvores que abanavam. Mas, dentro de casa, estava tudo tão silencioso que Maura conseguia ouvir o seu próprio coração a bater. *Eram assim as noites dela?*, perguntou-se. Nesta casa, cercada por bosques escuros?

Naquela noite, antes de ir para a cama, fechou à chave a porta do quarto e depois encostou-lhe também uma cadeira. Sentiu-se algo envergonhada ao fazê-lo. Não havia nada de que ter medo, e, no entanto, sentia-se ali mais ameaçada do que em Boston, onde os predadores eram humanos e muito mais perigosos do que qualquer animal que pudesse andar à espreita por aqueles bosques.

Anna também sentia medo aqui.

Conseguia aperceber-se desse medo, que persistia naquela casa e nas suas portas barricadas.

Acordou sobressaltada com o som de guinchos. Ficou sem fôlego e com o coração a bater fortemente. Deve ser só um mocho, não há motivos para pânico. Estava num bosque, por amor de Deus! Evidentemente, ouviria animais. Tinha os lençóis ensopados em suor. Correra o ferrolho da janela antes de se deitar e o ar estava agora sufocante e rarefeito. *Não consigo respirar*, pensou.

Levantou-se e abriu a janela. Respirou fundo várias vezes, observando as árvores e as folhas prateadas ao luar. Nada se mexia; os bosques haviam caído de novo no silêncio.

Voltou para a cama e desta vez dormiu profundamente até à aurora.

A luz do dia mudava tudo. Ouviu os passarinhos a chilrear e ao olhar pela janela viu dois veados atravessarem o quintal e saltarem para o bosque, ostentando as suas caudas brancas. Com o sol a jorrar para dentro do quarto, a cadeira que encostara à porta na noite anterior pareceu-lhe irracional. *Não conto nada disto a ninguém*, pensou, ao afastar a cadeira.

Na cozinha, fez café com o pó que encontrou já moído no frigorífico. O café de Anna. Deitou água quente no filtro e inalou a fragrância do vapor. Estava rodeada pelas coisas que Anna adquirira. Milho para fazer pipocas no micro-ondas e pacotes de esparguete. Embalagens de iogurte de pêssego e leite fora de prazo. Cada artigo representava um momento da vida da irmã, em que ela se detivera diante de uma prateleira da mercearia e pensara: *Também preciso disto*. E depois, mais tarde, ao regressar a casa, esvaziara os sacos e arrumara as suas escolhas. Quando Maura olhou para o conteúdo dos armários, o que viu foi a mão da irmã, empilhando as latas de atum sobre o papel florido das prateleiras.

Levou a caneca de café para o alpendre da frente e ficou a bebericá-lo enquanto observava o quintal onde o sol sarapintava o pequeno canteiro de flores. *É tudo muito verde*, maravilhou-se. A relva, as árvores, a própria luz. No alto dossel de ramos, cantavam passarinhos. *Agora percebo porque queria viver aqui. Porque queria acordar todas as manhãs com o perfume da floresta.*

Subitamente, os pássaros esvoaçaram das árvores, espantados por um novo som: o rugido surdo de máquinas. Embora Maura não conseguisse ver o trator, decerto que o ouvia através dos bosques e de forma incomodamente próxima. Lembrou-se do que lhe dissera a menina Clausen, que o lote ao lado estava a ser desmatado. Demasiado para uma calma manhã de domingo.

Desceu os degraus e deu a volta por um dos lados da casa, tentando ver o trator através das árvores, mas o bosque era demasiado denso e não conseguiu vislumbrá-lo sequer. Porém, ao baixar os olhos, viu rastos de animais e lembrou-se dos dois veados que vira da janela do quarto nessa manhã. Seguiu os rastos pelo lado da casa e reparou noutra prova da sua visita nas folhas mastigadas dos lírios plantados junto aos alicerces e maravilhou-se pela ousadia daqueles veados de pastarem mesmo rente ao muro. Prosseguiu para as traseiras e deteve-se noutro conjunto de rastos. Estes não eram de veado. Ficou imóvel por instantes. O coração começou-lhe aos pulos e as mãos que pegavam na caneca ficaram húmidas. Lentamente, seguiu a pista com os olhos. Ia dar a um pedaço de terra macia debaixo de uma das janelas.

No solo estavam impressas marcas de botas no local onde estivera alguém a espreitar para dentro de casa.

Para o seu quarto.

CAPÍTULO

11

Quarenta e cinco minutos depois, surgiu a balouçar na estrada de terra batida um veículo policial de Fox Harbor. Estacionou diante da casa e dele saiu um polícia. Tinha cerca de cinquenta anos, pescoço grosso e cabelos louros que rareavam no topo da cabeça.

— Doutora Isles? — perguntou, oferecendo-lhe uma mão carnuda. — Roger Gresham, chefe de polícia.

— Não sabia que viria o chefe em pessoa.

— Sim, bem, de qualquer modo, estávamos a pensar vir cá quando chegou o seu telefonema.

— *Estávamos?* — Maura franziu as sobrancelhas quando outro veículo, um *Ford Explorer,* surgiu no caminho e se deteve junto do carro de Gresham. O condutor saiu e acenou a Maura.

— Olá, Maura — disse Rick Ballard.

Por momentos, Maura limitou-se a fitá-lo, espantada com aquela chegada inesperada.

— Não fazia ideia de que estava cá — disse finalmente.

— Vim a conduzir a noite inteira. Quando chegou?

— Ontem à tarde.

— Passou a noite nesta casa?

— O motel estava cheio. A menina Clausen, da agência imobiliária, ofereceu-se para me deixar dormir cá. — Fez uma pausa e prosseguiu em tom defensivo. — Disse que a polícia já tinha acabado o trabalho.

Gresham resfolegou.

— Aposto que lhe cobrou também a noite, não?

— Sim.

— Aquela Britta é de todo. Se pudesse, cobrava-lhe o ar que respira.

Voltando-se para a casa, disse:

— Então, onde é que encontrou as pegadas?

Maura conduziu os homens até à esquina da casa, passando diante do alpendre da frente. Caminharam ao lado do caminho, observando o chão enquanto andavam. O trator calara-se e agora os únicos sons eram os dos seus passos no tapete de folhas.

— Rastos frescos de veado, ali — disse Gresham, apontando.

— Sim, houve dois veados que passaram por aqui esta manhã — respondeu Maura.

— Isso pode explicar os rastos que viu.

— Chefe Gresham — replicou Maura, soltando um suspiro. — *Sei* distinguir a marca de uma bota da pegada de um veado.

— Não, quero dizer que um indivíduo qualquer pode ter andado cá fora a caçar. Fora de época, percebe? Seguiu esses veados até fora dos bosques.

Ballard deteve-se subitamente com os olhos pregados ao chão.

— Está a vê-los? — perguntou Maura.

— Sim — respondeu em voz estranhamente calma.

Gresham agachou-se ao pé de Ballard. Passou-se um momento. Porque não diziam nada? Uma rajada de vento abanou as árvores. Com um calafrio, Maura ergueu os olhos para os ramos que balouçavam. Na noite anterior, alguém saíra daqueles bosques. Estivera do lado de fora do seu quarto. Espreitara pela janela enquanto ela dormia.

Ballard levantou os olhos para a casa.

— Esta janela pertence a um quarto?

— Sim.

— O seu?

— Sim.

— Correu os cortinados a noite passada? — Olhou por cima do ombro para ela, e Maura percebeu o que ele estava a pensar: *Deu-lhes inadvertidamente um espetáculo a noite passada?*

Maura corou e respondeu:

— Este quarto não tem cortinados.

— Estas pegadas são grandes de mais para serem das botas de Britta — comentou Gresham. — Foi ela a única pessoa que andou a deambular por aqui, a verificar a casa.

— Parece sola de borracha — disse Ballard. — Tamanho 41, talvez 43. — Com os olhos, seguiu as pegadas até ao bosque. — As pegadas dos veados cobriram-nas.

— O que significa que essa pessoa apareceu primeiro — disse Maura. — Antes dos veados. Antes de eu acordar.

— Sim, mas quanto tempo antes? — Ballard endireitou-se e espreitou pela janela para dentro do quarto. Durante muito tempo não disse nada e Maura sentiu-se novamente impaciente com o seu silêncio, ansiosa por ouvir uma reação — qualquer reação — por parte daqueles homens.

— Sabe, há perto de uma semana que não chove — disse Gresham. — Estas marcas de botas podem não ser tão recentes quanto pensamos.

— Mas quem andaria por aqui a espreitar pelas janelas? — perguntou Maura.

— Posso telefonar a Britta. Talvez ela tivesse um homem a trabalhar no local. Ou alguém veio coscuvilhar por curiosidade.

— Curiosidade? — admirou-se Maura.

— Aqui, toda a gente soube do que aconteceu à sua irmã lá em Boston. Certas pessoas podem ter querido espreitar a casa.

— Não entendo essa espécie de curiosidade mórbida. Nunca entendi.

— Rick disse-me que a senhora é médico-legista, correto? Bem, deve ter de lidar com o mesmo que eu. Toda a gente quer saber pormenores. Não acreditaria na quantidade de pessoas que me faz perguntas sobre o crime. Não lhe parece que alguns desses bisbilhoteiros devem ter querido dar uma espreitadela para dentro da casa?

Maura fitou-o, incrédula. O silêncio foi quebrado subitamente pelo crepitar do rádio do automóvel de Gresham.

— Com licença — disse e dirigiu-se ao veículo.

— Bem — comentou Maura. — Calculo que isso elimina grande parte das minhas preocupações, não?

— Acontece que eu levo as suas preocupações muito a sério.

— Sim? — Maura fitou-o. — Entre, Rick. Quero mostrar-lhe uma coisa.

Rick seguiu-a pela escada do alpendre e entrou em casa. Maura fechou a porta e apontou para a grande quantidade de fechaduras.

— Queria que visse isto — comentou ela.

Ballard franziu as sobrancelhas perante as fechaduras.

— Ena!

— Há mais. Siga-me.

Conduziu-o à cozinha. Apontou para outras correntes e ferrolhos brilhantes que trancavam a porta das traseiras.

— Estes são todos novos. Anna deve ter mandado instalá-los. Alguma coisa a assustou.

— Tinha razão para ter medo. Todas aquelas ameaças de morte. Não sabia quando é que Cassell podia aparecer por aqui.

Maura olhou para ele.

— Por isso é que você está cá, não é? Para descobrir se ele cá veio.

— Andei a mostrar a fotografia dele pela cidade.

— E?

— Até agora, ninguém se recorda de o ver. Mas isso não significa que não tenha estado cá. — Apontou para as fechaduras. — Para mim, estas fechaduras fazem perfeitamente sentido.

Suspirando, Maura deixou-se cair numa cadeira junto à mesa da cozinha.

— Como foi possível que as nossas vidas tivessem decorrido de forma tão diferente? Lá estava eu a apanhar um avião em Paris, enquanto ela... — Engoliu em seco. — Que teria acontecido se eu tivesse sido criada no lugar de Anna? Teria acontecido o mesmo? Talvez fosse ela a estar sentada aqui, agora, a conversar consigo.

— Vocês são duas pessoas distintas, Maura. Você pode ter o rosto e a voz dela, mas não é Anna.

Maura ergueu os olhos para ele.

— Fale-me mais da minha irmã.

— Não sei bem por onde começar.

— Qualquer coisa. Tudo. Você acabou de dizer que temos a mesma voz.

Rick assentiu.

— E têm. As mesmas inflexões. O mesmo tom.

— Lembra-se assim tão bem dela?

— Anna não era mulher que se esquecesse facilmente — comentou ele, sustentando o olhar de Maura. Fitaram-se mutuamente, mesmo depois de ouvirem passos ecoarem dentro de casa. Só quando Gresham entrou na cozinha é que Maura quebrou o contacto visual e se voltou para olhar para o chefe de polícia.

— Doutora Isles — disse Gresham —, pergunto-me se poderá fazer-me um favorzinho. Venha comigo pela estrada ali mais à frente. Gostava que desse uma vista de olhos a uma coisa.

— Que espécie de coisa?

— Houve um contacto via rádio. Apanharam uma chamada da equipa de construção que está ao cimo da estrada. O trator deles pôs à vista uns... bem, uns ossos.

— Humanos? — perguntou Maura, franzindo as sobrancelhas.

— É o que eles gostavam de saber.

Maura foi com Gresham no carro da polícia e Ballard seguiu-os logo atrás no *Explorer*. O percurso quase não justificava terem-se metido nos automóveis, porque, logo após uma pequena curva da estrada, lá se encontrava o trator, parado num lote de terreno acabado de desmatar. Quatro homens de capacete estavam à sombra ao pé das respetivas carrinhas. Um deles foi ao seu encontro quando Maura, Gresham e Ballard saíram dos automóveis.

— Olá, chefe.

— Olá, Mitch. Onde está isso?

— Ali ao pé do trator. Deparei com aquele osso e desliguei imediatamente o motor. Antigamente, havia aqui uma quinta, neste lote. A última coisa que quero é escavar um cemitério de família.

— Temos aqui a doutora Isles que vai dar uma olhadela antes de eu fazer mais telefonemas. Detestaria fazer com que o médico-legista viesse de Augusta só por causa de um monte de ossos de urso.

Mitch indicou o caminho pela clareira. O solo acabado de revolver era como uma corrida de obstáculos, cheio de raízes capazes de fazer torcer os pés e de pedregulhos tombados. Os sapatos leves de Maura não eram apropriados à marcha e, por mais cuidadosamente que escolhesse o caminho, ao avançar pelo terreno não conseguiu evitar que a camurça preta se sujasse.

Gresham deu uma palmada no rosto.

— Malditos mosquitos. Já nos descobriram.

A clareira era cercada por arvoredo denso; o ar estava parado, não havia vento. Entretanto, os insetos haviam sentido o cheiro deles e surgiam em nuvens, sequiosos de sangue. Maura sentiu-se grata por ter escolhido calças compridas nessa manhã; o rosto e os braços, sem proteção, já estavam a transformar-se em locais de alimentação dos mosquitos.

Quando chegaram junto do trator, Maura tinha as bainhas das calças sujas. O sol batia no chão e fazia brilhar cacos de vidro. Os troncos de uma velha roseira trepadeira jaziam desenraizados e a morrer sob o calor.

— Ali — disse Mitch, apontando.

Ainda antes de se debruçar para olhar mais de perto, já Maura sabia o que estava no chão. Não lhe tocou, apenas se agachou, com os sapatos enterrados no solo recentemente escavado. Acabado de ser exposto aos elementos, a palidez do osso salientava-se através da crosta de terra seca. Ouviu crocitar entre as árvores, ergueu os olhos e viu corvos a esvoaçar entre os ramos como espectros negros. *Também sabem o que isto é.*

— Que lhe parece? — perguntou Gresham.

— É um ílion.

— Que é isso?

— Este osso. — Tocou em si mesma no sítio onde a pélvis se salientava sob as calças. Lembrou-se subitamente do facto tétrico de que sob a pele, sob os músculos, também ela era um simples esqueleto. Uma armação estrutural alveolar de cálcio e fósforo, que se aguentaria muito depois de a carne ter apodrecido.

— É humano — disse.

Ficaram silenciosos por momentos. O único som daquele luminoso dia de junho vinha dos corvos, um bando de corvos empoleirados nas árvores como frutos negros dispersos pelos ramos. Olhavam para os seres humanos com uma inteligência fantasmagórica e começaram a crocitar num coro ensurdecedor. Depois, como que a um sinal, os guinchos pararam abruptamente.

— Que sabe deste sítio? — perguntou Maura ao condutor do trator. — Que havia antigamente aqui?

— Uns antigos muros de pedra — explicou Mitch. — Alicerces de uma casa. Retirámos todas as pedras para ali, pensámos que alguém podia utilizá-las para outra coisa qualquer. — Apontou para um monte de pedregulhos junto da orla do lote. — Muros antigos, nada de invulgar. Se andarmos a passear pela floresta encontramos muitos alicerces antigos como este. Ao longo de toda a costa costumavam existir quintas de criação de ovinos. Já desapareceram.

— Portanto, isto podia ser uma antiga sepultura — comentou Ballard.

— Mas este osso estava mesmo ao pé do local onde as antigas paredes se erguiam — disse Mitch. — Não me parece que gostassem de enterrar a querida e velha mãe tão perto de casa. Dava azar, acho eu.

— Havia quem acreditasse que dava sorte — replicou Maura.

— Quê?

— Noutros tempos, supunha-se que um bebé enterrado vivo debaixo de um canto protegia a casa.

Mitch fitou-a com uma expressão do tipo «Quem diabo é a senhora?»

— Só estou a dizer que as práticas fúnebres mudam ao longo dos séculos — explicou Maura. — Isto aqui pode muito bem ser um antigo cemitério.

De cima, veio um adejar ruidoso. Os corvos levantaram voo da árvore simultaneamente, como se as penas batessem no céu. Maura observou-os, enervada pelo espetáculo de tantas asas pretas a erguerem-se ao mesmo tempo, como se obedecessem a uma ordem.

— Estranho! — comentou Gresham.

Maura ergueu-se e olhou para as árvores. Lembrou-se do barulho do trator, nessa manhã, e de como parecera próximo.

— Em que direção fica a casa? A casa onde fiquei a noite passada? — perguntou.

Gresham olhou para o Sol para se orientar e depois apontou:

— Naquela direção. Está agora de frente para ela.

— E a que distância?

— Logo atrás daquelas árvores. Pode ir a pé.

O médico-legista do estado do Maine chegou de Augusta uma hora e meia depois. Ao sair do automóvel transportando a maleta, Maura reconheceu imediatamente o homem de turbante branco e barba muito bem aparada.

Maura conhecera o doutor Daljeet Singh numa conferência sobre patologia no ano anterior e tinham jantado juntos em fevereiro, quando ela fora assistir a um congresso regional sobre patologia em Boston. Embora não fosse um homem alto, o porte digno e o turbante tradicional dos Siques tornava-o muito maior do que realmente era. Maura ficava sempre impressionada com o seu ar de calma competência. E com os seus olhos. Daljeet tinha olhos castanhos líquidos e as maiores pestanas que jamais vira num homem.

Deram um aperto de mãos, num cumprimento caloroso entre dois colegas que gostavam genuinamente um do outro.

— Então, que faz por aqui, Maura? Não há em Boston trabalho suficiente para si? Tem de vir invadir os meus casos?

— O meu fim de semana transformou-se num dia de trabalho normal.

— Já viu os restos mortais?

Maura assentiu e o sorriso desapareceu-lhe.

— Há um ilíaco esquerdo parcialmente enterrado. Ainda não lhe tocámos. Sabia que você quereria vê-lo primeiro *in situ.*

— Não há outros ossos?

— Até agora, não.

— Muito bem. — Fitou o terreno desmatado, como se reunisse forças para a caminhada pelo terreno. Maura reparou que ele viera preparado com o calçado adequado: botas *L.L. Bean,* com aspeto de serem novas em folha e de prestarem as suas primeiras provas em terreno lamacento. — Vejamos o que o trator pôs a descoberto.

Entretanto, estava-se no início da tarde e o calor era tão carregado de humidade que o rosto de Daljeet rapidamente ficou coberto de suor. Ao atravessarem a clareira, os insetos atacaram em enxame, aproveitando-se do sangue da carne fresca. Vinte minutos antes, haviam chegado, da polícia do estado do Maine, os detetives Corso e Yates, que percorriam o campo na companhia de Ballard e Gresham.

Corso acenou e exclamou:

— Isto não é maneira de passar um belo domingo, pois não, doutor Singh?

Daljeet retribuiu-lhe o aceno e depois agachou-se para examinar o ílion.

— Antigamente, havia aqui uma habitação — disse Maura. — Havia aqui uns alicerces de pedra, segundo os trabalhadores.

— Mas não restos do caixão?

— Não vimos nada.

Singh examinou a paisagem de pedras enlameadas, arbustos desenraizados e tocos de árvores.

— O trator pode ter dispersado os ossos.

Ouviu-se uma exclamação do detetive Yates:

— Descobri mais qualquer coisa!

— Tão longe? — comentou Daljeet, enquanto atravessava o campo na companhia de Maura e se juntavam a Yates.

— Andava por aqui e fiquei com o pé preso neste emaranhado de raízes de amoras silvestres — explicou Yates. — Tropecei e foi quando isto saltou da terra. — Enquanto Maura se agachava a seu lado, Yates afastou com vivacidade um rolo espinhoso de pernadas desenraizadas. Uma nuvem de mosquitos ergueu-se do solo húmido, caindo sobre o rosto de Maura enquanto esta examinava o que ali estava parcialmente enterrado. Era um crânio. Olhava para si uma órbita vazia, por onde haviam penetrado gavinhas de amoras silvestres que tinham forçado a entrada através de aberturas que outrora continham olhos.

Maura olhou para Daljeet.

— Tem uma podoa?

Ele abriu a maleta, donde retirou luvas, uma podoa cor-de-rosa e uma pazinha de jardinagem. Ajoelharam-se ambos por terra e começaram a libertar o crânio. Maura cortava raízes enquanto Daljeet afastava cuidadosamente a terra. O sol incidia sobre a terra e o próprio solo parecia irradiar calor. Maura teve de parar por várias vezes para enxugar o suor. O repelente de insetos que aplicara uma hora antes há muito desaparecera e em volta do seu rosto enxameavam de novo os mosquitos.

Maura e Daljeet pousaram as ferramentas e começaram a cavar com as mãos enluvadas, ajoelhados tão perto um do outro que as cabeças se tocavam. Os dedos aprofundaram o solo mais fresco, que perdera a sua dureza. Uma área cada vez maior do crânio emergia à superfície. Maura parou e examinou o osso temporal, a fratura maciça agora revelada.

Ela e Daljeet fitaram-se e ambos registaram o mesmo pensamento: *Esta morte não foi natural.*

— Acho que já se soltou — disse Daljeet. — Vamos levantá-lo.

Estendeu uma folha de plástico e depois meteu no buraco as mãos, que emergiram amparando o crânio, cujas mandíbulas estavam parcialmente presas por úteis espirais de raízes de amoras silvestres. Daljeet pousou o seu tesouro na folha de plástico.

Por momentos, ninguém disse palavra. Todos fitavam o osso temporal estilhaçado.

O detetive Yates apontou para o brilho metálico de um dos molares.

— Não é chumbo? — disse. — Naquele dente?

— É. Mas os dentistas já usavam amálgamas de chumbo há um século — retorquiu Daljeet.

— Portanto, ainda pode tratar-se de uma antiga sepultura.

— Mas onde estão os fragmentos da urna? Se tivesse havido um enterro formal, teria de existir uma urna. E temos ainda este pormenorzinho. — Daljeet apontou para a fratura óssea. Olhou para os dois detetives que se inclinavam sobre o seu ombro. — Independentemente da idade destes restos mortais, acho que têm aqui um crime.

Os outros homens tinham-se amontoado à sua volta e, de repente, deu a impressão de que o ar fora totalmente esvaziado de oxigénio. O zumbido dos mosquitos aumentou e transformou-se num rugido pulsante. *Está muito calor,* pensou Maura. Levantou-se e, com as pernas trémulas, dirigiu-se para a orla da floresta, onde o dossel de carvalhos e bordos lançava uma sombra bem-vinda. Deixou-se cair sobre um pedregulho e pousou a cabeça nas mãos, pensando: *É o que arranjo por não tomar o pequeno-almoço.*

— Maura? — chamou Ballard. — Sente-se bem?

— É só o calor. Preciso de ar fresco por uns momentos.

— Quer um pouco de água? Tenho na carrinha, se não se importar de beber da mesma garrafa.

— Obrigada. Aceito.

Viu-o dirigir-se para o veículo. Tinha as costas da camisa manchada pelo suor. Não se deu ao trabalho de escolher caminho delicadamente através do terreno irregular, limitou-se a avançar enterrando as botas nos torrões de terra. Com determinação. Era assim que Ballard caminhava, como um homem que sabia o que tinha de ser feito e se limitava a fazê-lo.

A garrafa que lhe trouxe estava morna por ter permanecido no automóvel. Bebeu um trago com avidez, e a água escorreu-lhe pelo queixo. Ao baixar a garrafa, verificou que Ballard a observava. Por momentos, não reparou no zumbido dos insetos nem no murmúrio das vozes dos homens que trabalhavam a alguns metros de distância. Ali, nas sombras verdes sob as árvores, só conseguia concentrar-se nele. No modo como a sua mão roçou na dela ao voltar a pegar na garrafa. Na luz suave que lhe manchava o cabelo, na teia de rugas de expressão em redor dos olhos. Ouviu Daljeet chamá-la pelo nome, mas não respondeu, nem se voltou, e Ballard, que parecia igualmente aprisionado naquele momento, também não. Maura pensou: *Um de nós tem de*

quebrar o feitiço. Um de nós tem de o interromper. Mas parece que
não estou a conseguir.

— Maura? — De repente, Daljeet estava mesmo a seu lado, mas ela não o ouvira aproximar-se. — Temos um problema interessante — comentou.

— Que problema?

— Venha dar outra olhadela àquele ílion.

Maura levantou-se devagar, sentindo-se já mais estável e de cabeça mais desenevoada. A água que bebera e os poucos momentos passados à sombra tinham-lhe dado um segundo fôlego. Ela e Ballard seguiram Daljeet até ao pé do osso da anca e Maura verificou que Daljeet já o limpara de parte da terra, expondo uma superfície maior da pélvis.

— Cheguei ao sacro, deste lado — disse ele. — Já se consegue ver o orifício pélvico e a tuberosidade isquial, aqui.

Maura ajoelhou-se junto dele. Não disse nada, por momentos, limitou-se a observar o osso.

— Qual é o problema? — perguntou Ballard.

— Precisamos de expor o resto do osso — respondeu ela. Ergueu os olhos para Daljeet. — Tem outra espátula?

Daljeet passou-lha com um estalido semelhante ao de um bisturi a ser pousado na palma de uma mão. De repente, Maura começou a trabalhar, entregando-se totalmente à tarefa. Ajoelhados ao lado um do outro, de espátula na mão, ela e Daljeet afastaram o solo pedregoso. Raízes de árvores tinham-se entrelaçado nos orifícios dos ossos, prendendo-os ao seu túmulo, e tiveram de cortar o emaranhado de fios para libertar a pélvis. Quanto mais fundo escavavam, mais rapidamente o coração de Maura batia.

Os caçadores de tesouros cavam em busca de ouro; ela cavava em busca de segredos. Das respostas que só uma sepultura é capaz de revelar. Com cada pá de terra que retiravam, mais surgia da pélvis. Trabalhavam agora febrilmente, enterrando mais fundo os utensílios.

Quando finalmente puderam olhar para a pélvis exposta, ficaram ambos demasiado espantados para conseguirem falar.

Maura ergueu-se e recuou para olhar para o crânio que continuava pousado na folha de plástico. Ajoelhando-se ao pé dele, descalçou as luvas e passou os dedos nus pela órbita, sentindo a curva robusta da aresta supraorbital. Depois, rodou o crânio a fim de examinar a protuberância occipital.

Aquilo não fazia sentido.

Moveu-se para trás sobre os joelhos. Tinha a blusa ensopada em suor no ar saturado. Com exceção do zumbido dos insetos, a clareira ficara silenciosa. De todos os lados se erguiam árvores, que guardavam aquele recinto secreto. Ao fitar a muralha impenetrável de verdura sentiu que lhe devolviam o olhar, como se a própria floresta a estivesse a observar. À espera do seu movimento seguinte.

— Que se passa, doutora Isles?

Maura ergueu os olhos para o detetive Corso:

— Temos um problema — explicou. — Este crânio...

— Que tem?

— Está a ver aqui estas arestas fortes sobre as órbitas dos olhos? Olhe agora para aqui, para a base do crânio. Se passar com o dedo, consegue sentir um alto. Chama-se protuberância occipital.

— E então?

— É onde ocorre o ligamento da nuca, que prende ao crânio os músculos da parte de trás do pescoço. O facto de este alto ser tão proeminente diz-me que este indivíduo possuía uma musculatura robusta. É quase de certeza um crânio masculino.

— Qual é o problema?

— Aquela pélvis é de uma mulher.

Corso fitou-a. Voltou-se e olhou para o doutor Singh.

— Estou totalmente de acordo com a doutora Isles — observou Daljeet.

— Mas isso significa...

— Que estamos perante os restos mortais de dois indivíduos diferentes — disse Maura. — Um do sexo masculino, outro do sexo feminino. — Levantou-se e procurou os olhos de Corso. — A questão é sabermos quantos mais estarão aqui sepultados.

Por momentos, Corso pareceu demasiado atónito para conseguir responder. Depois, voltou-se e inspecionou devagar a clareira como se estivesse a vê-la realmente pela primeira vez.

— Chefe Gresham — disse —, vamos precisar de voluntários. Muitos. Agentes da polícia, bombeiros. Vou chamar a nossa equipa de Augusta, mas não será suficiente. Pelo menos para o que precisamos de fazer.

— De quantas pessoas está a falar?

— De tantas quantas as necessárias para percorrerem este local. — Corso fitava as árvores que os cercavam. — Vamos passar a pente fino cada centímetro quadrado deste lugar. A clareira e os bosques. Se houver mais de duas pessoas aqui sepultadas, vou descobri-las.

Jane Rizzoli crescera no subúrbio de Revere, logo acima da Tobin Bridge, na parte baixa de Boston. Era um bairro da classe operária, de casas do tipo caixote em lotes de terreno do tamanho de selos, um lugar onde, em todos os 4 de Julho, chiavam cachorros quentes nos grelhadores montados nos quintais e bandeiras americanas eram orgulhosamente desfraldadas nos pátios da frente. A família Rizzoli conhecera a sua quota-parte de altos e baixos, incluindo alguns meses terríveis quando Jane tinha dez anos e o pai perdera o emprego. Tinha idade suficiente para pressentir o medo da mãe e absorver o desespero irado do pai. Ela e os dois irmãos sabiam como era viver na linha ténue entre a ruína e o conforto, e embora usufruísse de um salário certo nunca conseguia silenciar por completo os sussurros da insegurança da infância. Havia de pensar sempre em si como a garota de Revere que crescera a sonhar que um dia teria uma grande casa num bairro ainda mais imponente, uma casa com casas de banho suficientes para que ela não tivesse de bater à porta todas as manhãs a exigir a sua vez de usar o duche. Havia de ter uma chaminé de tijolo, portas duplas na entrada e batente de bronze. A casa para a qual estava agora a olhar do carro tinha todas essas características e mais algumas: o batente de bronze, as portas duplas da entrada e não uma mas duas chaminés. Tudo aquilo com que sonhara.

Mas era a casa mais feia que já vira.

As outras casas daquela rua de East Dedham eram o que se esperaria encontrar num confortável bairro de classe média: garagem para dois carros e à frente um jardim bem tratado. Havia carros de último modelo estacionados à entrada. Nada elegante, nada que exigisse ser admirado. Mas esta casa — bem, não se limitava a exigir atenção. Berrava por ela.

Era como se Tara, a casa da plantação de *E Tudo o Vento Levou,* tivesse sido sugada por um tornado e largada num lote urbano. Não tinha o que se podia chamar de jardim, apenas umas orlas de terreno nos lados, tão estreitas que mal se conseguiria andar com o cortador da relva entre a parede e a sebe do vizinho. Colunas brancas erguiam-se como sentinelas num pátio onde Scarlett O'Hara conseguiria captar todo o panorama do trânsito da Sprague Street. A casa fê-la recordar-se de Johnny Silva, do seu antigo bairro, e de como ele torrara o seu primeiro ordenado num *Corvette* vermelho-cereja. «Tenta fingir que não é um fracassado», dissera o pai de Jane. «O rapaz ainda não conseguiu sequer mudar-se da cave dos pais, mas comprou um carro desportivo elegante. Os maiores fracassados é que compram os maiores carros.»

Ou constroem a maior casa do bairro, pensou ela, observando Tara-na-Sprague-Street.

Conseguiu tirar a barriga de trás do volante. Sentiu o bebé dar-lhe pontapés na bexiga ao subir os degraus do pátio. *Primeiro, o mais urgente*, pensou. Pedir para utilizar *a casa de banho. A campainha não se limitou a tocar, explodiu,* como o sino de uma catedral a chamar os fiéis à oração.

A loura que abriu a porta dava a impressão de ter-se enganado na casa. Em vez de Scarlett O'Hara, era uma Bambi clássica — cabelo volumoso, seios grandes, corpo enchouriçado num fato de ginástica de elastano cor-de-rosa. Um rosto tão pouco naturalmente desprovido de expressão que tinha de ter levado Botox.

— Sou a detetive Rizzoli, vim falar com Terence Van Gates. Telefonei antes.

— Ah, sim. Terry está à sua espera. — Uma voz ameninada, aguda e doce. Ótima em pequenas doses, mas, depois de uma hora, devia ser como raspar com as unhas num quadro preto.

Rizzoli entrou no vestíbulo e foi imediatamente confrontada com um gigantesco quadro a óleo pendurado na parede. Era Bambi de vestido de noite comprido, verde; posara de pé, ao lado de uma enorme jarra de orquídeas. Tudo naquela casa parecia extraordinariamente grande. Os quadros, os tetos, os seios.

— Estão a renovar o edifício do escritório, de modo que Terry hoje está a trabalhar em casa. Ao fundo do corredor, à sua direita.

— Desculpe... lamento, mas não sei como se chama.

— Bonnie.

Bonnie. Bambi. Bastante parecido.

— Deve ser... Senhora Van Gates? — perguntou Rizzoli.

— Hã-hã.

Mulher-troféu. Van Gates devia estar perto dos setenta anos.

— Posso utilizar a sua casa de banho? Nestes últimos tempos parece-me que preciso de uma de dez em dez minutos.

Pela primeira vez, Bonnie pareceu notar que Rizzoli estava grávida.

— Oh, querida! Claro que pode. A casinha é logo ali à direita.

Rizzoli nunca vira uma casa de banho pintada de um cor-de-rosa semelhante ao dos rebuçados. O sanitário encontrava-se em cima de uma plataforma como se fosse um trono, e havia um telefone instalado na parede ao pé. Como se alguém quisesse conduzir os seus negócios enquanto, bem, despachava o seu negócio. Lavou as mãos com sabonete cor-de-rosa numa bacia de mármore cor-de-rosa, secou-as numa toalha cor-de-rosa e saiu do aposento.

Bonnie desaparecera, mas Rizzoli ouviu no andar de cima batidas de música para ginástica e o som surdo de pés a saltarem. Bonnie a executar a sua ginástica rotineira. *Também devia pôr-me em forma um dia destes*, pensou Rizzoli. *Mas recuso-me a fazê-lo de fato de elastano cor-de-rosa.*

Percorreu o corredor à procura do escritório de Van Gates. Primeiro, espreitou para uma sala vasta, com um grande piano branco, tapete branco e mobília branca. Aposento branco, aposento rosa. Que virá a seguir? Passou por outro quadro de Bonnie no corredor, desta vez na pose de uma deusa grega, de vestido comprido branco e os mamilos a verem-se sob o tecido diáfano. Credo, em Las Vegas é que esta gente estava bem!

Finalmente, chegou a um escritório.

— Senhor Van Gates? — disse.

O homem sentado à secretária de cerejeira levantou o olhar dos papéis e Rizzoli viu uns olhos azuis aguados, um rosto que a idade tornara mole e papudo e cabelo que era... que tom *era* aquele? Qualquer coisa entre amarelo e cor de laranja. Decerto que não intencionalmente, apenas uma coloração que correra mal.

— Detetive Rizzoli? — disse ele e o olhar caiu-lhe sobre o abdómen dela, ali ficando pregado, como se nunca tivesse visto uma agente da polícia grávida.

Fale comigo, não com a minha barriga. Dirigiu-se à secretária e apertou-lhe a mão. Reparou nos reveladores enxertos de transplante que lhe salpicavam o couro cabeludo, onde germinava cabelo como pequenos tufos de relva amarela, numa derradeira e desesperada afirmação de virilidade. *É o que o senhor merece por ter casado com uma mulher-troféu.*

— Sente-se, sente-se — disse ele.

Rizzoli acomodou-se num cadeirão de cabedal escorregadio. Olhando em volta do aposento, reparou que ali a decoração era radicalmente diferente da do resto da casa. Consistia em «advogado tradicional», madeira escura e cabedal. As estantes de mogno estavam cheias de jornais e manuais de direito. Não havia vislumbre de cor-de-rosa. Era claramente domínio dele, zona livre de Bonnie.

— Não sei realmente como poderei ajudá-la, detetive — comentou ele. — A adoção que investiga data de há quarenta anos.

— Não foi há tanto tempo quanto isso.

O advogado riu-se.

— Duvido que a senhora fosse sequer nascida.

Seria uma leve indireta? O seu modo de dizer que ela era jovem de mais para se preocupar com questões dessas?

— Não se recorda das pessoas envolvidas?

— Apenas digo que foi há muito tempo. Nessa altura, devia eu ter acabado de sair da faculdade de direito e estaria a trabalhar num escritório arrendado, com mobília alugada e sem secretária. Atendia o telefone. Aceitava todos os casos que apareciam: divórcios, adoções, condução sob o efeito do álcool. O que quer que pagasse a renda.

— Mas ainda tem esses processos, é evidente. Dos casos dessa época.

— Devem estar arquivados.

— Onde?

— Na File-Safe, em Quincy. Mas, antes de avançar, devo dizer-lhe que as partes envolvidas neste caso particular exigiram privacidade absoluta. A mãe biológica não quer que o seu nome seja revelado. Os registos já foram selados faz muitos anos.

— Trata-se de um caso de homicídio, senhor Van Gates. Uma das adotadas está agora morta.

— Sim, eu sei, mas não consigo perceber o que tem isso a ver com a sua adoção há quarenta anos. Porque é relevante para a sua investigação?

— Porque lhe telefonou Anna Leoni?

O advogado pareceu espantado. Nada do que dissesse depois disso conseguiria esconder a sua reação inicial, aquela expressão de ter sido apanhado desprevenido.

— Perdão? — exclamou.

— Um dia antes de ser assassinada, Anna Leoni telefonou para o seu escritório de um quarto do Tremont Hotel. Temos o registo de um telefonema dela. A conversa durou trinta e sete minutos. Ora devem ter conversado sobre *alguma coisa* nesses trinta e sete minutos. Não deixou a pobre mulher à espera durante esse tempo todo...

184

O advogado não respondeu.

— Senhor Van Gates?

— Essa... essa conversa foi confidencial.

— A senhora Leoni era sua cliente? O senhor cobrou-lhe esse telefonema?

— Não, mas...

— Nesse caso, não está obrigado ao segredo profissional entre advogado e cliente.

— Mas estou obrigado pelo dever de confidencialidade em relação a outro cliente.

— A mãe biológica.

— Bem, ela *foi* minha cliente. Deu os bebés com uma condição: que o seu nome nunca fosse revelado.

— Isso foi há quarenta anos. Pode ter mudado de ideias.

— Não estou a par. Não sei onde ela para. Nem sequer sei se ainda é viva.

— Foi por isso que Anna lhe telefonou? Para lhe perguntar acerca da mãe?

O advogado recostou-se.

— É frequente os adotados sentirem curiosidade acerca das suas origens. Para alguns, transforma-se numa obsessão e partem para uma caça aos documentos. Investem milhares de dólares e imenso sofrimento à procura de mães que não querem ser encontradas. E, *se* as encontram, raramente é o final de conto de fadas que esperavam. Era isso o que ela procurava, detetive. Um final de conto de fadas. Às vezes, fazem melhor se esquecerem o assunto e prosseguirem com as suas vidas.

Rizzoli pensou na sua própria infância, na sua família. Soubera sempre quem era. Olhava para os avós e para os pais e conseguia ver-lhes gravado nos rostos o seu próprio sangue. Era um deles, tinham o mesmo ADN, e por muito que as suas relações a pudessem aborrecer ou envergonhar, sabia que lhes pertencia.

Mas Maura Isles nunca se vira nos olhos de um avô. Quando Maura andava na rua, estudaria o rosto dos estranhos que passavam em busca de um reflexo das suas próprias feições? Uma curva familiar da boca, a saliência do nariz? Rizzoli compreendia perfeitamente o profundo desejo de alguém de conhecer as suas origens. De saber que não é um graveto solto, mas um ramo de uma árvore com raízes profundas.

Fitou o senhor Van Gates nos olhos.

— Quem é a mãe de Anna Leoni?

O advogado abanou a cabeça.

— Repito: isso não é relevante para a sua...

— Deixe-me ser eu a decidir. Dê-me só o nome.

— Porquê? Para poder perturbar a vida de uma mulher que pode não desejar que lhe lembrem um erro da juventude? Que tem isso a ver com o crime?

Rizzoli inclinou-se para ele, pousando ambas as mãos na secretária. Invadindo agressivamente a sua propriedade pessoal. As bambizinhas doces não farão isto, mas as meninas polícias de Revere não têm medo de o fazer.

— Podemos intimá-lo a mostrar os processos. Ou posso pedir-lhes delicadamente.

Fitaram-se por momentos. Por fim, ele soltou um suspiro de capitulação.

— Muito bem. Não preciso de passar novamente por isso. Vou dizer-lhe, está bem? A mãe chamava-se Amalthea Lank. Tinha vinte e quatro anos e precisava de dinheiro... desesperadamente.

Rizzoli franziu as sobrancelhas.

— Está a dizer-me que ela recebeu dinheiro por ter dado as crianças?

— Bem...

— Quanto?

— Foi substancial. O bastante para poder recomeçar a vida.

— Quanto?

— Foram vinte mil dólares cada — disse ele, pestanejando.

— Por cada bebé?

— Houve duas famílias que se foram embora muito felizes com o seu bebé. Ela foi-se embora com dinheiro. Acredite em mim, hoje os pais adotivos pagam muito mais. Sabe como é difícil adotar um recém-nascido branco nos dias de hoje? Não os há em número suficiente. É a lei da oferta e da procura, muito simplesmente.

Rizzoli recostou-se, atónita por uma mulher ser capaz de vender os filhos por dinheiro.

— E é tudo o que posso dizer-lhe — prosseguiu Van Gates. — Se quiser saber mais, bem, talvez vocês, agentes da polícia, possam conversar mais uns com os outros. Teria poupado muito tempo.

Esta última afirmação espantou-a. Depois, lembrou-se do que ele dissera momentos antes: «Não preciso de passar novamente por isso.»

— Quem mais lhe fez perguntas sobre essa mulher? — perguntou.

— Vocês atuam todos da mesma maneira. Chegam aqui, ameaçam fazer-me a vida num inferno se não colaborar...

— Foi outro polícia?

— Foi.

— Quem?

— Não me recordo. Foi há meses. Devo ter bloqueado o nome dele.

— Porque queria ele saber?

— Porque ela o encarregou disso. Vieram juntos.

— Anna Leoni veio com ele?

— Ele fez isso por ela. Um favor. — Van Gates bufou. — Todos nós devíamos ter polícias a fazer-nos favores.

— Foi há vários meses? Vieram vê-lo juntos?

— Acabei de o dizer.

— E disse-lhe o nome da mãe?

— Sim.

— Então, porque é que Anna lhe telefonou a semana passada? Se já sabia o nome da mãe?

— Porque viu uma certa fotografia no *The Boston Globe*. Uma senhora que é igualzinha a ela.

— A doutora Maura Isles.

O advogado assentiu.

— A menina Leoni perguntou-me diretamente e, por isso, disse-lhe.

— Disse-lhe o quê?

— Que ela tinha uma irmã.

CAPÍTULO

13

As ossadas mudaram tudo.

Maura planeara regressar a Boston nessa tarde, mas, em vez disso, voltara por momentos à casa de campo para vestir umas *jeans* e uma *T-shirt* e a seguir dirigira-se novamente, no seu próprio carro, para a clareira. *Fico mais um bocadinho,* pensou, *e vou-me embora por volta das quatro da tarde.* Mas, à medida que a tarde avançava, que a equipa da polícia técnica chegava de Augusta e que os grupos de busca começavam a percorrer a grelha que Corso mapeara na clareira, Maura deixou de dar pelo passar do tempo. Fez só um intervalo para devorar uma sanduíche de frango que voluntários tinham entregado no local. Tudo sabia ao repelente de mosquitos que espalhara no rosto, mas tinha tanta fome que teria comido deliciada uma côdea de pão seca. Saciado o apetite, voltou a enfiar as luvas, pegou numa espátula e ajoelhou-se por terra ao lado do doutor Singh.

As quatro horas da tarde chegaram e passaram.

As caixas de papelão começaram a encher-se de ossos. Costelas e vértebras lombares. Fémures e tíbias. Na verdade, o trator não dispersara os ossos para longe. Os restos mortais femininos foram todos encontrados num raio de dois metros; os do sexo masculino, presos numa teia de raízes de silvas, estavam ainda mais juntos. Parecia haver apenas dois indivíduos, mas foi necessária a tarde inteira para os desenterrar.

Presa da excitação da escavação, Maura não conseguiu convencer-se a partir, não enquanto cada pazada de terra pudesse revelar um novo galardão. Um botão, uma bala ou um dente. Quando era estudante da Universidade de Stanford, passara um verão a trabalhar numa estação arqueológica em Baja. Embora as temperaturas tivessem subido bem até aos trinta e muitos graus e a sua única sombra fosse um chapéu de aba larga, trabalhara pela parte mais quente do dia adentro, levada pela mesma febre que aflige os caçadores de tesouros que acreditam que o próximo artefacto está apenas a alguns centímetros. Era essa febre que sentia agora, ajoelhada no meio dos fetos e enxotando os mosquitos. Foi o que a aguentou a escavar durante toda a tarde e até à noite, quando começaram a aproximar-se nuvens de tempestade. Quando um trovão ribombou à distância.

Isso, e a silenciosa emoção que sentia sempre que Rick Ballard se aproximava.

Mesmo enquanto peneirava a terra e cortava raízes, tinha consciência dele. Da sua voz, da sua proximidade. Foi ele quem lhe levou uma garrafa de água fresca e lhe estendeu uma sanduíche. Que parou para lhe pôr uma mão no ombro e perguntar-lhe como estava. Os seus colegas do sexo masculino do Instituto de Medicina Legal raramente lhe tocavam. Talvez fosse o seu carácter reservado ou algum sinal silencioso que dava e que lhes dizia que não aceitava bem contactos pessoais. Mas Ballard não hesitou em pegar-lhe no braço, em descansar-lhe a mão nas costas.

O toque dele deixou-a afogueada.

Quando a equipa da polícia técnica começou a arrumar as ferramentas por aquele dia, Maura ficou espantada ao verificar que eram quase sete horas e que a luz do dia começara a desaparecer. Doíam-lhe os músculos e as roupas estavam imundas. Com as pernas trémulas de cansaço, ficou a ver Daljeet fechar as duas caixas com os restos mortais. Cada um pegou na sua caixa e levaram-nas para o veículo dele.

— Depois do dia de hoje, acho que me deve um jantar, Daljeet — comentou Maura.

— No Julien, prometo-lhe. Da próxima vez que for a Boston.

— Acredite que tenciono cobrar-lho.

Daljeet meteu as caixas no automóvel e fechou a porta. Depois, deram um aperto de mão, palma suja contra palma suja. Maura acenou quando ele se foi embora. A maior parte do grupo de busca já se fora, restavam apenas alguns carros.

Entre eles, estava o *Explorer* de Ballard.

Maura deteve-se no crepúsculo crescente e olhou para a clareira. Ballard estava junto dos bosques e conversava com o detetive Corso de costas para ela. Demorou-se, na esperança de que ele reparasse que ela estava prestes a ir-se embora.

E a seguir? Que queria que acontecesse entre ambos?

Sai daqui antes de fazeres figura de idiota.

Abruptamente, voltou-se e dirigiu-se para o automóvel. Ligou o motor e afastou-se com tanta velocidade que os pneus guincharam.

De volta à vivenda, retirou as roupas enlameadas e tomou um duche prolongado, ensaboando-se duas vezes para eliminar qualquer vestígio do gorduroso repelente de mosquitos. Quando saiu da casa de banho, apercebeu-se de que não tinha outras roupas limpas que pudesse vestir. Pensara ficar apenas uma noite em Fox Harbor.

Abriu a porta do roupeiro e olhou para as roupas de Anna. Eram todas do seu tamanho. Que mais poderia vestir? Tirou um vestido de verão. Era de algodão branco, um pouco ameninado para o seu gosto, mas naquela noite quente e húmida era exatamente o que lhe apetecia vestir. Enfiando o vestido pela cabeça, sentiu na pele o beijo do algodão puro e perguntou-se quando fora a última vez que Anna alisara aquele vestido nas ancas, quando fora a última vez em que apertara o cinto em volta da cintura. As rugas ainda lá estavam, marcando o tecido na parte onde Anna fizera o nó. *Tudo aquilo que era dela, que vejo e toco, ainda contém a sua marca*, pensou.

O toque do telefone fê-la voltar-se e ficar de frente para a mesinha de cabeceira. De alguma forma soube ainda antes de o levantar que era Ballard.

— Não a vi ir-se embora — comentou.

— Voltei para casa para tomar um duche. Estava toda enfarruscada.

Ballard riu-se, e respondeu:

— Também me sinto bastante emporcalhado.

— Quando volta para Boston?

— Já é muito tarde. Acho que também podia ficar mais uma noite. E você?

— Também não me sinto com disposição para voltar esta noite.

Decorreu um momento.

— Conseguiu encontrar um quarto no hotel? — perguntou ela.

— Trouxe a tenda e o saco-cama. Vou ficar no parque de campismo junto à estrada.

Maura levou cinco segundos a decidir-se. Cinco segundos a considerar as possibilidades. E as consequências.

— Há aqui um quarto a mais — disse então. — Tenho todo o gosto em que o utilize.

— Detesto impor-me.

— A cama está vaga, muito simplesmente.

Uma pausa.

— Seria ótimo. Mas com uma condição.

— Qual?

— Deixe-me levar o jantar. Há na Main Street uma casa que fornece comida para fora. Nada de luxos, talvez só umas lagostas cozidas.

— Não sei como é consigo, Rick, mas, pelo meu livro, as lagostas são sem dúvida classificadas como luxo.

— Quer vinho ou cerveja?

— Parece-me que a noite de hoje pede cerveja.

— Estou aí dentro de uma hora. Guarde o apetite.

Maura desligou e, de repente, apercebeu-se de que estava esfomeada. Havia apenas uns momentos, sentira-se demasiado cansada para ir à cidade e pusera a hipótese de não jantar e ir cedo para a cama. Agora, tinha fome e não só de comida, também de companhia.

Vagueou pela casa, inquieta e arrebatada por demasiados desejos contraditórios. Havia apenas umas noites, jantara na companhia de Daniel Brophy. Mas a Igreja havia muito que reclamara Daniel para si e ela nunca entraria na corrida. As causas desesperadas podem ser sedutoras, mas raramente trazem felicidade.

Ouviu o estrondo de um trovão e foi à janela. No exterior, o crepúsculo transformara-se em noite. Embora não visse relâmpagos, o próprio ar parecia carregado. Elétrico de possibilidades. Sobre o telhado começaram a tamborilar pingos de chuva. A princípio, eram apenas umas pancadinhas hesitantes, depois o céu abriu-se como se houvesse uma centena de tambores a rufar sobre a sua cabeça. Excitada com a força do temporal, foi ao pátio ver cair a chuva e sentiu uma rajada bem-vinda de ar fresco que lhe adejou o vestido e levantou o cabelo.

Um par de faróis cortou a chuvada prateada.

Maura continuou no pátio, totalmente imóvel, com o coração a pulsar como a chuva, quando o automóvel estacionou diante da casa. Ballard saiu, transportando um saco grande e uma embalagem de meia dúzia de cervejas. De cabeça baixa sob a torrente, esparrinhou água para o pátio e para os degraus.

— Não sabia que aqui precisava de nadar — disse ele.

Maura riu-se.

— Entre, vou arranjar-lhe uma toalha.

— Importa-se que me meta no seu duche? Ainda não tive oportunidade de me lavar.

— Avance. — Tirou-lhe o saco de mercearia. — A casa de banho é ao fundo do corredor. Há toalhas limpas no armário.

— Vou buscar a maleta com as minhas coisas à carrinha.

Maura levou a comida para a cozinha e meteu a cerveja no frigorífico. Ouviu bater a porta de rede quando Ballard voltou a entrar em casa. Momentos depois, ouviu correr a água do duche.

Sentou-se à mesa e soltou um suspiro profundo. *É só um jantar*, pensou. Uma única noite sob o mesmo teto. Pensou

194

na refeição que cozinhara para Daniel havia apenas uns dias e de como aquela noite fora diferente desde o início. Quando olhara para Daniel, vira o inatingível. *E que vejo quando olho para Rick? Talvez mais do que devia.*

O duche parara. Ficou muito quieta, a ouvir, com todos os sentidos subitamente tão aguçados que conseguia sentir o ar a murmurar ao passar-lhe pela pele. Soaram passos mais próximos e de repente ali estava ele, a cheirar a sabonete, de *blue jeans* e uma camisa limpa.

— Espero que não se importe de jantar com um homem descalço — disse ele. — As minhas botas tinham demasiada lama para serem usadas dentro de casa.

Maura riu-se.

— Nesse caso, também me descalço. Será como um piquenique. — Descalçou as sandálias e dirigiu-se ao frigorífico. — Está preparado para uma cerveja?

— Estou preparado há horas.

Maura tirou as cápsulas de duas garrafas e estendeu-lhe uma. Bebericou a sua, vendo-o inclinar a cabeça para trás e tomar um longo trago. *Nunca verei Daniel assim*, pensou. Descuidado e descalço, com os cabelos húmidos do duche.

Voltou-se e foi ver o que havia no saco de mercearia.

— Então, que trouxe para o jantar?

— Vou mostrar-lhe. — Juntando-se-lhe ao pé da bancada, pegou no saco e retirou vários embrulhos de folha de alumínio. — Batatas assadas. Manteiga derretida. Milho em maçaroca. E o principal acontecimento. — Retirou um grande recipiente de plástico e abriu-o mostrando duas lagostas vermelho-claras ainda a fumegar.

— Como tenciona abrir isso?

— Não sabe partir uma criatura destas?

— Espero que você saiba.

— Não tem nada de mais. — Retirou do saco dois quebra-nozes. — Pronta para a operação, doutora?

— Agora está a pôr-me nervosa.

— É tudo uma questão de técnica. Mas, primeiro, temos de enfarpelar-nos.

— Perdão?

Ballard meteu a mão no saco, donde retirou babetes de plástico.

— Deve estar a brincar!

— Julga que os restaurantes fornecem destas coisas só para que os turistas pareçam idiotas?

— Julgo.

— Vamos, seja desportiva. Mantém limpo esse belo vestido. — Foi em volta dela e colocou-lhe o babete ao peito. Maura sentia a respiração dele no seu cabelo enquanto ele lhe apertava os atilhos no pescoço. As mãos dele demoraram-se num toque que a fez estremecer.

— Agora é a sua vez — disse ela com doçura.

— A minha vez?

— Não serei a única a usar uma destas coisas ridículas.

Ele deu um suspiro de resignação e atou um babete ao pescoço. Olharam um para o outro, ambos de babetes enfeitados com desenhos de lagostas retirados de histórias de banda desenhada, e desataram a rir-se. Continuaram a rir enquanto se afundavam nas cadeiras à mesa. *Uns golinhos de cerveja num estômago vazio e descontrolo-me*, pensou Maura. *Mas sabe muito bem.*

Rick pegou num quebra-nozes.

— Agora, doutora Isles, está pronta para operar?

Maura pegou no dela, segurando-o como um cirurgião prestes a fazer a primeira incisão.

— Pronta.

A chuva continuava o seu firme rufar, enquanto eles arrancavam patas, partiam conchas e retiravam doces pedaços de polpa. Não se preocuparam em usar garfos, comeram com as mãos; com os dedos escorregadios de manteiga, abriam novas garrafas de cerveja e partiam batatas assadas, expondo o interior quente e cremoso. Naquela noite, não interessavam as boas maneiras. Era um piquenique, estavam à mesa descalços e lambiam os dedos. Roubavam olhares um ao outro.

— Isto é muito mais divertido do que comer de faca e garfo — observou ela.

— Nunca tinha comido lagosta com as mãos?

— Acredite ou não, é a primeira vez que deparo com uma lagosta que ainda não está fora da casca. — Pegou num guardanapo e limpou a manteiga dos dedos. — Não sou da Nova Inglaterra, sabe? Só lá estou há dois anos. Sou de São Francisco.

— O que me surpreende, até certo ponto.

— Porquê?

— Porque me dá a impressão de ser uma ianque muito típica.

— Que quer dizer com isso?

— Controlada. Reservada.

— Tento ser.

— Quer dizer que não é o seu verdadeiro eu?

— Todos nós representamos papéis. Tenho a minha máscara oficial no emprego. A que uso quando sou a doutora Isles.

197

— E quando está com amigos?

Maura bebericou a cerveja e depois pousou-a calmamente.

— Ainda não fiz muitos amigos em Boston.

— Leva tempo quando se é de fora.

De fora. Sim, era como se sentia diariamente. Via os agentes da polícia darem palmadas nas costas uns dos outros. Ouvia-os falar de churrascos e jogos de bola, para os quais nunca fora convidada porque não era um deles, um agente da polícia. A palavra «doutora» antes do nome era como uma muralha que os impedia de entrar. Quanto aos colegas médicos do Instituto de Medicina Legal, todos eles casados, também não sabiam o que fazer com ela. Os divorciados atraentes eram inconvenientes, frustrantes. Ou uma ameaça, ou uma tentação com as quais ninguém queria lidar.

— Então, o que a trouxe a Boston? — perguntou Rick.

— Achei que precisava de dar um abanão na minha vida.

— Problemas de carreira?

— Não, nada disso. Sentia-me bastante satisfeita na faculdade de medicina de lá. Fui patologista no hospital universitário e tive a sorte de trabalhar com todos os internos e estudantes mais brilhantes.

— Então, se não foi o trabalho, deve ter sido a vida amorosa.

Maura baixou os olhos para a mesa, para os restos do jantar.

— Adivinhou.

— É agora que você me diz para me meter na minha vida.

198

— Divorciei-me, só isso.

— Algo de que quer falar?

Maura encolheu os ombros.

— Que posso dizer? Victor era brilhante, incrivelmente carismático...

— Bolas, já estou com ciúmes.

— Mas não se consegue estar casado com alguém assim. É demasiado intenso. Arde tão depressa que acabamos exaustos. E ele... — Calou-se.

— Quê?

Estendeu a mão para a cerveja. Bebeu devagar antes de a pousar.

— Não era exatamente honesto comigo — explicou. — Foi só isso.

Apercebia-se de que ele queria saber mais, mas Rick captara algo na voz dela, uma nota que lhe dizia que chegava. *Chega, não avances mais.* Levantou-se e foi buscar duas cervejas ao frigorífico. Tirou as cápsulas e estendeu-lhe uma das garrafas.

— Se vamos falar dos nossos «ex» — disse ele —, vamos precisar de mais cerveja.

— Não falemos, então. Se isso nos magoa.

— Talvez a magoe porque *não* fala nisso.

— Ninguém quer ouvir falar do meu divórcio.

Rick sentou-se do lado oposto da mesa e procurou-lhe o olhar.

— Eu quero.

Nenhum homem, pensou ela, *se concentrara nela tão completamente.* Não conseguia desviar os olhos. Reparou que começara a respirar profundamente, inalando o cheiro da chuva e o rico aroma animal da manteiga derretida. Viu no rosto dele coisas em que não reparara antes. As madeixas louras

199

do seu cabelo. A cicatriz que tinha no queixo, uma leve linha sob o lábio. O dente da frente com uma falha. *Acabei de conhecer este homem*, pensou, *mas ele olha para mim como se sempre me tivesse conhecido*. Ouviu tocar ao de leve o telemóvel, que deixara no quarto, mas não tinha vontade de o atender. Deixou-o tocar até se calar. Não era próprio dela não atender o telemóvel, mas, naquela noite, tudo lhe parecia diferente. *Ela* parecia diferente. Ousada. Uma mulher que ignorava o telemóvel e comia com as mãos. Uma mulher que talvez dormisse com um homem que mal conhecia.

O telemóvel recomeçou a tocar.

Desta vez, a urgência daquele som chamou-lhe finalmente a atenção. Não podia continuar a ignorá-lo. Relutantemente, levantou-se.

— Acho que tenho de atender.

Quando chegou ao quarto, o telemóvel deixara novamente de tocar. Ligou para o *voice mail* e ouviu duas mensagens diferentes, ambas de Rizzoli.

«Doutora, preciso de falar consigo. Telefone-me.»

A segunda mensagem estava gravada numa voz mais rezingona: «Sou eu outra vez. Porque não me responde?»

Maura sentou-se na cama. Não pôde deixar de pensar ao olhar para o colchão que era suficientemente grande para duas pessoas. Afastou da cabeça o pensamento, inspirou profundamente e marcou o número de Rizzoli.

— Onde está? — perguntou Rizzoli.

— Ainda estou em Fox Harbor. Desculpe, não cheguei ao pé do telemóvel a tempo de responder.

— Viu Ballard por aí?

— Sim, acabámos de jantar. Como sabe que ele está cá?

— Porque ele me telefonou ontem a perguntar onde é que você fora. Deu-me a impressão de que era capaz de ir para esses lados.

— Está na sala ao lado. Quer que o chame?

— Não, quero falar consigo. — Rizzoli fez uma pausa. — Encontrei-me hoje com Terence Van Gates.

A abrupta mudança de assunto por parte de Rizzoli deu em Maura uma espécie de chicotada mental.

— Quê? — exclamou, atónita.

— Van Gates. Você disse que foi o advogado que...

— Sim, sei quem é. Que lhe disse ele?

— Algo interessante. Sobre a adoção.

— Falou realmente consigo sobre isso?

— Sim, é espantoso como certas pessoas se abrem quando se lhes mostra um distintivo. Disse-me que a sua irmã se encontrou com ele há uns meses. Tal como você, tentava encontrar a mãe biológica, mas ele despachou-a com os mesmos argumentos com que a despachou a si. Que os registos estavam selados, que a mãe queria confidencialidade, blá, blá, blá. Por isso, ela voltou lá com um amigo, que, finalmente, convenceu Van Gates que era do seu melhor interesse revelar o nome da mãe.

— E revelou?

— Sim, revelou.

Maura pressionava o telefone contra o ouvido com tanta força que conseguia ouvir o sangue a pulsar no auscultador. Suavemente, disse:

— Você sabe quem é a minha mãe.

— Sei. Mas há mais uma coisa...

— Diga-me como ela se chama, Jane.

Uma pausa.

— Lank. Chama-se Amalthea Lank.

Amalthea. O nome da minha mãe é Amalthea.

A respiração de Maura saiu-lhe numa vaga de gratidão.

— Obrigada! Meu Deus, não consigo acreditar que finalmente sei...

— Espere. Não acabei.

O tom da voz de Rizzoli continha um aviso. Algo desagradável estava para vir. Algo de que Maura não gostaria.

— Que é?

— Esse amigo de Anna, o que falou com Van Gates...

— Sim?

— Foi Rick Ballard.

Maura ficou imóvel. Da cozinha vinha o som de louça a entrechocar e o silvo de água a correr. *Acabei de passar um dia inteiro com ele e de repente tomo consciência de que não sei que tipo de homem ele realmente é.*

— Doutora?

— Então, porque é que ele não me disse?

— Sei porque é que ele não disse.

— Porquê?

— É melhor perguntar-lhe. Peça-lhe que lhe conte o resto da história.

Quando voltou à cozinha, viu que Rick levantara a mesa e deitara as cascas de lagosta num saco de lixo. Estava junto do lava-louça a lavar as mãos e não se apercebeu de que ela estava à entrada a observá-lo.

— Que sabe sobre Amalthea Lank? — perguntou Maura.

Ballard ficou rígido e manteve-se de costas para ela. Houve um longo silêncio. Depois, ele pegou num pano de louça e secou vagarosamente as mãos. *Está a ganhar tempo antes de me responder*, pensou Maura. Mas não havia desculpa que ela aceitasse, nada do que ele pudesse dizer inverteria a sensação de desconfiança que agora sentia.

Por fim, ele voltou o rosto para ela.

— Tinha esperanças de que você não descobrisse. Amalthea Lank não é mulher que você queira conhecer, Maura.

— É minha mãe? Caramba, diga-me ao menos isso.

Um meneio de cabeça relutante.

— Sim. É.

Pronto, dissera-o. Confirmara-o. Passou-se mais um instante enquanto Maura absorvia o facto de que ele subtraíra dela uma informação tão importante. Esteve sempre a fitá-la com uma expressão de preocupação.

— Porque não me contou? — perguntou ela.

— Estava só a pensar em si, Maura. No que seria melhor para si...

— A verdade não é o melhor para mim?

— Neste caso, não. Não é.

— Que diabo é que isso significa?

— Cometi um erro com a sua irmã, um erro grave. Ela queria tanto encontrar a mãe que pensei que podia fazer--lhe esse favor. Não fazia ideia que desse o resultado que deu. — Deu um passo na direção dela. — Estava a tentar protegê-la, Maura. Vi o que isso fez a Anna. Não quero que lhe aconteça a mesma coisa.

— Eu não sou Anna.

— Mas é igualzinha. Tão parecida que me assusta. Não é só a sua aparência, mas o modo como pensa.

Maura soltou uma gargalhada sarcástica.

— Então, agora consegue ler-me a *mente?*

— Não a sua mente. A sua personalidade. Anna era tenaz. Quando queria saber uma coisa, não desistia. E você também há de escavar e escavar até obter uma resposta. Tal como escavou hoje nos bosques. Não era trabalho seu nem estava na sua jurisdição. Não tinha qualquer motivo para ali estar, exceto pura curiosidade. E teimosia. Queria encontrar aqueles ossos e, por isso, fê-lo. Anna também era assim. — Deu um suspiro. — Só lamento que ela tenha encontrado aquilo por que andava a escavar.

— Quem era a minha mãe, Rick?

— Uma mulher que você não quer conhecer.

Maura levou uns momentos a tomar plena consciência do significado da resposta. *Presente do Indicativo.*

— A minha mãe está viva.

Rick assentiu com relutância.

— E você sabe onde encontrá-la.

Ele não respondeu.

— Caramba, Rick! — explodiu ela. — Porque não me diz?

Rick dirigiu-se para a mesa e sentou-se, como se de repente se sentisse demasiado cansado para continuar a batalhar.

— Porque sei que os factos vão magoá-la. Principalmente, por causa de quem você é. Pelo que faz para ganhar a vida.

— Que tem o meu trabalho a ver com isso?

— Você trabalha com a aplicação da lei. Ajuda a levar assassinos perante a justiça.

— Não levo ninguém perante a justiça. Limito-me a fornecer factos. Por vezes, os factos não são o que vocês, polícias, querem ouvir.

— Mas trabalha do *nosso* lado.

— Não. Do lado da *vítima*.

— Muito bem, do lado da vítima. Por isso é que não vai gostar de ouvir o que tenho para contar acerca dela.

— Até agora não contou nada.

Rick suspirou.

— Pronto. Talvez deva começar por lhe dizer onde ela vive.

— Continue.

— Amalthea Lank, a mulher que a deu para adoção, está encarcerada no estabelecimento prisional de Framingham, no Massachusetts.

Com as pernas subitamente trémulas, Maura deixou-se cair numa cadeira diante dela. Sentiu o braço sujar-se de manteiga, que se derramara e arrefecera sobre a mesa. Prova da refeição animada que tinham partilhado havia menos de uma hora, antes de o seu universo ter dado uma reviravolta.

— A minha mãe está na cadeia?

— Está.

Maura fitou-o e não conseguiu obrigar-se a fazer a pergunta óbvia seguinte porque tinha medo da resposta. Mas já dera o primeiro passo por aquela estrada e muito embora não soubesse onde a levaria já não podia voltar para trás.

— Que fez ela? — perguntou Maura. — Porque está na cadeia?

— Foi condenada a prisão perpétua — respondeu-lhe ele. — Por um duplo homicídio.

— Era isso que eu não queria que você soubesse — comentou Ballard. — Vi o que fez a Anna saber do que era culpada a mãe. Saber de quem era o sangue que tinha nas veias. É uma ascendência que ninguém quer ter, um assassino na família. Naturalmente, Anna não queria acreditar. Pensava que devia ser engano, que talvez a mãe estivesse inocente. E depois de a ter visto...

— Espere! Anna viu a nossa mãe?

— Sim. Fomos juntos, ela e eu, ao estabelecimento prisional de Framingham. À cadeia para mulheres. Foi outro erro, porque essa visita só a tornou ainda mais confusa acerca da culpa da mãe. Simplesmente, não conseguia aceitar o facto de que a mãe era um monstro... — Calou-se.

Um monstro. A minha mãe é um monstro.

A chuva abrandara para um gentil sapateado sobre o telhado. Embora a trovoada tivesse passado, Maura ainda ouvia um débil ribombar que se encaminhava para o mar. Mas, na cozinha, reinava o silêncio. Estavam sentados à mesa, de frente um para o outro e Rick observava-a com uma calma preocupação, como se receasse que ela se estilhaçasse. *Não me conhece*, pensou Maura. *Não sou Anna. Não me desmancho. E não preciso de nenhum guardião.*

— Conte-me o resto — pediu ela.

— O resto?

— Disse que Amalthea Lank foi condenada por duplo homicídio. Quando foi isso?

— Foi há cerca de cinco anos.

— Quem eram as vítimas?

— Não é uma coisa fácil de lhe dizer. Também não será fácil para si ouvir.

— Até agora, disse-me que a minha mãe é uma assassina. Acho que encarei o facto bastante bem.

— Melhor do que Anna — admitiu ele.

— Portanto, diga-me quem foram as vítimas e não omita nada. A única coisa com que não consigo lidar, Rick, é com o facto de as pessoas me esconderem a verdade. Fui casada com um homem que me escondia demasiados segredos. Foi isso o que acabou com o nosso casamento. Não volto a sujeitar-me a isso perante ninguém.

— Muito bem. — Rick inclinou-se para a frente e fitou-a nos olhos. — Quer os pormenores e por conseguinte serei brutalmente honesto sobre o assunto. Porque os pormenores *são* brutais. As vítimas eram duas irmãs, Theresa e Nikki Wells, de trinta e cinco e vinte e oito anos, de Fitchburg, Massachusetts. Estavam apeadas na berma da estrada com um pneu vazio. Foi em finais de novembro e houve uma tempestade de neve inesperada. Devem ter-se achado com muita sorte quando um automóvel parou para lhes dar boleia. Dois dias mais tarde, os seus corpos foram encontrados a cerca de cinquenta quilómetros dali, numa choupana incendiada. Uma semana depois, a polícia da Virgínia mandou parar Amalthea Lank por infração ao código da estrada. Descobriram que as chapas de matrícula do automóvel eram roubadas. Depois, repararam em manchas de sangue no para-choques traseiro. Quando a polícia passou busca ao automóvel, descobriu que as carteiras das vítimas estavam na bagageira, bem como um pé de cabra com as impressões digitais de Amalthea. Exames posteriores mostraram que havia no ferro vestígios de sangue. Sangue de Nikki e de Theresa. A prova final foi registada por uma câmara de segurança de uma estação de serviço do Massachusetts. Na gravação, vê-se Amalthea Lank a encher de gasolina um recipiente de plástico. A gasolina que usou para queimar os corpos das vítimas. — Os olhos dele encontraram os dela. — Aí está. Fui brutal. Era o que queria?

— Qual foi a causa da morte? — perguntou Maura numa voz estranha e gelidamente calma. — Disse que os corpos foram queimados, mas como é que as mulheres foram mortas?

Ele fitou-a por momentos, como se não aceitasse totalmente a sua compostura.

— As radiografias dos restos mortais queimados mostraram que os crânios de ambas estavam fraturados, muito provavelmente pelo tal pé de cabra. A irmã mais nova, Nikki, foi atingida com tanta força no rosto que os ossos faciais foram esmagados e ficou apenas uma cratera. Foi um crime muito cruel.

Maura pensou no enredo que ele acabara de apresentar-lhe. Pensou na estrada coberta de neve e nas duas irmãs na berma. Quando uma mulher parou para as ajudar, tiveram todos os motivos para confiarem na sua boa samaritana, especialmente se fosse mais velha. Com os cabelos mais grisalhos. Mulheres que ajudam mulheres.

Olhou para Ballard.

— Disse que Anna não acreditava que ela fosse culpada.

— Limitei-me a contar-lhe o que foi apresentado em tribunal. O pé de cabra, o vídeo da estação de serviço. As carteiras roubadas. Qualquer júri a teria condenado.

— Isso aconteceu há cinco anos. Que idade tinha Amalthea?

— Não me recordo. Sessenta e tais.

— E conseguiu dominar e matar duas mulheres décadas mais novas do que ela?

— Santo Deus, está a fazer o mesmo que Anna. A duvidar do óbvio.

— Porque nem sempre o óbvio é verdade. Qualquer pessoa válida teria ripostado ou fugido. Porque não o fizeram Theresa e Nikki?

— Devem ter sido apanhadas de surpresa.

— Mas as *duas*? Porque não fugiu a outra?

— Uma delas não era propriamente válida.

— Que quer dizer?

— A irmã mais nova. Nikki. Estava grávida de nove meses.

Mattie Purvis não sabia se era dia ou noite. Não tinha relógio e, por isso, não tinha consciência da passagem das horas ou dos dias. Era o que lhe custava mais, não saber há quanto tempo estava naquele buraco. Quantas vezes tinha o coração batido, quantas vezes tinha respirado, sozinha com o seu medo. Tentara contar os segundos. A seguir, os minutos, mas, aos cinco, desistiu. Era um exercício inútil, mesmo que a ajudasse a ultrapassar o desespero.

Já tinha explorado todos os cantos da prisão. Não encontrara qualquer ponto fraco, nenhuma brecha que pudesse escavar ou alargar. Tinha estendido o cobertor por baixo dela, o que dava um pouco mais de conforto àquele chão tão duro. Aprendera a utilizar a arrastadeira sem salpicar muito. Mesmo confinada num buraco, a vida cai na rotina. Dormir. Bebericar água. Urinar. Mas, o que de facto a ajudava a aperceber-se do tempo que passava era a sua reserva de alimentos. Quantas barras *Hershey* já tinha comido e quantas ainda lhe restavam.

Havia ainda uma dúzia no saco.

Meteu na boca um pedacinho de chocolate, mas não o mastigou. Deixou-o derreter-se na língua numa doçura untuosa. Sempre adorara chocolate — nunca passava por uma loja de doces sem parar para admirar a apresentação das trufas nos seus ninhos de papel, como pedras preciosas negras. Pensou em chocolate amargo e em recheios de tarte de framboesa e xarope de rum a escorrerem-lhe devagarinho pelo queixo — um arremedo daquela triste barra de chocolate. Mas chocolate era chocolate e saboreou o que tinha.

Não ia durar para sempre.

Olhou para as embalagens amarrotadas que cobriam o chão, apavorada com a ideia de já ter consumido tanto da sua reserva. E quando acabasse, o que é que iria acontecer? De certeza que lhe trariam mais. Porque havia o raptor de lhe ter dado comida e água para, dias mais tarde, a deixar morrer à fome?

Não, não, não. Não estou aqui para morrer, mas para viver.

Ergueu o rosto para a grelha de entrada de ar e inalou em longos haustos. «O meu destino é viver», continuou a repetir para si própria. Viver.

Porquê?

Deixou-se cair contra a parede, com a palavra a ecoar-lhe na cabeça. A única resposta de que se lembrava era *resgate*. Que raptor mais estúpido. Levado pela ilusão de Dwayne. Os *BMW*, o relógio *Breitling,* as gravatas de marca. *Quando conduzimos uma máquina destas, estamos a criar uma imagem.* Começou a rir-se histericamente. *Fui raptada por uma imagem assente em dinheiro emprestado. Dwayne não tem dinheiro para pagar um resgate.*

Imaginou-o a chegar a casa e a ver que ela não estava. *Vai ver que o meu carro está na garagem, que a cadeira está caída,* pensou. *Nada daquilo fará sentido até ver o papel do resgate. Até ler a quantia exigida. Vais pagar, não vais?*

Vais, não vais?

Sem aviso, a lanterna perdeu intensidade. Agarrou nela e bateu com ela na mão. Por um breve momento brilhou com mais intensidade, para logo a seguir voltar a diminuir. *Meu Deus, as pilhas. Idiota, não devias tê-la deixado ligada durante tanto tempo!* Remexeu no saco das mercearias e rasgou uma embalagem nova de pilhas, que caíram, rolando em todas as direções.

A luz apagou-se.

O som da sua respiração enchia a escuridão. Arfava de pânico. *Pronto, pronto, Mattie, acaba lá com isso. Já tens pilhas novas. Só tens de as colocar como deve ser.*

Tateou o chão, recolhendo as pilhas espalhadas. Suspirou fundo e desatarraxou a lanterna, colocando a tampa, com muito cuidado, no joelho dobrado. Retirou as pilhas usadas e pô-las de lado. Tudo era feito na escuridão mais profunda. Se deixasse cair alguma peça vital, podia nunca mais a encontrar sem luz. *Com calma, Mattie. Não é a primeira vez que mudas pilhas a uma lanterna. É só colocá-las, o lado positivo primeiro. Um, dois. Agora torna a colocar a tampa...*

De repente, luz, brilhante e maravilhosa. Suspirou e descontraiu, exausta, como se tivesse acabado de correr um quilómetro. *Já tens a tua luz, agora há que poupá-la. Não a deixes chegar ao fim outra vez.* Desligou a lanterna e ficou sentada às escuras. A sua respiração era agora firme e lenta. Nada de pânico. Podia não ver, mas tinha o dedo no interruptor e podia acender a luz quando quisesse. *Tenho a situação controlada.*

Mas os medos que se apossavam dela, ali, sentada na escuridão, esses ela não conseguia controlar. *Dwayne já deve saber que fui raptada*, pensou. *Leu o pedido de resgate ou, então, recebeu a chamada. O dinheiro ou a sua mulher. Ele vai pagar, claro que vai pagar.* Imaginou-o a suplicar, desesperado, ao telefone com um interlocutor anónimo. *Não lhe faça mal, por favor, não lhe faça mal!* Imaginou-o a soluçar, sentado à mesa da cozinha, arrependido, muito arrependido, por todas as coisas horríveis que lhe tinha dito. Pelas cem maneiras diferentes como a tinha feito sentir-se inferior e sem importância. Agora desejaria retirar tudo o que dissera, dizer-lhe o quanto ela representava na vida dele....

Estás a sonhar, Mattie.

Apoderou-se dela uma angústia indescritível, profunda e asfixiante. Fechou os olhos com força ao senti-la apertar-lhe o coração como uma garra.

Sabes bem que ele não te ama. Sabe-lo há meses.

Cruzando os braços sobre o abdómen, abraçou-se a si e à bebé. Enrodilhada num canto da prisão, já não conseguia fechar o coração à verdade. Recordou o seu olhar de repulsa quando a observou a sair do duche uma noite e lhe viu a barriga. Ou quando à noite se aproximava dele por detrás para lhe dar um beijo no pescoço e ele a enxotava. Ou, aquando da festa em casa dos Everett, há dois meses, tinha deixado de vê-lo e fora encontrá-lo nas traseiras, no caramanchão, a namoriscar a Jen Hockmeister. Tinha havido indícios, tantos, mas tinha-os ignorado porque acreditava no amor verdadeiro. Acreditava nele, desde o dia em que conhecera Dwayne Purvis numa festa de aniversário e soubera que ele era o tal, mesmo havendo coisas sobre ele que a deviam ter preocupado. Como o facto de ele sempre dividir a conta, quando ainda namoravam, ou o modo como ao passar por um espelho mexia com vaidade no cabelo. Pequenos nadas, sem importância a longo prazo, porque havia amor para os manter juntos. Era o que ela dizia a si mesma, mentiras cor-de-rosa que pertenciam a um romance de amor de alguém que não ela, talvez uma história de amor que tivesse visto no cinema, não a dela. Não a dela, definitivamente.

A isto se resumia a sua vida. Trancada num buraco, sentada à espera de ser resgatada por um marido que a não queria de volta.

Pôs-se a pensar no verdadeiro Dwayne, não no de faz de conta, sentado na cozinha a ler a nota do resgate. *Temos a sua mulher. Ou nos paga um milhão de dólares.....*

Não, aquilo era dinheiro a mais. Nenhum raptor em seu perfeito juízo exigiria aquela quantia. Quanto é que um raptor pede hoje em dia por uma esposa? Cem mil dólares parecia bastante mais razoável. Mesmo assim, Dwayne hesitaria. Consideraria os seus bens. Os *BMW,* a casa. Qual é o valor de uma esposa?

Se me amas, se alguma vez me amaste, vais pagar.

Por favor, paga, por favor.

Deslizou para o chão, abraçando-se, retirando-se para o desespero, para o seu caixote privado, mais profundo e mais escuro que qualquer prisão em que a pudessem fechar.

— *Minha senhora! Minha senhora!*

Parou no meio de um soluço, sem ter a certeza de ter ouvido o sussurro. Agora ouvia vozes. Estava a enlouquecer.

— Minha senhora! Fale comigo.

Acendeu a lanterna e apontou-a para cima. Era de onde a voz vinha — da conduta de ar.

— Consegue ouvir-me? — Era uma voz de homem. Sussurrada, melíflua.

— Quem é o senhor? — perguntou.

— Encontrou a comida?

— *Quem é o senhor?*

— Tenha cuidado com ela. Tem de fazer com que dure.

— O meu marido vai pagar-lhe. Sei que vai. Deixe-me sair daqui, por favor!

— Tem dores?

— O quê?

— Dores?

— Só quero sair daqui! Deixe-me *sair!*

— Quando for altura.

— Quanto tempo me vai manter aqui? Quando é que me vai deixar sair?

— Mais tarde.

— Mais tarde, quando?

Nenhuma resposta.

— Oiça! Ainda aí está? Diga ao meu marido que estou viva. Diga-lhe que *tem* de lhe dar o dinheiro!

Ouviu o ruído de passos que se afastavam.

— Não se vá embora! — gritou. — Deixe-me sair! — Esticou-se e bateu desesperada no teto. — Tem de me *deixar sair!* — berrou.

Os passos já não se ouviam. Olhou fixamente para a grelha. *Ele disse que voltava*, pensou. *Amanhã vem outra vez. Depois de Dwayne lhe pagar, ele deixa-me sair.*

Depois veio-lhe à cabeça. *Dwayne.* Pela grelha, a voz não falara do marido uma única vez.

Jane Rizzoli conduzia como toda a gente em Boston, buzinando à mínima oportunidade e o seu *Subaru* esgueirava-se habilmente por entre as filas de carros, tentando chegar depressa ao nó de Turnpike. A gravidez não lhe tinha acalmado a agressividade; parecia, se possível, ainda mais impaciente do que era habitual, talvez pelo facto de o trânsito dar a impressão de conspirar contra elas, impedindo-as de avançar com rapidez.

— Não acho isto nada bem, doutora — disse, ao mesmo tempo que tamborilava com os dedos no volante enquanto esperava pelo sinal. — Isto vai dar-lhe cabo da cabeça. Porque a quer ver?

— Pelo menos fico a saber quem é a minha mãe.

— Sabe o nome dela. Sabe que crime ela cometeu. Não é mais do que suficiente?

— Não, não é.

Uma buzina soou atrás delas. O semáforo tinha passado a verde.

— Idiota! — exclamou Rizzoli, e disparou pelo cruzamento.

Foram pela Massachusetts Turnpike oeste, em direção a Framingham. O *Subaru* de Rizzoli parecia uma miniatura ao lado de camiões enormes e ameaçadores, e dos *SUV*.

Depois de um fim de semana pelas estradas pacatas do Maine, foi um choque para Maura o regresso a uma autoestrada com tanto trânsito, onde um breve momento de distração seria morte certa. A condução rápida e destemida de Rizzoli inquietava Maura. Para ela, que nunca se aventurava, que insistia sempre no carro mais seguro, com duplos *air bags,* que nunca deixava que o depósito descesse abaixo de um quarto, não era fácil ceder o seu lugar a outro condutor, principalmente quando camiões de duas toneladas rugiam a centímetros da sua janela.

Só quando deixaram a Turnpike e se meteram pela 126, atravessando a baixa de Framingham, é que Maura se recostou, não sendo já necessário agarrar-se ao painel de instrumentos. Mas tinha agora de enfrentar novos medos, não de camiões enormes, nem de aço ameaçador. O que mais temia era enfrentar-se a si própria.

E odiar o que via.

— Ainda está a tempo de mudar de opinião — disse Rizzoli, como se conseguisse ler-lhe os pensamentos. — É só dizer, e dou a volta ao carro. Podemos ir ao Friendly tomar um café. Comer um pedaço de tarte de maçã.

— Será que as grávidas deixam alguma vez de pensar em comida?

— *Esta* grávida, não.

— Não vou mudar de opinião.

— Pronto, está bem. — Durante algum tempo, Rizzoli conduziu em silêncio. — Ballard... foi ver-me hoje de manhã.

Maura olhou para ela, mas Rizzoli olhava fixamente a estrada.

— Porquê?

217

— Queria explicar-me porque é que nunca nos disse nada sobre a sua mãe. Sei que está aborrecida com ele, mas acho que estava realmente a tentar protegê-la.

— Foi o que ele disse?

— Acredito nele. Talvez até concorde com ele. Também cheguei a pensar em não lhe dar essa informação.

— Mas não o fez. Telefonou-me.

— Até percebo porque é que ele não lhe quis dizer.

— Não há nada que o desculpe por me ter sonegado essa informação.

— Oiça, é coisa de homem, entende? Talvez até seja, também, coisa de polícia. Aquilo de proteger a donzela...

— E por isso não disse nada?

— O que estou a dizer é que percebo a intenção dele.

— Não ficava furiosa com a situação?

— Claro que sim.

— Então, porque é que o está a defender?

— Talvez por ser uma brasa?

— Poupe-me!

— Estou a dizer-lhe que ele lamenta sinceramente o que aconteceu. Mas acho que ele tentou dizer-lho.

— Não estava com disposição para aceitar desculpas.

— E então? Vai ficar zangada com ele?

— Porque estamos a discutir isto?

— Não sei. Acho que foi da maneira como ele falou de si. Como se alguma coisa se tivesse passado entre os dois. Passou?

Maura sentiu o olhar de Rizzoli, de polícia, brilhante e perscrutador, a observá-la e percebeu que, se mentisse, a detetive se aperceberia.

— De momento, dispenso relações complicadas.

— Que tem de complicado? Quero dizer, para além do facto de estar danada com ele?

— Uma filha. Uma ex-mulher.

— Os homens da idade dele são todos em segunda mão. Todos têm ex-mulheres.

Maura olhava em frente.

— Sabe, Jane, nem todas as mulheres estão destinadas ao casamento.

— Isso era o que eu pensava e veja o que me aconteceu. Num dia não suporto o tipo, no dia seguinte não consigo deixar de pensar nele. Nunca pensei que acabasse assim.

— O Gabriel é um dos bons.

— É, é um tipo às direitas. De qualquer modo, tentou a mesma patetice de Ballard, aquela cena da proteção à macho. Fiquei danada. Mas, nem sempre se pode prever se o indivíduo é do tipo protetor.

Maura pensou em Victor. No desastre que fora o seu casamento.

— Não, não se pode.

— Mas podemos dar atenção ao que é possível, àquilo que tem hipótese. E esquecer os indivíduos com os quais as coisas nunca resultarão. — Embora nenhuma delas mencionasse o nome, Maura sabia que estavam ambas a pensar em Daniel Brophy. A personificação do impossível. Uma miragem sedutora que a poderia manter atraída, num doce engano, durante anos, décadas, até ter cabelos brancos. Mantendo-a completamente só. — Cá está a saída — disse Rizzoli, virando para Loring Drive.

O coração de Maura começou a bater mais rápido ao ver a tabuleta que indicava MCI-Framingham. *É agora, está na altura de enfrentar quem sou de facto.*

219

— Ainda pode mudar de ideias — disse Rizzoli.

— Já conversámos sobre o assunto.

— É verdade, mas só quero que saiba que podemos ainda voltar para trás.

— Era capaz de fazer isso, Jane? Depois de passar a vida inteira a pensar em quem será e como será a sua mãe, deixava as coisas assim e desistia? Quando está a um passo de encontrar resposta para todas as suas perguntas?

Rizzoli voltou-se para a olhar. Uma Rizzoli sempre em constante movimento, sempre à frente do acontecimento, observava Maura calmamente, compreendendo-a.

— Não — disse ela. — Não era capaz.

Na ala administrativa do edifício Betty Cole Smith, ambas apresentaram os respetivos bilhetes de identidade e assinaram o registo das entradas. Minutos depois, a superintendente Barbara Gurley desceu ao seu encontro. Maura imaginara uma comandante de ar imponente, mas a mulher que se lhe deparou tinha mais aspeto de bibliotecária, de cabelo curto, mais branco que castanho, o corpo franzino metido numa saia acastanhada e numa blusa de algodão cor-de-rosa.

— É um prazer conhecê-la, detetive Rizzoli — disse Gurley. Em seguida, voltou-se para Maura. — Doutora Isles?

— Como está? Obrigada por me receber. — Maura estendeu a mão para a cumprimentar. Pareceu-lhe um aperto de mão frio e reservado. *Sabe quem sou*, pensou Maura. *Sabe porque é que estou aqui.*

— Subamos para o meu escritório. Já tenho a ficha dela disponível para a senhora consultar.

Gurley seguiu à frente, movimentando-se com uma eficiência seca. Nenhum movimento a mais, nenhum olhar para verificar se a acompanhavam. Meteram-se num elevador.

— Isto é um estabelecimento de nível quatro? — perguntou Rizzoli.

— Exato.

— Mas isso não se aplica só em casos de segurança média?

— Estamos a implementar uma unidade de nível seis. Este é o único estabelecimento prisional de mulheres no estado de Massachusetts, por isso, de momento, temos de contentar-nos. Temos de lidar com um vasto leque de criminosos.

— Mesmo assassinos em série? — inquiriu Rizzoli.

— Se forem mulheres, e se forem condenadas por um crime, vêm para aqui. De qualquer modo, não temos os mesmos problemas de segurança que surgem numa prisão de homens. A nossa maneira de lidar com o problema também é diferente. Apostamos no tratamento e na reabilitação. Várias prisioneiras têm problemas mentais e de toxicodependência. Acresce o facto de muitas delas serem mães, e termos por isso de lidar com problemas emocionais causados pela separação dos filhos. Muitas crianças ficam a chorar quando a hora da visita termina.

— E com Amalthea Lank? Têm problemas com ela?

— Temos... — Gurley hesitou, o olhar fixo algures em frente. — Alguns.

— Que espécie de problemas?

A porta do elevador abriu e Gurley saiu.

— O meu gabinete é este.

Atravessaram uma antecâmara. As duas secretárias olha ram para Maura com curiosidade, para logo baixarem os olhos para os ecrãs dos seus computadores. *Todos evitam olhar-me nos olhos*, pensou. *O que é que eles receiam que eu veja?*

Gurley encaminhou as visitantes para o escritório e fe chou a porta.

— Sentem-se, por favor.

O escritório foi uma autêntica surpresa. Maura tinha pensado que a sala refletiria a própria Gurley, eficiente e sem enfeites. Mas havia por todo o lado fotografias, mostran do caras sorridentes. Mulheres com bebés ao colo, crianças de cabelo com risca ao meio e blusas bem passadas. Uns recém-casados rodeados de um rancho de crianças. Os de le, os dela e os nossos.

— As minhas raparigas — disse Gurley, sorrindo para a parede coberta de fotografias. — Estas são as que conse guiram reintegrar-se. As que fizeram as escolhas mais acer tadas e seguiram em frente. Infelizmente — continuou com o sorriso a desvanecer-se —, Amalthea Lank nunca terá lugar nesta parede. — Sentou-se à secretária e olhou Maura atentamente. — A sua visita não me parece muito apropriada.

— Nunca conheci a minha mãe.

— É isso que me preocupa. — Gurley encostou-se na cadeira e estudou Maura por momentos. — Todas nós de sejamos amar as nossas mães. Todas nós desejamos que elas sejam mulheres especiais, porque isso faz de *nós,* suas filhas, mulheres especiais.

— Não espero gostar dela.

— Então, que espera?

Maura considerou a pergunta. Pensou na mãe imaginária com que sonhava em criança, desde que a prima lhe tinha cruelmente desvendado a verdade: ela, Maura, fora adotada. Era esta a razão pela qual numa família de loiros era ela a única de cabelo preto. Tinha construído uma mãe de faz de conta com base no seu cabelo escuro. Uma herdeira italiana obrigada a abdicar da filha por esta ter sido concebida numa situação escandalosa. Ou uma bela espanhola, abandonada pelo amante, tragicamente morta, o coração desfeito. Como Gurley dissera, tinha sempre imaginado alguém muito especial, mesmo extraordinário. Agora, estava prestes a confrontar a mulher real, não a imaginária, e só de pensar nisso a boca secava-se-lhe.

— Porque é de opinião que ela a não devia conhecer? — perguntou Rizzoli a Gurley.

— Só estou a pedir-lhe que encare cautelosamente esta visita.

— Porquê? A reclusa é perigosa?

— Não no sentido de atacar fisicamente alguém. Aliás, parece até muito dócil à superfície.

— E sob a superfície?

— Pense no que ela fez, detetive. Quanta raiva é necessária para esmagar o crânio de uma mulher com uma barra de ferro? Agora responda *você* à pergunta: que está sob a superfície de Amalthea Lank? — Gurley olhou para Maura. — Precisa de se conservar bem alerta e ter consciência da pessoa com quem está a lidar.

— Podemos partilhar o mesmo ADN — disse Maura —, mas não tenho qualquer ligação emocional com essa mulher.

— Então, só sente curiosidade.

— Preciso de encerrar este assunto. Tenho de conti
nuar com a minha vida.

— Foi, provavelmente, o que a sua irmã pensou. Sabi
que ela veio ver Amalthea?

— Sim, ouvi dizer.

— Não acho que lhe tenha dado paz de espírito. Acho
que a perturbou.

— Porquê?

Gurley passou uma pasta a Maura.

— Estão aqui os registos psiquiátricos de Amalthea
Tudo o que precisa saber sobre ela, está aí. Porque é que
em vez de a visitar, não lê isso? Lê, vai-se embora e esque
ce-se de que ela existe.

Maura nem sequer tocou na pasta. Foi Rizzoli que lhe
pegou e perguntou:

— Está sob cuidados psiquiátricos?

— Sim — respondeu Gurley.

— Porquê?

— Porque Amalthea é esquizofrénica.

Maura olhou fixamente a superintendente.

— Nesse caso, porque foi condenada por assassínio? Se
é esquizofrénica, o lugar dela não é na prisão. Devia esta
no hospital.

— Assim como muitas das nossas reclusas. Diga isso
aos tribunais, doutora Isles, porque eu já tentei. O próprio
sistema é de loucos. Mesmo que se esteja totalmente para
noico quando se comete um assassínio, a alegação de insa
nidade por parte da defesa raramente consegue convencer
o júri.

Rizzoli perguntou com delicadeza:

— Tem a certeza de que ela *é* louca?

Maura voltou-se para Rizzoli. Reparou que ela observava a ficha psiquiátrica da prisioneira.

— Há alguma coisa errada no diagnóstico?

— Conheço esta psiquiatra que a tem acompanhado, a doutora Joyce O'Donnell. Não costuma perder tempo com esquizofrénicos sem características interessantes. — Olhou para Gurley. — Porque é que ela está com este caso?

— Parece incomodada com isso! — disse Gurley.

— Se conhecesse a doutora O'Donnell, também ficaria incomodada. — Rizzoli fechou a pasta. Respirou fundo. — Há mais alguma coisa que a doutora Isles deva saber antes de se encontrar com a prisioneira?

Gurley olhou para Maura.

— Não consegui convencê-la a desistir, pois não?

— Não. Estou pronta para a ver.

— Nesse caso, acompanho-as lá abaixo, à entrada dos visitantes.

CAPÍTULO

16

Ainda posso mudar de ideias.

A frase martelava a cabeça de Maura, enquanto ela passava pela revista aos visitantes. Enquanto tirava o relógio e o colocava, juntamente com a mala, num cacifo. Não era permitido levar joias ou carteiras para a sala de visitantes e, sem a mala, sentia-se despida, sem qualquer prova da sua identidade, sem sequer um quadradinho de plástico que pudesse dizer ao mundo quem ela era. O som metálico do cacifo ao fechar-se foi como que um aviso desagradável do mundo que a esperava: um lugar em que as portas permaneciam fechadas, onde vidas eram enclausuradas em caixas.

Maura esperava que este encontro decorresse em privado, mas, quando a guarda a deixou entrar na sala das visitas, Maura apercebeu-se que a privacidade era completamente impossível. As visitas da tarde tinham começado já há uma hora, e a sala vibrava com as vozes das crianças e o caos provocado pelas famílias reunidas. Moedas tilintavam na máquina, que despejava sandes embrulhadas em plástico, pacotes de batatas fritas e barras de chocolate.

— Amalthea já aí vem — disse a guarda prisional a Maura. — Porque não se senta?

Maura dirigiu-se a uma mesa livre e sentou-se. O tampo de plástico estava pegajoso de sumo; pôs as mãos no regaço e esperou, com o coração aos saltos e a garganta completamente seca. *A reação clássica do luta ou foge,* pensou. *Por que diabo hei de estar tão nervosa?*

Levantou-se e dirigiu-se a um lavatório. Encheu um copo de papel com água e bebeu-a toda de uma vez. Sentia a garganta ainda seca. Era uma sede que não se saciava com água; a sede, o pulso rápido, as mãos húmidas — eram indícios de um mesmo reflexo, a preparação do corpo para uma ameaça iminente. *Relaxa, relaxa. Vais vê-la, dizer qualquer coisa, satisfazer a tua curiosidade e depois vais-te embora. Qual é a dificuldade?* Esmagou o copo, voltou-se e imobilizou-se.

Uma porta acabara de abrir-se e uma mulher de costas direitas e ar confiante entrara na sala. Reparou em Maura e ficou a olhar para ela. Mas, no preciso momento em que Maura pensava: *É ela,* a mulher voltou-se, sorriu e abriu os braços para abraçar uma criança que corria para ela.

Maura ficou confusa, sem saber se havia de ficar de pé ou de se sentar. A porta abriu-se de novo e a guarda que tinha falado com ela momentos antes reapareceu, segurando uma mulher pelo braço. Uma mulher que não andava, arrastava os pés, de ombros curvos e cabeça caída, como se procurasse obsessivamente alguma coisa que tivesse perdido. A guarda levou-a à mesa de Maura, puxou uma cadeira e sentou a prisioneira.

— Pronto, Amalthea. Esta senhora veio para te ver. Conversa com ela, está bem?

Amalthea continuou de cabeça caída, o olhar fixo no tampo da mesa. Madeixas emaranhadas de cabelo tombavam-lhe para a cara, como uma cortina oleosa. Apesar de já estar muito coberto de cinzento, notava-se bem que fora completamente preto. *Como o meu*, pensou Maura. *Como o de Anna.*

A guarda encolheu os ombros e olhou para Maura.

— Bom, vou deixá-las a conversar, está bem? Quando acabarem, acene e eu levo-a de volta.

Amalthea nem sequer levantou os olhos quando a guarda se afastou. Nem sequer parecia dar-se conta da visitante, sentada do outro lado da mesa. Permaneceu quieta, a face tapada com o véu de cabelo sujo. A camisa da prisão caía-lhe larga dos ombros como se ela estivesse a encolher dentro da roupa. A mão, pousada na mesa, tremia incessantemente.

— Olá, Amalthea — disse Maura. — Sabe quem eu sou?

Nenhuma resposta.

— O meu nome é Maura Isles. Eu... — Maura engoliu em seco. — Há muito tempo que ando à sua procura. *Toda a minha vida.*

A cabeça da mulher torceu-se para o lado. Não como reação às palavras de Maura, apenas um tique involuntário. Um impulso não intencional, espalhando-se pelos nervos e músculos.

— Amalthea, sou sua filha.

Maura observava-a, esperando uma reação. Desejando mesmo ver uma. Naquele momento, tudo à sua volta parecia ter desaparecido. Não se apercebia da algazarra das crianças, nem das moedas a caírem na máquina, nem sequer do arrastar das cadeiras no linóleo. Só tinha olhos para aquela mulher cansada e derrotada.

— Olhe para mim. Por favor, *olhe* para mim.

Por fim, a cabeça soergueu-se, movendo-se aos solavancos, como uma boneca mecânica com as articulações enferrujadas. O cabelo desalinhado abriu, e os seus olhos fixaram-se em Maura. Olhos vazios. Maura não viu nada neles, nenhum reconhecimento. Olhos sem alma. Os lábios de Amalthea moveram-se, mas nenhum som saiu. Só uma contração de músculos, sem intenção, sem significado.

Um rapazito passou, deixando no ar o cheiro a fralda molhada. Na mesa ao lado, uma loira de ar deslavado, com o uniforme da prisão, segurava a cabeça por entre as mãos e chorava silenciosamente, enquanto o homem que a tinha ido visitar a observava, sem expressão. Naquele preciso momento, havia em palco uma dúzia de dramas familiares como o de Maura, que era apenas mais uma atriz que não conseguia ver para além do círculo da sua própria crise.

— Anna, a minha irmã, veio visitá-la — disse Maura. — É parecida comigo. Lembra-se dela?

O queixo de Amalthea mexia-se como se estivesse a comer. Uma refeição imaginária que só ela conseguia saborear.

Não, claro que não se lembra, pensou Maura, observando, frustrada, a expressão alheada de Amalthea. *Não se dá conta da minha presença, nem de quem eu sou, nem do que estou aqui a fazer. Estou a gritar para dentro de uma caverna vazia e só a minha voz ecoa.*

Determinada a conseguir uma reação, qualquer que ela fosse, Maura, mostrando uma crueldade quase deliberada, disse-lhe:

— Anna morreu. A sua outra filha morreu. Já sabia?

Nenhuma resposta.

Por que diabo continuo a tentar? Não há ninguém lá dentro. Não há luz naqueles olhos.

— Bem — disse Maura. — Volto noutro dia. Talvez então, fale comigo. — Com um suspiro, levantou-se e olhou à volta, à procura da guarda. Viu-a no outro canto da sala. Maura tinha acabado de acenar, quando ouviu a voz. Foi apenas um sussurro. Tão débil que o poderia ter imaginado:

— Vai-te embora.

Espantada, Maura olhou para Amalthea, que continuava sentada exatamente na mesma posição, a contorcer os lábios, o olhar distante.

Maura voltou a sentar-se, vagarosamente.

— Que disse?

Amalthea levantou os olhos e fitou-a. E, por um segundo, Maura viu neles reconhecimento. Um brilho de inteligência.

— Vai-te embora. Antes que ele te veja.

Maura ficou estática. Um arrepio subiu-lhe pela espinha e os cabelos da nuca eriçaram-se-lhe.

Na mesa ao lado, a loira deslavada continuava a chorar. O homem levantou-se e disse:

— Desculpa, mas tens de aceitar. As coisas são assim mesmo. — Afastou-se, voltando à vida onde as mulheres usavam blusas bonitas e não uniformes prisionais. Onde as portas se abriam e se fechavam com toda a liberdade.

— Quem? — perguntou Maura com toda a calma. Amalthea não respondeu. — Quem é que pode ver-me, Amalthea? Que quer dizer?

Mas o olhar da mulher enublara-se de novo. Aquele breve momento de consciência desaparecera, e Maura fitava de novo o vazio.

— Então, a visita já acabou? — perguntou a guarda com um ar alegre.

— Ela está sempre assim? — quis saber Maura, vendo os lábios de Amalthea formar palavras silenciosas.

— Quase sempre. Tem dias melhores e dias piores.

— Mal falou comigo.

— Vai falar quando a conhecer melhor. A maior parte das vezes é reservada, às vezes abre-se. Escreve cartas e até faz chamadas.

— A quem é que ela telefona?

— Não sei. Talvez à psiquiatra.

— À doutora O'Donnell?

— A senhora loira. Já cá veio algumas vezes, é por isso que Amalthea se sente tão à vontade com ela. Não é verdade, querida? — Agarrou no braço da reclusa. — Vá, vamos lá a levantar. Vamos embora.

Amalthea levantou-se, obedientemente, e deixou que a guarda a afastasse da mesa. Deu alguns passos devagar e parou.

— Vamos, Amalthea.

Mas a prisioneira não se mexia. Ali ficou como se de repente os músculos se tivessem solidificado.

— Minha querida, não posso esperar o dia todo. Vamos.

Amalthea voltou-se vagarosamente. O olhar continuava vazio. As palavras que a seguir disse saíram-lhe numa voz mecânica, que não parecia humana. Uma entidade estranha canalizada por uma máquina. Olhou para Maura.

— Agora, também vais morrer — disse. Depois, voltou-se e, arrastando os pés, voltou para a cela.

— Ela tem discinesia tardia — observou Maura. — Foi por isso que a superintendente Gurley tentou que eu desistisse de a visitar. Não queria que eu visse o estado de Amalthea. Não queria que eu descobrisse o que lhe fizeram.

— E o que é que lhe fizeram de facto? — quis saber Rizzoli. Estava de novo ao volante, ultrapassando destemidamente camiões que faziam estremecer a estrada e abanar o pequeno *Subaru*. — Quer dizer que a transformaram numa espécie de morta viva?

— Leu a ficha psiquiátrica. Os médicos que primeiro a trataram deram-lhe fenotiazina. Pertence às drogas neurolépticas que, em pessoas mais idosas, podem ter efeitos secundários devastadores. Um deles é a discinesia tardia — movimentos involuntários da boca e da face. O doente não consegue deixar de mascar, de encher as bochechas de ar, de mostrar a língua. Não controla nenhum destes sintomas. Imagine bem o que é. Toda a gente a olhar quando faz caretas esquisitas. Uma perfeita aberração.

— Como se consegue controlar os movimentos?

— Não se consegue. Deviam ter interrompido a medicação mal surgiram os primeiros sintomas. Esperaram demasiado. Foi aí que a doutora O'Donnell tomou conta do caso. Foi ela que acabou com a administração das drogas. Deu-se conta do que estava a acontecer. — Maura suspirou, aborrecida. — A discinesia tardia pode ser permanente. — Observou pela janela o trânsito que se adensava. Desta vez, não sentia qualquer temor ao ver toneladas de aço passarem velozes. Pensava em Amalthea Lank, nos lábios a moverem-se sem cessar como se estivesse a murmurar segredos.

— Quer dizer que ela não precisava de ter tomado aqueles medicamentos?

— Não, não é isso. Deviam é ter deixado de lhos dar mais cedo.

— Então, afinal, ela é louca ou não?

— Esse foi o diagnóstico inicial. Esquizofrenia.

— E qual é o seu diagnóstico?

Maura pensou no olhar fixo de Amalthea, nas palavras codificadas. Palavras que não faziam sentido a não ser para uma mente perturbada.

— Tenho de concordar — replicou. Reclinou-se, suspirando. — Não me revejo nela, Jane. Não vejo naquela mulher nada de mim própria.

— Vendo o que viu, isso deve ser um alívio para si.

— Mas a ligação que nos une continua lá. Não se pode negar o ADN.

— Lembra-se do ditado que diz que o sangue é mais espesso do que a água? É treta, doutora. Você não tem nada em comum com aquela mulher. Deu-a à luz e despachou-a assim que você nasceu. Essa é que é essa. A relação acaba aí.

— Mas ela é a chave para tanta pergunta! Sabe quem é o meu pai. Quem eu sou.

Rizzoli olhou-a atentamente e depois voltou a fixar a estrada.

— Vou dar-lhe um conselho. Há de pensar onde é que fui buscar isto, mas acredite que não o digo à toa. Essa mulher, essa Amalthea Lank, é uma pessoa de quem deve manter distância. Não a visite, nem fale com ela. Não pense sequer nela. É perigosa.

— Não passa de uma esquizofrénica completamente passada.

— Não estou assim tão certa disso.

Maura olhou para Rizzoli.

— Que sabe dela que eu não saiba?

Por momentos, Rizzoli conduziu sem dizer palavra. Não era o trânsito que a preocupava; parecia estar a ponderar a resposta, a pensar como devia pô-la por palavras.

— Lembra-se de Warren Hoyt? — perguntou por fim. Apesar de ter referido o nome sem qualquer réstia de emoção, o maxilar endureceu e as mãos agarraram-se ao volante com força.

Warren Hoyt, pensou Maura. *O* Cirurgião.

Fora assim que a polícia o cognominara. Recebera aquela alcunha pelas atrocidades que infligia nas vítimas. Os seus instrumentos eram fita isoladora e bisturi; as vítimas, mulheres adormecidas nas suas camas, sem se aperceberem do intruso que, na escuridão, bem perto delas, antecipava o prazer do primeiro golpe. Jane Rizzoli tinha sido o seu último alvo, num jogo de subtileza que ele nunca esperara perder.

Mas foi Rizzoli que o abateu com um só tiro. A bala penetrara-lhe na medula espinal. Agora tetraplégico, o universo de Warren Hoyt estava confinado a um quarto de hospital, onde os seus únicos prazeres eram os da mente — uma mente que continuava tão brilhante e perigosa como sempre.

— Claro que me lembro dele — disse Maura. Tinha visto o resultado do seu trabalho, a horrível mutilação que o seu bisturi tinha infligido no corpo de uma das suas vítimas.

— Mantenho-me informada sobre ele — disse Rizzoli. — Só para me certificar de que o monstro continua na jaula, percebe? Continua lá, claro, no mesmo serviço de neurologia. E todas as quartas à tarde, nos últimos oito meses, tem uma visita. A doutora Joyce O'Donnell.

Maura franziu o sobrolho.

— Porquê?

— Ela assegura que faz parte da sua pesquisa sobre violência comportamental. Defende que os assassinos não são responsáveis pelos seus atos. Que uma pancada na cabeça em criança os torna propensos à violência. Claro que os advogados de defesa têm-na sempre à disposição. Provavelmente, dir-lhe-ia que Jeffrey Dahmer tinha sido um incompreendido, que tinham batido demasiado na cabeça de John Wayne Gacy. Ela defende qualquer um.

— As pessoas fazem aquilo para que são pagas.

— Não acredito que ela o faça pelo dinheiro.

— Então fá-lo porquê?

— Pela oportunidade de lidar de perto e pessoalmente com assassinos. Afirma ser o seu campo de estudo e que o faz pela ciência. Bem, sim, Josef Mengele também fez o que fez em nome da ciência. É uma desculpa, uma maneira de conferir respeitabilidade ao que faz.

— E o que é que ela faz?

— Anda sempre em busca de excitação. Vibra ao ouvir as fantasias de um assassino. Gosta de lhe entrar na cabeça, olhar à volta, ver o que ele vê. Saber o que é ser-se um monstro.

— Ao dizer isso dessa maneira até parece que ela também o é.

— Quem sabe, talvez gostasse de ser. Vi cartas que ela escreveu a Hoyt quando este estava na prisão e em que o pressionava para que lhe contasse em pormenor os assassínios que tinha cometido. É verdade, adora pormenores.

— Muitas pessoas sentem curiosidade em relação ao macabro.

— O que ela faz está para além da curiosidade. Quer mesmo é saber o que se sente quando se retalha a pele, quando se observa a vítima a esvair-se em sangue. Como é sentir o poder supremo. Anseia pelo pormenor do mesmo modo que um vampiro anseia por sangue. — Rizzoli calou-se e, a seguir, espantada, riu-se. — Sabe, acabei de compreender uma coisa. É exatamente o que ela é, um vampiro. Ela e Hoyt alimentam-se um do outro. Ele conta-lhe as fantasias dele e ela assegura-lhe que é lícito apreciá-las. Que é normal excitar-se enquanto se imagina a cortar a garganta a alguém.

— E agora vai visitar a minha mãe.

— É verdade. — Rizzoli olhou para ela. — Tenho curiosidade em saber que fantasias andam *elas* a partilhar.

Maura pensou nos crimes que tinham sido cometidos por Amalthea Lank. No que lhe teria passado pela cabeça quando apanhara as duas irmãs na berma da estrada. Teria sentido uma excitação antecipada, uma estonteante injeção de poder?

— Só o facto de O'Donnell achar que vale a pena visitar Amalthea, devia dizer-lhe qualquer coisa — observou Rizzoli.

— Dizer o quê?

— O'Donnell não perde tempo com assassinos vulgares. Não se interessa pelo tipo que mata um empregado de uma loja de conveniência durante um assalto. Nem pelo marido que se farta da mulher e a empurra pelas escadas abaixo. Não, ela passa o seu tempo com os facínoras que matam por prazer. Aqueles que torcem a faca uma e outra vez, porque lhes dá prazer sentir arranhar o osso. Passa o tempo com os que são especiais. Os monstros.

A minha mãe, pensou Maura. *Também será um monstro?*

CAPÍTULO

17

A casa da doutora Joyce O'Donnell, em Cambridge, era ampla e branca, de estilo colonial e situava-se na Brattle Street, num bairro de casas elegantes. A cerca, de ferro forjado, rodeava o pátio da frente que tinha um relvado perfeito e canteiros de flores cobertos de casca de árvore, onde rosas de toucar floresciam, obedientes. Era um jardim disciplinado, onde a desordem não era permitida, e ao subir pela entrada até à porta da casa por um caminho pavimentado com lajes de granito, Maura ia imaginando a ocupante da casa. Bem cuidada, impecavelmente vestida. Uma mente tão bem organizada quanto o jardim.

A mulher que abriu a porta correspondia à imagem que Maura idealizara.

A doutora O'Donnell era loura, de um louro cinza, com tez pálida e imaculada. A blusa azul-escura, enfiada numas calças brancas bem passadas a ferro, tinha um corte que lhe salientava a cintura estreita. Olhou Maura com pouca simpatia. Ou antes, o que Maura viu nos olhos da mulher foi um brilho duro de curiosidade. O olhar de um cientista a observar um novo espécime.

— Doutora O'Donnell? Sou Maura Isles.

O'Donnell respondeu com um aperto de mão decidido.

— Entre.

Maura entrou numa casa de uma elegância tão fria como a da proprietária. O único toque de verdadeiro bem-estar era dado pelos tapetes orientais que cobriam o soalho de teca escura. O'Donnell levou-a do vestíbulo para uma sala de estar formal, onde Maura se sentou pouco à vontade num sofá forrado de seda branca. O'Donnell sentou-se em frente de Maura, numa cadeira de braços. Na mesa de café, de pau-rosa, que se interpunha entre elas, estava uma pilha de pastas e um gravador digital. Embora não estivesse ligado, fez aumentar o desassossego de Maura.

— Obrigada por me receber.

— Senti curiosidade. Perguntava-me como seria a filha de Amalthea. É claro que sei *quem* é, doutora Isles, mas só pelo que leio nos jornais. — Encostou-se na cadeira, perfeitamente à vontade. Vantagem de jogar em casa. Estava na mó de cima; Maura é que precisava dela. — Não sei nada de si a nível pessoal. Mas tenho interesse em saber.

— Porquê?

— Conheço muito bem Amalthea e não posso deixar de me perguntar se...

— Tal mãe, tal filha?

O'Donnell levantou uma sobrancelha bem cuidada.

— As palavras são suas, não minhas.

— Mas é mesmo essa a razão da sua curiosidade. Não é verdade?

— E qual é a sua? Porque está aqui?

Maura desviou os olhos para um quadro que estava pendurado por cima da lareira. Uma pintura moderna a óleo com pinceladas a preto e vermelho.

— Quero saber quem é, de facto, essa mulher — explicou então.

— Sabe muito bem quem é, só que não quer acreditar. A sua irmã também não queria.

— Conheceu Anna? — perguntou Maura, franzindo as sobrancelhas.

— Pessoalmente, não. Mas, há cerca de quatro meses, recebi um telefonema de alguém que se identificou como sendo filha de Amalthea. Eu estava de partida para Oklahoma, para um julgamento que ia durar duas semanas. Daí não me ter sido possível encontrar-me com ela. Só conversámos ao telefone. Tinha ido visitar a mãe ao estabelecimento prisional de Framingham, e sabia que era eu a psiquiatra de Amalthea. Queria saber mais dela. Da infância, da família.

— E sabe?

— Algumas coisas vêm nos registos escolares. Outras, foi ela que mas contou quando estava lúcida. Sei que nasceu em Lowell. Aos nove anos, morreu-lhe a mãe e foi viver com um tio e um primo no Maine.

Maura levantou os olhos.

— No Maine?

— Sim. Acabou o secundário numa cidade chamada Fox Harbor.

Percebo agora o que levou Anna a escolher aquela cidade. Eu seguia o rasto de Anna e ela o da nossa mãe.

— Depois do secundário, perdemos-lhe a pista — disse O'Donnell. — Não sabemos para onde foi nem como se sustentou. É provável que a esquizofrenia se tenha declarado nessa altura. Manifesta-se em geral no início da idade adulta. Andou de um lado para o outro durante anos e acabou como a vê agora. Sem consciência do mundo exterior, da realidade. — O'Donnell olhou para Maura. — É um cenário bastante desagradável. A sua irmã teve dificuldade em aceitar que ela fosse de facto sua mãe.

— Olho para ela e não descubro nada familiar. Nada de mim própria.

— Mas eu vejo. A mesma cor de cabelo. O mesmo queixo.

— Não somos nada parecidas.

— Não vê a semelhança? — O'Donnell inclinou-se para a frente, o olhar fixo em Maura. — Diga-me uma coisa, doutora Isles. O que a levou a escolher patologia?

Surpreendida com a pergunta, Maura olhou para ela.

— Podia ter escolhido qualquer ramo da medicina. Obstetrícia, pediatria. Podia estar a trabalhar com doentes, mas escolheu patologia. Especificamente, patologia legal.

— Onde quer chegar?

— A questão é que de algum modo se sente atraída pelos mortos.

— Isso é absurdo.

— Então porque escolheu essa especialidade?

— Porque gosto de respostas definitivas. Não gosto de jogar às adivinhas. Gosto de *ver* o diagnóstico ao microscópio.

— Não gosta da incerteza.

— E alguém gosta?

— Então podia ter escolhido matemática ou engenharia. Tantos outros ramos que envolvem exatidão. Respostas definitivas. Em vez disso, é médica-legista, em comunhão com cadáveres. — Fez uma breve pausa e perguntou, de mansinho: — Sente prazer ao fazê-lo?

Maura olhou-a diretamente nos olhos.

— Não.

— Escolheu uma profissão de que não gosta?

— Optei pelo desafio. Com isso, sim, sinto satisfação. Mesmo que o trabalho não seja agradável.

— Não vê onde quero chegar? Diz-me que não nota nada de familiar em Amalthea Lank. Olha para ela e vê provavelmente alguém abominável. Ou, pelo menos, alguém que fez coisas atrozes. Deve haver pessoas que olham para si, doutora Isles, e veem o mesmo.

— Não há comparação entre nós as duas.

— Sabe de que foi acusada a sua mãe?

— Sim, fui informada.

— Mas leu os relatórios das autópsias?

— Ainda não.

— Eu já. Durante o julgamento, a defesa pediu-me para analisar a saúde mental da sua mãe. Vi as fotografias, revi as provas. Sabia que as vítimas eram duas irmãs? Jovens, paradas na berma da estrada.

— Sim.

— E que a mais nova estava grávida de nove meses?

— Sei tudo isso.

— Então sabe que a sua mãe apanhou as duas mulheres na estrada. Levou-as de carro para um barracão a quarenta e cinco quilómetros de distância. Esmagou-lhes o crânio com um pé de cabra e, em seguida, fez uma coisa surpreendente e estranhamente lógica. Foi de carro a uma estação de serviço e encheu uma lata com gasolina. Voltou ao barracão e pegou-lhe fogo, com os dois corpos lá dentro. — O'Donnell pôs a cabeça de lado. — Não acha interessante?

— Acho doentio.

— De acordo, mas, num determinado nível, talvez sinta algo mais, algo de que não quer tomar conhecimento sequer. Que tudo isto lhe espicaça a curiosidade, e não simplesmente enquanto quebra-cabeças intelectual. Há nisto algo que a fascina, que a excita, até.

— Do mesmo modo que a excita obviamente a si?

O'Donnell não se sentiu ofendida com a resposta. Em vez disso, sorriu, aceitando com elegância a réplica de Maura.

— O meu interesse é profissional. O meu trabalho é estudar atos criminosos. Só me interrogo sobre as razões do *seu* interesse por Amalthea Lank.

— Até há dois dias atrás, não sabia quem era a minha mãe. Neste momento, tento aceitar a verdade. Tento compreender...

— Quem você mesma é? — perguntou O'Donnell calmamente.

Maura olhou-a nos olhos.

— Eu *sei* quem sou.

— Tem a certeza? — O'Donnell inclinou-se mais para ela. — Quando está no laboratório de autópsias a examinar as feridas das vítimas, a descrever os golpes da faca do assassino, nunca sente ao menos uma leve excitação?

— O que a leva a pensar que sinto?

— É filha de Amalthea.

— Sou um acidente biológico. Ela não me criou.

O'Donnell recostou-se na cadeira e estudou-a com um olhar frio.

— Sabe que existe uma componente genética na violência? Que há pessoas que a têm no ADN?

Maura recordou-se do que Rizzoli lhe tinha dito sobre a psiquiatra: *A doutora O'Donnell está para além da simples curiosidade. Quer descobrir o que se sente quando se retalha a carne, quando se observa a vítima a esvair-se em sangue. Qual a sensação de se saborear o supremo poder. Tem fome de pormenores, como um vampiro tem sede de sangue.*

Maura conseguia, de facto, ver esse lampejo de fome nos olhos de O'Donnell. Esta mulher gosta de lidar com monstros. E tem esperanças de ter encontrado outro.

— Vim aqui para falar de Amalthea — insistiu Maura.

— E não é isso que temos estado a fazer?

— Segundo informações de Framingham, já esteve com ela pelo menos uma dúzia de vezes. Porquê tantas vezes? Decerto não é para o bem dela.

— O meu interesse por Amalthea é apenas científico. Quero entender o que leva uma pessoa a matar. Porque sentem prazer quando o fazem.

— Quer dizer que ela o fez por prazer?

— Tem, por acaso, outra teoria?

— É claramente um caso patológico.

— Na maioria dos casos, esses não se tornam assassinos.

— Mas concorda que ela o seja?

O'Donnell hesitou.

— Parece ser.

— Não parece muito convencida. Nem sequer depois de a ter visitado tantas vezes?

— A sua mãe não tem só uma psicose. E há neste caso mais do que parece.

— Que quer dizer com isso?

— Diz que sabe o que ela fez. Ou, pelo menos, o que a acusação diz que ela fez.

— As provas eram irrefutáveis.

— Claro, havia imensas provas. A matrícula que a câmara da estação de serviço fotografou. O sangue das duas mulheres na barra de ferro. As carteiras no porta-bagagem. Mas há uma coisa que, se calhar, não sabe. O'Donnell pegou num dos relatórios que estavam em cima da mesa de café e passou-lho. — Veio do laboratório criminal da Virgínia, onde Amalthea foi presa.

Maura abriu o relatório e viu a fotografia de uma carrinha branca com matrícula do Massachusetts.

— Esse é o carro que Amalthea conduzia — explicou O'Donnell.

Maura voltou a página. Era um resumo das provas baseadas nas impressões digitais.

— Foram encontradas diversas impressões digitais dentro do carro — informou O'Donnell. — Ambas as vítimas deixaram as suas impressões nas fivelas dos cintos de segurança do banco de trás, o que demonstra que entraram e colocaram os cintos sozinhas. Havia também impressões de Amalthea, claro, no volante e na alavanca das mudanças. — O'Donnell fez uma breve pausa. — E, para além dessas, havia um quarto conjunto de impressões digitais.

— Um quarto conjunto?

— Está aí nesse relatório. Encontraram-nas no porta-luvas. Nas duas portas e no volante. Essas impressões nunca foram identificadas.

— Isso não quer dizer nada. Talvez um mecânico que tenha arranjado o carro e tenha lá deixado as impressões dele.

— É uma possibilidade. Agora veja o relatório do cabelo e da fibra.

Maura voltou a página e leu que tinham encontrado cabelo louro no banco traseiro. Os cabelos eram compatíveis com os de Theresa e de Nikki Wells.

— Não vejo nada de especial. Sabíamos que as vítimas tinham estado no carro.

— Mas, como vê, não há cabelos delas no assento da frente. Pense nisso. Duas mulheres empanadas na berma da estrada. Alguém para e oferece-lhes uma boleia. E o que fazem as irmãs? Entram *ambas* para o assento traseiro. Um bocado de falta de educação, não acha? Deixar o condutor sozinho à frente. A não ser...

Maura levantou os olhos e terminou a frase:

— A não ser que alguém estivesse já sentado no lugar da frente.

O'Donnell recostou-se com um sorriso de satisfação.

— É essa a questão que me perturba. Uma pergunta a que nunca foi dada resposta em tribunal. É isso que me faz ir ver a sua mãe vezes sem conta. Quero descobrir o que a polícia nunca se preocupou em encontrar: quem ia sentado à frente com a sua mãe.

— Ela não lhe disse?

— Não me disse o nome dele.

Maura fitou-a.

— Dele?

— É um palpite. Mas acredito que estava outra pessoa no carro com Amalthea quando ela viu as duas mulheres na berma da estrada. Alguém a ajudou a dominar as vítimas. Alguém com força suficiente para a ajudar a meter os corpos no barracão e a pegar-lhes fogo. — Fez uma ligeira pausa. — É *nele* que estou interessada, doutora Isles. É ele que eu quero encontrar.

— Então, todas aquelas visitas a Amalthea, nem sequer tinham a ver com ela.

— Não é a loucura que me interessa. É o mal.

Maura olhou para ela enquanto pensava: *Claro. Adoras aproximar-te, roçares-te nele, cheirá-lo. Não é Amalthea que te atrai. Ela é o elo de ligação que te pode conduzir ao verdadeiro objeto do teu desejo.*

— Um cúmplice.

— Não sabemos quem é, nem como é. Mas a sua mãe sabe.

— Se sabe, porque não diz o nome dele?

— Essa é a questão. Porque o encobre ela? Tem medo dele? Está a protegê-lo?

— Não tem sequer a certeza de que essa pessoa exista. Tudo o que tem são umas impressões não identificadas. É uma teoria.

— Mais do que uma teoria. A *Besta* é real. — O'Donnell inclinou-se para a frente e prosseguiu em voz baixa, num tom quase íntimo. — Foi o nome que Amalthea utilizou quando foi presa na Virgínia. Quando a polícia de lá a interrogou. Disse e eu cito: «A *Besta* disse-me para eu o fazer», fim de citação. Ele disse-lhe que matasse aquelas mulheres.

No silêncio que se seguiu, Maura ouvia o bater do coração, que lhe lembrava o rufar de um tambor. Engoliu em seco.

— Estamos a falar de uma esquizofrénica. Uma mulher que tem provavelmente alucinações auditivas — comentou.

— Ou que está a referir-se a alguém real.

— A *Besta?* — Maura deu uma gargalhada. — Um demónio pessoal, talvez. Um monstro dos seus pesadelos.

247

— Que deixa impressões digitais.

— O que não pareceu incomodar o júri.

— Ignoraram essa prova. Estive no julgamento. Observei a acusação a construir o seu caso contra uma mulher psicologicamente tão perturbada que até eles tinham de se aperceber de que ela não era responsável pelos seus atos. Mas era um alvo fácil, uma condenação certa.

— Apesar de estar completamente louca.

— Ninguém duvidou de que ela fosse louca e ouvisse vozes. Essas vozes podiam ter-lhe gritado que esmagasse o crânio de uma mulher, que lhe queimasse o corpo, mas o júri acha, mesmo assim, que sabe distinguir o bem do mal. Amalthea era o trunfo do advogado de acusação, e foi aproveitado. Não se aperceberam. Deixaram-no escapar. — O'Donnell recostou-se. — E a sua mãe é a única que sabe quem ele é.

Eram quase seis horas quando Maura estacionou nas traseiras do Instituo de Medicina Legal. Já lá estavam dois carros — o *Honda* azul de Yoshima e o *Saab* preto do doutor Costa. «Uma autópsia de última hora», pensou, sentindo-se subitamente culpada. Hoje devia estar de serviço, mas tinha pedido aos colegas que a substituíssem.

Abriu a porta das traseiras, entrou e foi direita ao gabinete, não encontrando ninguém pelo caminho. Em cima da secretária, encontrou o que tinha vindo buscar: duas pastas com uma nota onde Louise tinha escrito: «Os processos que pediu.» Sentou-se à secretária, respirou fundo, e abriu a primeira pasta.

Era o processo de Theresa Wells, a irmã mais velha. Na primeira folha tinham escrito o nome da vítima, o número lo caso e a data do óbito. Não reconheceu o nome do médico-legista, doutor James Hobart, mas Maura também só trabalhava no Instituto de Medicina Legal há dois anos e o relatório da autópsia tinha cinco. Abriu na página do relatório datilografado apresentado pelo doutor Hobart.

«O corpo é de uma mulher bem nutrida, de idade indefinida, com um metro e sessenta e cinco de altura e um peso de cinquenta e dois quilos. Identidade estabelecida por radiografia dentária; impossível obter impressões digitais. De relevar, extensas queimaduras no tronco e nas extremidades, com carbonização da pele e das zonas musculares expostas. A frente e a parte de trás do torso foram menos atingidas. O que restou da roupa encontra-se no corpo, e trata-se de *jeans* azuis, tamanho 38, da *Gap*, com o fecho corrido, uma camisola branca e um sutiã, queimados, mas ainda apertados. O exame às vias respiratórias não revelou depósito de fuligem e a saturação sanguínea era mínima.»

Na altura em que o corpo começou a arder, Theresa Wells já não respirava. A causa da morte, de acordo com a interpretação das radiografias do doutor Hobart, não apresentava dúvidas.

«As radiografias parietais, frontais e occipitais do crânio revelam fratura do parietal direito com depressão e fragmentação de um segmento cuneiforme de quatro centímetros.»

A causa da morte, tinha sido, provavelmente, um golpe na cabeça.

No final do relatório, por baixo da assinatura do doutor Hobart, Maura reparou numas iniciais familiares. Tinha sido Louise a escrever o que o médico tinha ditado. Os patologistas iam e vinham, mas Louise era de pedra e cal.

Maura folheou as outras páginas do relatório. Havia uma lista de todas as radiografias que tinham sido tiradas, da quantidade de sangue e fluido retirados, assim como de todas as provas recolhidas. Havia registos administrativos da cadeia de custódia, dos pertences pessoais e dos nomes dos presentes na autópsia. Yoshima tinha sido o assistente de Hobart. Não reconheceu o nome do agente da polícia de Fitchburg que assistira, um tal detetive Swigert.

Continuou a folhear até que viu uma fotografia. Parou e contraiu-se perante a imagem. As chamas tinham queimado os membros de Theresa Wells e exposto os músculos do tronco, mas a cara estava estranhamente intacta e, sem dúvida, era a cara de uma mulher. *Só trinta e cinco anos*, pensou Maura. *Já lhe sobrevivi cinco anos. Se hoje fosse viva, teria a minha idade. Se não tivesse tido um furo naquele dia de novembro.*

Fechou a pasta de Theresa e pegou na outra. Esperou um pouco antes de a abrir, relutante em ver os horrores que continha. Pensou no corpo queimado da vítima que autopsiara um ano antes, e o cheiro que se lhe tinha entranhado no cabelo e nas roupas e que perdurara mesmo depois de deixar a sala. Durante o resto do verão, evitara utilizar o grelhador no pátio das traseiras, incapaz de suportar o cheiro do churrasco. Agora, ao abrir a pasta de Nikki Wells, sentia novamente o cheiro que lhe ficara gravado na memória.

O rosto de Theresa fora poupado, mas o mesmo não se podia dizer do da irmã mais nova. As chamas, que tinham consumido apenas parte do corpo de Theresa, concentraram toda a sua fúria no corpo de Nikki Wells.

«O cadáver apresenta extensas queimaduras, com partes do peito e da parede abdominal completamente consumidas pelo fogo, expondo as vísceras. O tecido mole da face e do couro cabeludo foi completamente consumido. São visíveis zonas da caixa craniana, assim como os ossos faciais, devido aos golpes infligidos. Não existem fragmentos de roupa, mas são visíveis ao raio X, ao nível da quinta costela, pequenas opacidades metálicas que podem ser consistentes com o fecho de um sutiã, assim como um único fragmento de metal sobre o púbis. As radiografias ao abdómen revelam também restos do esqueleto de um feto, com um diâmetro de crânio compatível com uma gestação de trinta e seis semanas...»

A gravidez de Nikki era mais do que evidente para o assassino. Contudo, ele não tinha mostrado qualquer comiseração, nem pelo seu estado, nem pela criança que estava para nascer. Só uma pira funerária conjunta na floresta.

Voltou a página. Parou, intrigada, na frase que se seguia no relatório:

«Nas radiografias, é de registar a falta da tíbia direita, da fíbula e dos ossos do tarso do feto.»

Tinham acrescentado um asterisco a tinta, com a seguinte nota: «Veja-se aditamento.» Percorreu as páginas até à folha agrafada e leu:

«*Esta anomalia do feto foi anotada na ficha obstétrica da paciente, datada de três meses antes. A ecografia feita no segundo trimestre revelou que faltava ao feto o membro direito inferior, provavelmente devido a síndrome do âmnio.»

Uma deformação no feto. Meses antes da sua morte, Nikki tinha sido informada que o bebé nasceria sem a perna direita. Contudo, escolhera seguir em frente com a gravidez. Conservar o bebé.

Maura sabia que o pior ainda estava para vir. Não tinha estômago para semelhante fotografia, mas obrigou-se a vê-la. Viu os membros e o tronco queimados. Aquilo já não era uma mulher bonita, com o brilho rosado da gravidez, era apenas a fisionomia de uma caveira, espreitando por

trás de uma máscara carbonizada, com os ossos faciais me-
tidos para dentro pelo golpe assassino.

Quem fez isto foi Amalthea Lank. A minha mãe. Esmagou
-lhes a cabeça e arrastou os corpos para um barracão. Terá sentido
prazer ao derramar a gasolina por cima dos corpos e ao acender o fós-
foro, ao ver as chamas ganharem vida? Será que se demorou por ali
para inalar o cheiro do cabelo e da carne queimados?

Incapaz de continuar a olhar para a fotografia, fechou
a pasta. Voltou, então, a sua atenção para o sobrescrito de
radiografias que se encontrava em cima da secretária. Pegou nas radiografias da cabeça e do pescoço de Theresa
e introduziu-as por baixo dos grampos do negatoscópio. As
luzes acenderam-se, tremeluzindo, e iluminaram as sombras
fantasmagóricas dos ossos. O estômago aceitava melhor as
radiografias que as fotografias. Despidos de carne reconhe-
cível, os cadáveres perdiam o poder de horrorizar. Os es-
queletos são todos iguais. O crânio que agora observava
podia pertencer a qualquer mulher, amiga ou desconhecida.
Observou o crânio fraturado e o triângulo de osso que tinha sido forçado para bem dentro da caixa craniana. Não
fora um golpe dado ao acaso; só um golpe deliberado e de
enorme selvajaria poderia ter cravado aquele fragmento tão
profundamente no lobo parietal.

Retirou as radiografias de Theresa, pegou no segundo
sobrescrito e colocou o outro conjunto de radiografias no
negatoscópio. Outro crânio, desta vez o de Nikki. Do mesmo modo que a irmã, Nikki fora atingida na cabeça, mas
o golpe tinha sido infligido pela frente, empurrando para
dentro o osso frontal, esmagando as órbitas de modo tão
violento que os olhos deviam ter rebentado nas cavidades.
Nikki Wells vira, por certo, o golpe a ser desferido.

Maura retirou as radiografias ao crânio e prendeu outro conjunto que mostrava a medula espinal e a pélvis de Nikki, estranhamente intactas por baixo da carne destruída pelo fogo. Sobre a pélvis, encontravam-se os ossos do feto. Embora as chamas tivessem fundido a mãe e a criança numa única massa carbonizada, Maura conseguia distinguir dois indivíduos. Dois conjuntos de ossos, duas vítimas.

Apercebeu-se, ainda, de outra coisa: uma mancha brilhante que sobressaía do emaranhado de sombras. Tratava-se de um fragmento, da espessura de uma agulha, por cima do osso púbico de Nikki. Um fragmento minúsculo de metal? Talvez algo da roupa — um fecho de correr, um colchete — que tivesse aderido à pele queimada?

Maura procurou no sobrescrito e encontrou uma imagem lateral do tronco. Prendeu-a ao lado da imagem frontal. O fragmento metálico era também visível na imagem mas, agora, verificou que não estava por cima do púbis; parecia estar alojado no osso.

Retirou todas as radiografias de Nikki do sobrescrito e pendurou-as, duas de cada vez. Descobriu os elementos densos que o doutor Hobart vira na radiografia ao tronco — presilhas de metal constituídas pelos colchetes do sutiã. Nas radiografias laterais, viam-se nitidamente no tecido mole as mesmas presilhas de metal. Levantou, uma vez mais, as imagens da zona pélvica, e observou o fragmento metálico alojado no osso púbico de Nikki Wells. Embora o doutor Hobart o tivesse referido no relatório, nada mais acrescentou sobre o pormenor nas suas conclusões. Talvez não o tenha considerado relevante. E porque havia de considerá-lo, depois de todos os horrores infligidos à vítima?

Yoshima assistira Hobart na autópsia; talvez se lembrasse do caso.

Maura saiu do escritório, desceu as escadas e, empur
rando as portas duplas, entrou na sala de autópsias. O labo
ratório estava deserto, os balcões limpos para a noite.

— Yoshima? — chamou.

Enfiou proteções nos pés, atravessou o laboratório
passou pelas mesas de aço inoxidável vazias e, empurrando
umas portas duplas, entrou na sala das recolhas. Abriu
a porta da gaveta frigorífica e olhou para o interior. Só viu
os cadáveres — dois sacos brancos com os corpos, coloca
dos lado a lado em macas.

Fechou a porta e permaneceu na sala deserta por uns
momentos, à escuta, a ver se ouvia vozes ou passos, alguma
coisa que indicasse que ainda havia alguém no edifício. Mas
só ouviu o barulho do motor do frigorífico e, abafado,
o grito da sirene de uma ambulância na rua.

Costas e Yoshima já deviam ter saído.

Quinze minutos mais tarde, ao sair do edifício, reparou
que o *Saab* e o *Toyota* não estavam no estacionamento
À exceção do seu *Lexus,* os únicos veículos no parque eram
as três carrinhas da morgue com as palavras: «Instituto de
Medicina Legal, Comunidade de Massachusetts». Tinha caí
do a noite e o carro estava estacionado, isolado, por baixo
de um lago de luz amarelada, projetada pelo candeeiro de
rua.

As imagens de Theresa e de Nikki não lhe saíam da ca
beça. Enquanto caminhava para o carro, perscrutava as
sombras, atenta a ruídos e a qualquer suspeita de movimen
to. A poucos metros do carro parou e olhou para a porta
do lado do passageiro. O cabelo da nuca eriçou-se-lhe. As
mãos perderam toda a energia e deixou cair a pilha de pas
tas que levava, espalhando papéis por todo o pavimento.

Três riscos profundos e paralelos manchavam o acabamento brilhante do carro. Marcas de uma garra.

Foge. Entra outra vez.

Voltou-se e correu para o edifício. Junto à porta fechada, procurou a chave, em desespero. Onde é que ela estava, onde estava a chave da porta? Finalmente, encontrou-a, meteu-a na fechadura e entrou, fechando a porta com estrondo. Encostou-se, pondo toda a força contra a porta, como se quisesse reforçar a barricada.

Dentro do edifício, completamente deserto, estava tudo tão sossegado que conseguia ouvir a sua respiração entrecortada devido ao pânico que sentia.

Correu pela entrada até ao gabinete e fechou-se por dentro. Só então, rodeada pelo que lhe era familiar, sentiu que a pulsação acalmava e que as mãos paravam de tremer. Dirigiu-se à secretária, pegou no telefone e marcou o número de Jane Rizzoli.

— Fez exatamente o que devia fazer. Fugiu do perigo e correu para um local seguro — aprovou Rizzoli.

Maura estava sentada à secretária e olhava os papéis amarrotados que Rizzoli apanhara do chão no estacionamento. Um maço de folhas do processo de Nikki, sujas e pisadas naquele momento de pânico. Mesmo agora, sentada e em segurança na companhia de Rizzoli, sentia-se em estado de choque.

— Encontrou impressões digitais na porta? — perguntou Maura.

— Algumas. O que é normal encontrar na porta de um carro.

Rizzoli empurrou uma cadeira para junto da secretária de Maura e sentou-se. Pousou as mãos na barriga como se esta fosse uma prateleira. *Mamã Rizzoli, grávida, mas armada*, pensou Maura. *É a salvadora mais inverosímil que poderia vir em meu auxílio!*

— Quanto tempo esteve o seu carro no parque de estacionamento? Disse que chegou por volta das seis.

— Mas os riscos podem ter sido feitos antes de eu cá chegar. Não uso a porta do passageiro todos os dias. Só se estou a guardar o que compro na mercearia ou outra coisa qualquer. Hoje reparei neles pelo modo como o automóvel stava estacionado e porque estava mesmo por baixo do andeeiro.

— Quando foi a última vez em que olhou para essa porta?

Maura pressionou as têmporas com as mãos.

— Sei que ontem de manhã estava bem. Quando vim do Maine. Pus o saco de roupa que levei no banco da frente. Teria reparado nos riscos.

— Muito bem. Chegou ontem de carro. E depois?

— O carro esteve dentro da minha garagem toda a noite. E hoje de manhã fui encontrar-me consigo na Schroeder Plaza.

— Onde estacionou?

— Na garagem ao pé da esquadra. A que fica fora da avenida Columbus.

— Então, esteve nessa garagem a tarde toda. Durante a sua visita à prisão.

— Sim.

— Essa garagem tem câmaras de vigilância, não sei se sabe.

— Tem? Não reparei...

— E depois, onde foi? Depois de voltarmos de Framingham?

Maura hesitou.

— Então?

— Fui visitar Joyce O'Donnell. — Olhou para Rizzoli. — Não olhe para mim assim. Tinha de conhecê-la.

— Tencionava contar-me?

— Com certeza. Ouça, precisava saber mais sobre a minha mãe.

Rizzoli recostou-se, com os lábios apertados numa linha estreita. *Não ficou satisfeita,* pensou Maura. *Disse-me que me mantivesse afastada de O'Donnell e eu ignorei o conselho.*

— Quanto tempo esteve em casa dela? — perguntou Rizzoli.

— Cerca de uma hora. Jane, ela disse-me uma coisa que eu não sabia. Amalthea cresceu em Fox Harbor. Foi por isso que a Anna foi ao Maine.

— E depois de sair da casa de O'Donnell? Que aconteceu?

Maura deu um suspiro.

— Vim diretamente para cá.

— Reparou se alguém a seguia?

— Porque havia de reparar? Ando com a cabeça demasiado ocupada.

Olharam-se por momentos. Nenhuma delas falou. A tensão provocada pela ida de Maura a casa de O'Donnell pairava ainda no ar.

— Sabia que a câmara de segurança aqui do vosso parque de estacionamento está partida? — perguntou Rizzoli.

Maura deu uma risada. Encolheu os ombros.

— Sabe quanto cortaram no nosso orçamento este ano? Essa câmara está partida há meses. Quase se podem ver os fios caídos.

— A questão é que afugentaria muitos vândalos.

— Infelizmente, isso não aconteceu.

— Quem mais sabe que a câmara está partida? Toda a gente que aqui trabalha, certo?

Maura sentiu-se chocada.

— Não me agrada o que as suas palavras sugerem. Imensa gente reparou que está partida. Polícias, condutores

258

das carrinhas das casas funerárias, qualquer pessoa que já tenha feito a entrega de um corpo. Basta olhar para cima para ver.

— Disse que havia dois carros no parque de estacionamento quando cá chegou. O do doutor Costas e o de Yoshima?

— Sim.

— E, por volta das oito, quando saiu, já cá não estavam.

— Saíram antes de mim.

— Dá-se bem com eles?

Maura deu uma gargalhada de incredulidade.

— Está a brincar, não? Porque são perguntas completamente ridículas.

— Não estou propriamente encantada por ter de fazê-las.

— Então porque as faz? Conhece o doutor Costas, Jane. E conhece Yoshima. Não os pode tratar como suspeitos.

— Ambos passaram naquele parque de estacionamento. Mesmo junto ao seu carro. O doutor Costas saiu mais cedo, por volta das dezoito e quarenta e cinco. Yoshima saiu algum tempo depois, por volta das dezanove e um quarto.

— Falou com eles?

— Ambos afirmaram não terem visto qualquer risco no carro. Era natural que o vissem. Principalmente Yoshima, uma vez que tinha o carro estacionado ao lado do seu.

— Trabalhamos juntos há quase dois anos. Conheço-o bem. E você também.

— Pensamos que o conhecemos.

Isso não, Jane, pensou Maura. *Não me faça ter medo dos meu colegas.*

— Yoshima trabalha neste edifício há dezoito anos — disse Rizzoli.

— E Abe trabalha aqui quase desde essa altura. O mesmo em relação a Louise.

— Sabia que Yoshima vive só?

— Eu também.

— Tem quarenta e oito anos, nunca se casou e vive sozinho. Vem trabalhar todos os dias e aqui está você, em comunhão íntima. Trabalham ambos com cadáveres. Lidam com situações desagradáveis e deprimentes. Isso ajuda, decerto, a criar uma ligação entre ambos. O que vocês não viram de horrível!

Maura recordou as horas que ela e Yoshima tinham partilhado naquela sala, com as suas mesas de aço e instrumentos cortantes. Yoshima parecia adivinhar as suas necessidades antes mesmo de ela as sentir. Havia uma ligação, claro que havia uma ligação entre eles — eram uma equipa. Mas, depois de despirem as batas e tirarem as proteções dos sapatos, saía cada um para seu lado. Não se davam, nunca tinham sequer tomado uma bebida juntos depois do trabalho. *Nisto, somos parecidos,* pensou. Dois solitários que se encontram apenas junto dos cadáveres.

— Ouça — disse Rizzoli com um suspiro. — Eu gosto de Yoshima. Acho horrível ter posto sequer essa possibilidade. Mas tenho de ter tudo em consideração, ou não estaria a fazer o meu trabalho.

— Que trabalho? Pôr-me paranoica? Já estou mais que assustada, Jane. Não me faça desconfiar das pessoas em quem preciso de confiar. — Maura tirou com brusquidão os papéis de cima da mesa. — Já analisaram o meu carro? Gostaria de ir para casa.

— Já, já o analisámos. Mas acho que não deve ir para casa.

— E, então, que é que faço?

— Tem outras opções. Pode ir para um hotel. Pode dormir em minha casa no sofá. Acabo de falar com o detetive Ballard e ele disse-me que tem um quarto livre.

— Porque é que falou com Ballard?

— Temos falado diariamente a propósito do caso. Telefonou-me há mais ou menos uma hora e eu contei-lhe o que aconteceu ao seu carro. Veio imediatamente vê-lo.

— Onde é que ele está? No parque?

— Chegou há pouco. Está preocupado, doutora. E eu, também. — Rizzoli fez uma pausa. — Então, que quer fazer?

— Não sei...

— Pense no assunto durante um bocado. — Rizzoli levantou-se com dificuldade. — Venha daí, acompanho-a até lá fora.

Que situação mais absurda, pensou Maura, enquanto se encaminhavam para a saída. *Estou a ser protegida por uma mulher que mal se consegue levantar de uma cadeira.* Mas Rizzoli quis que ficasse bem claro que era ela quem mandava, quem assumia o papel de defensora. Foi ela quem abriu a porta e saiu em primeiro lugar. Maura seguiu-a pelo parque de estacionamento em direção ao *Lexus,* junto do qual Frost e Ballard aguardavam.

— Como se sente, Maura? — perguntou Ballard. A luz do candeeiro deixava-lhe os olhos na sombra. Ela fitou-o, mas não conseguiu ver-lhe a expressão.

— Estou bem.

— Podia ter sido bem pior. — Olhou para Rizzoli. — Disse-lhe qual é a nossa opinião? — perguntou à detetive.

— Disse-lhe que pode não ser boa ideia ir hoje para casa.

Maura olhou para o carro. Os três riscos sobressaíam mais horríveis do que antes, como feridas provocadas pelas garras de um predador. *O assassino de Anna está a contactar comigo. E eu nem me apercebi de quão perto ele esteve.*

— A equipa de investigação reparou numa pequena amolgadura na porta do condutor — comentou Frost.

— Já é antiga. Alguém bateu no carro num parque de estacionamento há alguns meses.

— Muito bem, então são só os riscos. Conseguimos umas impressões digitais. Vão precisar das suas, doutora. Mal possa, mande-as para o laboratório.

— Com certeza. — Pensou em todas as que já tinha tirado na morgue, em toda aquela pele gelada a ser pressionada contra os cartões. *Conseguem as minhas antes do final do jogo. Enquanto estou viva.* Cruzou os braços por cima do peito, sentindo um arrepio, apesar de a noite estar agradável. Viu-se a entrar em casa, uma casa vazia, e a fechar-se à chave no quarto. Mesmo assim protegida, uma casa não é uma fortaleza. Uma casa com janelas fáceis de partir e redes que uma simples faca consegue cortar.

— Você disse que foi Charles Cassell quem riscou o carro de Anna. — Maura olhou para Rizzoli. — Cassell não teria feito *isto*. No meu carro, não.

— Não, não teria motivo. Isto é claramente um aviso. *Para si.* Anna pode ter morrido por engano — concluiu Rizzoli calmamente.

É a mim que querem matar. Eu é que devia ter morrido.

262

— Para onde quer ir, doutora? — perguntou Rizzoli.

— Não sei — respondeu Maura. — Não sei o que hei de fazer...

— Posso sugerir que não fique aqui fora? — disse Ballard. — Onde qualquer um a pode observar?

Maura olhou para o passeio. Viu as silhuetas das pessoas que tinham sido atraídas pelas luzes intermitentes do carro da polícia. Pessoas cujas feições não conseguia distinguir por se manterem na sombra, enquanto ela estava iluminada pela luz do candeeiro, qual estrela de cartaz.

— Tenho um quarto a mais — informou Ballard.

Maura não olhou para ele. Em vez disso, continuou a observar as sombras sem rosto. Ao mesmo tempo, pensava: «Está tudo a acontecer demasiado depressa. Estão a tomar-se demasiadas decisões sem se refletir. Decisões das quais me posso vir a arrepender.»

— Doutora, que lhe parece?

Por fim, Maura olhou para Ballard. E sentiu, de novo, uma atração perturbante.

— Não sei para onde mais hei de ir — disse.

Ballard ia logo atrás, tão perto que os faróis do carro dele brilhavam no espelho retrovisor do automóvel de Maura, como se estivesse com receio de que ela se adiantasse e tentasse despistá-lo no trânsito denso. Manteve-se colado ao carro dela mesmo quando se dirigiram para o calmo subúrbio de Newton, mesmo quando ela deu a volta ao quarteirão por duas vezes, como ele lhe tinha dito para fazer, para confirmar que nenhum outro carro os seguia. Finalmente, quando ela parou em frente da casa dele, já Ballard estava junto da janela do carro a bater-lhe no vidro.

— Meta o carro na minha garagem — disse ele.

— Roubo-lhe o lugar.

— Não faz mal. Não quero que o seu carro fique estacionado na rua. Vou abrir a porta.

Virou o automóvel para a entrada e ficou a ver a porta a subir, pondo à vista uma garagem bem arrumada, com as ferramentas penduradas numa chapa de contraplacado e com prateleiras embutidas, cheias de latas de tinta. Até o chão de cimento parecia brilhar. Entrou na garagem e, de imediato, a porta começou a fechar atrás dela, impedindo que o carro fosse visto da rua. Durante um momento, ficou a ouvir o ruído do motor a arrefecer e preparou-se para enfrentar a noite que aí vinha. Momentos antes, tinha-lhe parecido inseguro e insensato voltar para a sua própria casa. Agora perguntava-se se esta opção seria mais sensata.

Ballard abriu-lhe a porta do carro.

— Entre. Vou mostrar-lhe como se liga o sistema de alarme. Posso não estar cá para o fazer.

Conduziu-a para dentro de casa por um pequeno corredor que dava para o vestíbulo. Apontou para um painel montado perto da porta da frente.

— Foi atualizado há poucos meses. Primeiro, digita o código e, a seguir, carrega no *On*. Depois de ligado, se alguém abrir uma porta ou uma janela, dispara um alarme tão forte que os ouvidos até vibram. Ao mesmo tempo, manda informação para a empresa de segurança e eles vêm cá a casa. Para o desativar, insere o mesmo código e, depois, carrega no *Off*. Percebeu?

— Claro. E qual é o código?

— Já ia lá chegar. — Olhou-a de soslaio. — Já reparou que vou dar-lhe o código de entrada em minha casa?

— Está a pensar se pode confiar em mim?

— Prometa-me que não vai dá-lo a nenhum dos seus amigos sensaborões.

— Deus sabe que tenho muitos desses.

Ele riu-se.

— E, de certeza, todos eles têm distintivo. O código é dezassete doze, data de nascimento da minha filha. Acha que não se esquece ou quer anotar?

— Não me esqueço.

— Ótimo. Agora, ligue-o, já que me parece que não vamos sair outra vez.

Enquanto Maura marcava os números, ele chegou-se tão perto que ela conseguia sentir no cabelo a sua respiração. Carregou em *On* e ouviu um leve silvo. Depois, no mostrador digital, surgiu: «Sistema ligado.»

— A fortaleza está protegida — disse ele.

— É simples. — Voltou-se e viu-o a olhá-la com tal intensidade que sentiu necessidade de dar um passo atrás para restabelecer a distância entre eles.

— Já jantou? — perguntou ele.

— Nem tive tempo. Com tanta coisa a acontecer esta noite!

— Venha daí. Não posso deixá-la passar fome.

A cozinha tinha o aspeto que ela esperava, armários robustos de madeira de bordo e balcões do tipo que os talhantes utilizam. As panelas e os tachos estavam arrumados, pendurados de um suporte fixado ao teto. Nada de extravagante, apenas o espaço de trabalho de um homem prático.

— Não quero dar trabalho. Uns ovos com torradas será suficiente.

Ballard abriu o frigorífico e tirou uma embalagem de ovos.

— Mexidos?

— Posso fazer isso, Rick.

— E se fizesse as torradas? O pão está ali. Faça também para mim.

Ela tirou duas fatias de pão da embalagem e meteu-as na torradeira. Voltou-se para o olhar. Ele estava junto do fogão a mexer os ovos numa tigela. Recordou-se do último jantar juntos, descalços, a rir. A tirarem o máximo prazer da companhia um do outro. Antes de a chamada de Jane a ter feito desconfiar dele. E se Jane não tivesse telefonado naquela noite, que teria acontecido? Observou-o, enquanto ele deitava os ovos numa frigideira e acendia o lume. Sentiu-se corar, como se ele tivesse acendido também uma chama dentro dela.

Voltou-lhe as costas e ficou a olhar para a porta do frigorífico, cheia de fotos de Ballard e da filha. Katie, ainda bebé, ao colo da mãe. Já com alguns meses, sentada numa cadeira de bebé. Uma progressão de imagens, que terminava na fotografia de uma adolescente loira que sorria de má vontade.

— Está a mudar muito depressa. Até custa a acreditar que as fotos sejam todas da mesma garota.

Maura olhou para ele por cima do ombro.

— Que decidiu fazer quanto ao charro que estava no cacifo dela?

— Ah, isso! A Carmen pô-la de castigo. Pior do que isso, proibiu-a de ver televisão durante um mês. Agora, tenho de guardar o meu aparelho a sete chaves, não vá ela esgueirar-se para cá quando não estou e ficar a ver televisão.

— A Carmen e você conseguem mesmo manter uma rente unida.

— Nem podia ser de outra maneira. Por mais difícil que seja um divórcio, temos de nos manter unidos para bem dos filhos. — Desligou o fogão e deitou os ovos fumegantes em dois pratos. — Nunca teve filhos?

— Felizmente, não.

— Felizmente?

— O Victor e eu nunca teríamos conseguido agir de um modo tão civilizado como vocês.

— Não é tão fácil como parece. Principalmente desde...

— Desde...?

— Conseguimos manter as aparências. É só isso.

Puseram a mesa, trouxeram os pratos com ovos, torradas e manteiga e sentaram-se à frente um do outro. O fahanço dos seus casamentos tinha-os deixado calados. *Ainda estamos a recuperar das feridas emocionais,* pensou Maura. *Apesar de nos sentirmos atraídos um pelo outro, não é altura para começarmos uma relação.*

Mas, mais tarde, ao subirem, ela sabia que ambos partilhavam os mesmos pensamentos.

— O seu quarto — disse ele, abrindo a porta do quarto de Katie. Maura entrou e deu de caras com um cartaz gigantesco de Britney Spears pendurado na parede. Nas prateleiras alinhavam-se bonecas Britney e CD. *Vou ter pesadelos neste quarto,* pensou Maura.

— Aquela porta é a da casa de banho — disse ele. — Deve haver uma ou duas escovas de dentes a mais no armário. E pode usar o roupão da Katie.

— E ela não se importa?

— Esta semana está com a Carmen. Nem sequer vai saber que está cá.

— Obrigada, Rick.

Ballard esperou que ela dissesse mais qualquer coisa. Palavras que mudariam tudo.

— Maura — disse.

— Sim?

— Vou tomar conta de si. Quero que o saiba. Não vou permitir que aconteça consigo o que aconteceu com Anna. — Voltou-se para sair. Num tom de voz suave desejou-lhe boa noite e fechou a porta atrás de si.

Vou tomar conta de si.

Não é isso que todos desejamos?, pensou. Alguém que nos faça sentir seguros. Já tinha esquecido o que se sente quando olham por nós. Mesmo durante o tempo em que fora casada com Victor nunca se sentira protegida por ele, que estivera sempre tão absorvido em si mesmo que nem tempo tinha para se preocupar com mais alguém.

Deitada, acordada, ouvia o tiquetaque do relógio na mesa de cabeceira. Os passos de Ballard no quarto ao lado. Aos poucos, a casa ficou em silêncio. Viu passar as horas no relógio. Meia-noite. Uma da manhã e ela sem conseguir dormir. De manhã, estaria exausta.

Será que ele também não consegue dormir?

Conhecia-o muito pouco. O mesmo acontecera com Victor quando casara com ele. E a complicação que tinha sido. Desperdiçara três anos da sua vida e tudo por uma questão de química, de faísca. Não podia confiar em si própria no que dizia respeito a homens. O homem com que se deseja ir, de facto, para a cama pode ser a pior escolha possível.

Duas da manhã.

Os faróis de um carro passaram pela sua janela. O ruído surdo do motor era audível. Ficou tensa, mas pensou:

Não é nada, se calhar, um vizinho que chega tarde a casa. Daí a instantes, ouviu o ruído de passos na entrada. Susteve a respiração. De repente, a escuridão começou aos gritos. Deu um salto na cama.

O alarme! Está alguém dentro de casa.

Ballard bateu com força na porta do quarto dela.

— Maura! *Maura!* — gritou.

— Estou bem.

— Feche a porta à chave! Não saia.

— Rick!

— Fique no quarto!

Saltou à pressa da cama e fechou a porta à chave. Agachou-se, as mãos a tapar os ouvidos, protegendo-os do grito ensurdecedor do alarme, incapaz de ouvir qualquer outra coisa. Pensou em Ballard a descer as escadas. Imaginou uma casa cheia de sombras. Alguém à espera, em baixo. *Onde está, Rick?* Só conseguia ouvir aquele grito penetrante. Na escuridão do quarto, estava cega e surda ao que quer que se aproximasse da sua porta.

O grito do alarme cessou, de súbito. No silêncio que se seguiu, conseguia, finalmente, ouvir a sua própria respiração entrecortada e o bater louco do coração.

E vozes.

— Santo Deus! — gritava Rick. — Podia ter-te dado um tiro! Em que raio estavas a pensar?

A seguir, a voz de uma jovem. Ferida, zangada.

— Fechaste a porta com a corrente. Não podia entrar para desligar o alarme!

— Não me grites!

Maura saiu do quarto para o corredor. As vozes eram agora mais audíveis; gritavam ambos, furiosos. Olhou por cima do corrimão, viu Rick de *jeans* e sem camisa, com a arma que levara para baixo enfiada já no coldre. A filha olhava para ele.

— Katie, são duas horas da manhã. Como é que vieste para cá?

— Trouxeram-me de carro.

— A meio da noite?

— Vim buscar a minha mochila, está bem? Esqueci-me que preciso dela para amanhã. Não quis acordar a mãe.

— Quem te trouxe?

— Agora, já se foi embora. Se calhar, o alarme assustou-o.

— É um rapaz? Quem é?

— Não vou metê-lo em sarilhos.

— Quem é o rapaz?

— Por favor, pai. Isso não.

— Anda cá para falarmos. Katie, não vás lá para cima.

Subiu as escadas a bater com os pés mas, de repente, parou. Katie ficou imóvel na escada a olhar para Maura.

— Vem imediatamente cá abaixo — gritou Rick.

— Pois, pois — disse Katie num murmúrio, olhos fixos em Maura. — Agora percebo porque é que puseste a corrente na porta.

— Katie! — Rick foi interrompido pelo toque do telefone. Voltou-se para atender. — Está? Sim, é o próprio. Está tudo bem. Não, não é necessário mandar ninguém. A minha filha veio a casa e não desligou o alarme a tempo.

A jovem olhava para Maura com hostilidade.

— Com que então é a namorada dele?

— Não precisa de se preocupar — disse Maura, com toda a calma. — Não sou a namorada do seu pai. Só precisava de um lugar para passar a noite.

— Pois, claro! E, então, porque não com o meu pai?

— Katie, é verdade...

— Nesta família nunca ninguém diz a verdade.

Em baixo, o telefone voltou a tocar. Rick atendeu uma vez mais.

— Carmen. Carmen, calma. A Katie está aqui. Claro que está bem. Um rapaz trouxe-a cá para vir buscar a mochila...

A jovem lançou um último olhar furioso a Maura e desceu as escadas.

— É a tua mãe — disse-lhe Rick.

— Vais-lhe contar da tua nova namorada? Como és capaz de *lhe* fazer uma coisa destas?

— Temos de falar disto. Tens de aceitar o facto de a tua mãe e eu já não estarmos juntos. As coisas mudaram.

Maura voltou para o quarto e fechou a porta. Enquanto se vestia, ouvia-os a discutir no piso de baixo. A voz de Rick, resoluta e firme, a da filha, fria de raiva. Maura levou só uns momentos a mudar de roupa. Quando desceu, Ballard e a filha estavam sentados na sala. Katie estava enroscada no sofá como um porco-espinho zangado.

— Rick, vou-me agora embora — disse Maura.

Ele levantou-se.

— De maneira nenhuma.

— Não tem importância. Precisa de estar com a sua família.

— Não é seguro ir para casa.

— Não vou para casa. Vou para um hotel. Não se preocupe. Fico perfeitamente bem.

— Maura, espere...

— Ela quer ir embora, *percebeste?* — disse Katie, cuspindo as palavras. — Portanto, deixa-a ir.

— Telefono-lhe quando chegar ao hotel — disse Maura.

Quando saiu da garagem, Rick estava lá fora e ficou a observá-la. Olharam um para o outro e ele deu um passo em frente como se quisesse persuadi-la uma vez mais a voltar à segurança da casa dele.

Outro par de faróis surgiu. Carmen estacionou o carro depois da curva e saiu, o cabelo louro em desalinho, a camisa de noite a espreitar por baixo do roupão. Uma mãe tirada da cama por aquela adolescente malcomportada. Carmen deitou um olhar a Maura, disse qualquer coisa a Ballard e entrou em casa. Pela janela da sala, Maura viu mãe e filha abraçarem-se.

Ballard andava para trás e para diante no acesso para a garagem. Olhava para a casa, depois para Maura, como se se sentisse empurrado nas duas direções.

Foi ela a tomar uma decisão. Meteu a mudança, acelerou e afastou-se. A última imagem que teve dele foi pelo retrovisor, a voltar-se e a ir para dentro. De volta à família. *Nem mesmo o divórcio consegue apagar todos os laços forjados por anos de casamento,* pensou Maura. Muito depois de os papéis terem sido assinados e as certidões de divórcio registadas, os laços ainda permanecem. E o laço mais poderoso inscreve-se na existência de um filho.

Suspirou profundamente. De súbito, sentiu-se depurada de qualquer tentação. Liberta.

Como prometera a Ballard, não regressou a casa. Em vez disso, dirigiu-se para oeste, para a estrada 95, que traçava um amplo arco pela periferia de Boston. Parou no primeiro motel que encontrou. O quarto que lhe arranjaram cheirava a tabaco e a sabonete *Ivory*. A sanita tinha uma tira de papel à volta da tampa a dizer «Desinfetada», e os copos em saquinhos, na casa de banho, eram de plástico. O barulho do trânsito na autoestrada próxima filtrava-se pelas paredes finas. Não se lembrava da última vez em que ficara num motel tão barato e degradado. Telefonou a Rick, uma chamada de trinta segundos apenas, para lhe dizer onde estava. Depois, desligou o telemóvel e meteu-se entre lençóis esgarçados.

Dormiu como já não dormia há uma semana.

«*Ninguém gosta de mim, toda a gente me odeia, acho que vou co-mer minhocas. Minhocas, minhocas, minhocas.*»

Para de pensar nisso!

Mattie fechou os olhos e rilhou os dentes; não conse-guia livrar-se da música daquela canção infantil, sem graça. Ouvia-a incessantemente na cabeça e ia sempre parar aos vermes.

«*Só que não sou eu que os vou comer, são eles que me vão comer a mim.*»

Oh, pensa noutra coisa. Coisas boas, coisas bonitas. Flores, vesti-dos. Vestidos brancos com gaze e pérolas. O dia do casamento. Sim, pensa nisso.

Lembrava-se de estar sentada na sala da noiva na igreja metodista de St. John, olhando-se no espelho e pensando: *Hoje é o dia mais feliz da minha vida. Vou casar com o homem que amo.* Lembrava-se da mãe a entrar na sala e a ajudá-la a ar-ranjar o véu. Como a mãe se tinha inclinado para ela e lhe tinha dito com um suspiro de alívio: *Nunca pensei chegar a ver este dia.* O dia em que um homem ia, finalmente, casar com a filha.

Agora, sete meses mais tarde, Mattie pensava nas pala-vras da mãe e em como elas não tinham sido particular-mente simpáticas. Mas, naquele dia, nada tinha maculado a sua alegria. Nem a náusea matinal, nem os saltos altos, verdadeiros assassinos, nem o facto de Dwayne ter bebido tanto champanhe na noite de núpcias que adormeceu na cama do hotel, antes mesmo de ela ter saído da casa de banho. Nada importava, exceto o facto de ela ser a senhora Purvis, e a sua vida, a sua verdadeira vida, estar finalmente prestes a começar.

E, agora, vai acabar aqui, neste caixote, a não ser que Dwayne me salve.

E salva, não salva? Ele quer-me de volta, não quer?

Isto era pior que pensar em vermes a comerem-na. Muda de assunto, Mattie!

E se ele não me quiser de volta? E se ele estava a contar que eu me fosse embora, para poder ficar com a outra mulher? E se é ele que é o...

Não, Dwayne não. Se ele a quisesse morta, porque a fecharia numa caixa? Porque a manteria viva?

Respirou profundamente e os olhos encheram-se-lhe de lágrimas. Queria viver. Faria o que fosse preciso para viver, mas não sabia como havia de sair daquela caixa. Passou horas a imaginar uma maneira de sair dali. Tinha batido com toda a sua força nas paredes, no teto. Tinha pensado em desmontar a lanterna e utilizar os componentes para construir — o quê?

Uma bomba.

Quase que podia ouvir Dwayne a rir, a ridicularizá-la. Pois, Mattie, é claro que és um verdadeiro MacGyver.

Então, que posso fazer?

Vermes...

Voltaram a insinuar-se nos seus pensamentos. No seu futuro, deslizando por baixo da pele, devorando a carne.

Estão lá fora, algures, na terra, à espera, pensou. À espera de que ela morresse. Depois, rastejariam lá para dentro para se banquetearem.

Voltou-se de lado e começou a tremer.

Tem de haver maneira de sair daqui.

CAPÍTULO

20

Yoshima estava de pé junto do cadáver, segurando uma seringa com uma agulha de calibre dezasseis. O corpo era o de uma jovem, tão magro que a barriga se afundava, como uma tenda desmontada, entre os ossos das ancas. Yoshima esticou a pele por cima da zona púbica e introduziu a agulha na veia femoral. Puxou o êmbolo e o sangue, tão escuro que parecia preto, começou a encher a seringa.

Não olhou quando Maura entrou na sala, continuou atento ao que estava a fazer. Maura observou em silêncio, enquanto ele retirava a agulha e transferia o sangue para vários tubos de ensaio, trabalhando com a calma eficiência de alguém que já lidara com inúmeros tubos com sangue de inúmeros cadáveres. *Se eu sou a rainha dos mortos,* pensou, *Yoshima é, sem dúvida, o rei. Despe-os, pesa-os, procura veias no púbis e no pescoço, deposita os órgãos em frascos com formol. E, quando a autópsia acaba, quando eu acabo de cortar, é ele que pega em agulha e linha e cose as incisões.*

Yoshima retirou a agulha e deitou no lixo contaminado a seringa utilizada. Depois, ficou parado a olhar para a mulher cujo sangue tinha acabado de recolher.

— Chegou esta manhã — disse. — O namorado encontrou-a morta no sofá quando acordou.

Maura reparou nas marcas de agulha nos braços do ca dáver.

— Que desperdício.

— É sempre.

— Quem vai fazer esta?

— O doutor Costas. Hoje, o doutor Bristol está no tri bunal. — Empurrou um tabuleiro para a mesa e começo a dispor os instrumentos. No silêncio estranho que se se guiu, o bater do metal ouvia-se tão nitidamente que quas feria. A conversa fora profissional, como de costume, ma nesse dia, Yoshima não olhara para Maura. Parecia evita -lhe os olhos, tentando não olhar sequer de soslaio na su direção. Evitando, também, não mencionar nada do que s passara na noite anterior no parque de estacionamente Mas o assunto estava presente e pairava entre ambos, im possível de ignorar.

— Sei que a detetive Rizzoli lhe telefonou ontem à no te para casa — disse ela.

Ele parou, de perfil para ela, com as mãos imóveis n tabuleiro.

— Yoshima — continuou —, lamento se, de algu modo, ela sugeriu...

— Doutora Isles, sabe há quanto tempo trabalho no In. tituto de Medicina Legal? — perguntou, interrompendo-a.

— Sei que está cá há mais tempo do que qualquer u de nós.

— Dezoito anos. O doutor Tierney contratou-m quando saí da tropa, em cuja morgue prestei serviço. F difícil, sabe, trabalhar em tanta gente jovem. Na maior pa te dos casos, tratava-se de acidentes ou suicídios, mas sã

278

coisas que é natural acontecerem nessas circunstâncias. Rapazes novos, correm riscos. Metem-se em brigas, conduzem demasiado depressa. Ou as mulheres deixam-nos, e eles pegam na arma e matam-se. Eu pensava: *Pelo menos, posso fazer alguma coisa por eles, posso tratá-los com o respeito devido a um soldado.* E alguns eram ainda uns garotos, mal tinham barba. Era a parte mais perturbadora, serem demasiado jovens, mas consegui ultrapassar essa questão. Tal como aqui, porque é o meu trabalho. Não me lembro de quando foi a última vez em que faltei por estar doente. — Fez uma pausa. — Mas, hoje, pensei em não vir.

— Porquê?

Ele voltou-se e fitou-a.

— Imagina o que é ser suspeito depois de ter passado dezoito anos a trabalhar aqui?

— Lamento que ela o tenha feito sentir assim. Sei que ela consegue ser muito brusca...

— Não, na verdade, não foi. Foi muito delicada, muito simpática. Foi o *conteúdo* das perguntas que me fez compreender o que se estava a passar. *Como se sente a trabalhar com a doutora Isles? Dão-se bem?* — Yoshima riu-se. — Ora bem, porque acha que ela me perguntou estas coisas?

— Estava a fazer o trabalho dela, só isso. Não era uma acusação.

— Soou como se fosse. — Dirigiu-se para o balcão e começou a alinhar frascos de formol para amostras de tecido. — Trabalhamos juntos já quase há três anos, doutora Isles.

— É verdade.

— Nunca houve nenhuma situação, pelo menos que me lembre, em que tenha ficado desagradada com o meu trabalho.

— Nunca. Não há ninguém com quem eu goste tanto de trabalhar como consigo.

Ele voltou-se e olhou-a de frente. Sob as impiedosas luzes fluorescentes, reparou na quantidade de cinzento que lhe manchava o negro do cabelo. Uma vez, pensara que Yoshima estava na casa dos trinta. Com aquele ar calmo, sem rugas, elegante, parecia que não tinha idade. Naquele momento, ao ver-lhe as linhas de preocupação em redor dos olhos, reconheceu-o como aquilo que era: um homem a entrar tranquilamente na meia-idade. *Como eu.*

— Em nenhum momento me passou sequer pela cabeça que você pudesse ser...

— Mas agora *tem* mesmo de pensar assim, certo? Uma vez que a detetive Rizzoli levantou a dúvida, tem de considerar a possibilidade de ter sido eu a vandalizar o seu carro. De ser eu o seu perseguidor.

— De modo algum, Yoshima. Recuso-me a pensar assim.

Olhou-a nos olhos.

— Nesse caso, não está a ser honesta, nem consigo nem comigo. Não é possível não pensar nisso. E, desde que exista, nem que seja uma réstia de dúvida, nunca vai estar à vontade comigo. Eu sei-o e a doutora também o sabe — Tirou as luvas, voltou-se e começou a escrever o nome da morta em etiquetas. Maura notava-lhe a tensão nos ombros e nos músculos rígidos do pescoço dele.

— Vamos ultrapassar isto — disse ela.

— Talvez.

— Não é talvez. É de certeza. Temos de trabalhar juntos.

— Bem, acho que depende de si.

Observou-o por momentos, pensando em como havia de recuperar a relação amistosa que tinha havido entre os dois. Pensou que, afinal, não fora assim tão amistosa. *Presumi que fosse, mas, durante este tempo todo, escondeu-me as suas emoções, assim como eu escondo as minhas. Que rico par, o duo com cara de jogadores de póquer. Todas as semanas, chegam tragédias à nossa mesa de autópsias, mas eu nunca o vi chorar, nem ele a mim. Tratamos do negócio da morte como dois trabalhadores no interior de uma fábrica.*

Yoshima acabou de pôr as etiquetas nos frascos, voltou-se e verificou que Maura continuava atrás de si.

— Precisa de alguma coisa, doutora Isles? — perguntou, não se notando nem na voz nem na expressão sinais do que acabara de passar-se entre ambos. Era este o Yoshima que ela sempre conhecera, de uma eficiência tranquila e sempre pronto a oferecer os seus préstimos.

Respondeu em consonância. Retirou as radiografias do sobrescrito que trouxera para a sala e colocou-as no negatoscópio.

— Espero que se lembre deste caso — disse, ligando o interruptor. — Já tem cinco anos. Passou-se em Fitchburg.

— Como se chamava?

— Nikki Wells.

Franziu as sobrancelhas ao ver a radiografia. Deu imediata atenção aos ossos fetais que se encontravam na pélvis materna.

— Esta é a grávida que foi morta juntamente com a irmã?

281

— Lembra-se, então.

— Queimaram ambos os corpos?

— Exatamente.

— Lembro-me. Foi um caso do doutor Hobart.

— Não conheci o doutor Hobart.

— Nem podia. Saiu dois anos antes de a doutora s
juntar a nós.

— Onde é que ele agora trabalha? Gostava de fal
com ele.

— Seria difícil. Morreu.

Ficou estupefacta.

— Quê?

Yoshima abanou a cabeça com tristeza.

— Foi muito difícil para o doutor Tierney. Sentiu-
responsável, embora não tivesse alternativa.

— Que aconteceu?

— Houve alguns... problemas com o doutor Hobar
Primeiro, perdeu umas transparências. Depois, trocou u
órgãos e a família descobriu. Levantaram um processo a
laboratório. Foi uma enorme confusão, muita publicidad
negativa, mas o doutor Tierney manteve-se sempre a seu l
do. Mais tarde, desapareceram drogas de uma mala de ar
gos pessoais e o doutor Tierney não teve alternativa. Ped
ao doutor Hobart que se demitisse.

— E que aconteceu depois?

— O doutor Hobart foi para casa e engoliu uma mã
-cheia de *Oxycontin*. Encontraram-no três dias depois. -
Yoshima fez uma pausa. — A autópsia que ninguém daq
queria fazer.

— Houve dúvidas sobre a competência dele?

— É possível que tenha cometido alguns erros.

— Graves?

— Onde quer chegar?

— Gostaria de saber se ele não se apercebeu disto. — Apontou para a radiografia. Para o fragmento brilhante cravado no osso púbico. — O relatório não refere esta opacidade metálica.

— Existem outras sombras metálicas na radiografia — fez notar Yoshima. — Aqui, o colchete de um sutiã. E isto aqui parece uma mola.

— É verdade, mas veja agora de lado. Este pedaço de metal está *dentro* do osso. Não por cima dele. O doutor Hobart disse-lhe alguma coisa sobre isto?

— Que me lembre, não. Não está no relatório?

— Não.

— Então, não lhe deve ter dado importância.

Isso quer dizer que não foi apresentado no julgamento de Amalthea, pensou Maura. Yoshima voltou às suas tarefas, arrumando bacias e baldes e prendendo folhas ao suporte de papel. Embora ali, a alguns passos, se encontrasse o cadáver de uma jovem, a atenção de Maura não se fixava nele, mas na radiografia de Nikki Wells e do feto, cujos ossos o fogo fundira com os da mãe numa massa carbonizada.

Porque é que os queimaste? Com que finalidade? Será que Amalthea sentiu prazer ao ver as chamas a consumirem-nos? Ou esperava que essas chamas destruíssem algo mais, um indício de si mesma que não queria que fosse encontrado?

A sua atenção desviou-se da caixa craniana do feto para o fragmento brilhante embutido na púbis de Nikki. Um pedaço tão fino como...

283

A lâmina de uma faca. Um fragmento de uma faca quebrada.

Mas Nikki tinha morrido de uma pancada na cabeça. Porquê usar uma faca numa vítima cuja cara fora já esmagada com um pé de cabra? Ficou a olhar para a lasca de metal e, de repente, percebeu o seu significado — um significado que lhe causou um arrepio pela espinha acima.

Atravessou a sala, pegou no telefone e premiu o botão do intercomunicador.

— Louise?

— Sim, doutora Isles?

— Pode ligar ao doutor Daljeet Singh? É do Instituto de Medicina Legal de Augusta, no Maine.

— Não desligue.

E, um momento depois:

— O doutor Singh está em linha.

— Daljeet? — perguntou Maura.

— Não, não me esqueci do jantar que lhe devo — respondeu ele.

— Eu é que fico a dever-lhe um jantar se me responder a esta pergunta.

— Que quer saber?

— Aquelas ossadas que encontrámos em Fox Harbor. Já as identificou?

— Não. Ainda pode levar algum tempo. Não há nenhum registo sobre pessoas desaparecidas nem em Waldo nem no distrito de Hancock que correspondam a estes restos. Ou estes ossos são muito antigos, ou as pessoas não eram desta zona.

— Já fez uma pesquisa no CNIC? — quis saber. O Centro Nacional de Informação Criminal, administrado pelo FBI, mantinha uma base de dados sobre casos de pessoas desaparecidas de todo o país.

284

— Já, mas como não consigo limitá-la a uma década m particular, recebo páginas e páginas de nomes. Tudo que existe na área de New England.

— Talvez consiga ajudá-lo a limitar os seus parâmetros e pesquisa.

— Como?

— Peça só os casos das pessoas desaparecidas entre mil ovecentos e cinquenta e cinco e mil novecentos e sessenta cinco.

— Posso perguntar como chegou a essa década em es- ecial?

Porque foi quando a minha mãe vivia em Fox Harbor, pensou la. *A minha mãe, que matou outras.*

Mas disse apenas:

— Palpite de profissional.

— Que misteriosa!

— Explico-lhe tudo quando nos encontrarmos.

Desta vez, Rizzoli permitiu que Maura conduzisse, mas ó porque iam no *Lexus* da segunda; dirigiam-se para norte, o sentido do Maine Turnpike. Durante a noite, surgira ma tempestade vinda de oeste e Maura acordara com barulho da chuva a rufar no telhado. Fizera café, lera jornal, tudo o que fazia numa manhã típica. Como é rápi- o restabelecer a rotina, mesmo quando se tem medo! Na oite anterior, não ficara no motel, regressara a casa. Tran- ara as portas e deixara acesa a luz da entrada, uma triste efesa contra as ameaças da noite. Contudo, dormira, ape- ar da violência da tempestade, e acordara sentindo que oltara a controlar a sua vida. *Já chega de medo,* pensou. *Não olto a permitir que me forcem a sair da minha casa.*

Agora, que Rizzoli e ela se dirigiam para o Maine, onde se agigantavam nuvens ainda mais negras, estava pront a ripostar, pronta a dar luta. *Quem quer que sejas, vou persegui -te e encontrar-te. Também sei caçar.*

Eram duas da tarde quando chegaram ao edifício d medicina legal do Maine, em Augusta. O doutor Daljee Singh encontrou-se com elas na receção e acompanhou-a ao andar de baixo, ao laboratório de autópsias, onde a duas caixas que continham os ossos esperavam em cima d um balcão.

— Isto não tem sido uma das minhas prioridades — admitiu ele, abrindo uma folha de plástico, que pousou de licadamente na mesa de aço como se fosse seda de para -quedas. — Provavelmente estão enterrados há décadas uns dias a mais não farão diferença.

— Conseguiu resultados com a nova pesquisa n CNIC? — perguntou Maura.

— Esta manhã. Imprimi a lista de nomes. Está ali na quela mesa.

— Radiografias aos dentes?

— Fiz o *download* dos processos que me enviaram por -mail, mas ainda não tive oportunidade de os analisar. Ach melhor esperar que chegassem. — Abriu a primeira caix de cartão e começou a tirar ossos, colocando-os com del cadeza sobre a folha de plástico. Tirou uma caveira, cor o crânio amolgado. Uma pélvis suja de terra, alguns fému res e uma coluna vertebral em pedaços. Um monte de cos telas, que se entrechocavam com o som de um espanta-es píritos de bambu. O resto era silêncio no laboratório d

Daljeet, tão sóbrio e brilhante quanto a sala de autópsias de Maura em Boston. Os bons patologistas são por natureza perfeccionistas e ele mostrava agora essa faceta da sua personalidade. Parecia dançar à volta da mesa, movendo-se com uma graça quase feminina enquanto colocava os ossos na sua posição anatómica.

— Este qual é? — quis saber Rizzoli.

— Este é o homem — respondeu ele. — O comprimento do fémur indica que mediria entre um metro e setenta e um metro e oitenta. Fratura do osso temporal direito causada, obviamente, por uma pancada. Existe também uma fratura de Colles já antiga, bem solidificada. — Olhou para Rizzoli, que se mostrava perplexa. — É um pulso partido.

— Porque é que vocês, os médicos, fazem isso?

— Quê?

— Dar um nome esquisito. Porque não lhe chamam apenas um pulso partido?

— Há perguntas para as quais não há respostas fáceis, detetive Rizzoli — replicou Daljeet, sorrindo.

Rizzoli olhou para as ossadas.

— Que mais sabemos dele?

— Não existem alterações da coluna causadas por osteoporose ou artrite. Trata-se de um indivíduo do sexo masculino, jovem, adulto, de raça branca. Alguns dentes tratados: obturações de amálgama de prata no décimo oitavo e no décimo nono.

Rizzoli apontou para o osso temporal desfeito.

— Foi isto a causa da morte?

— Podemos dizer, de facto, que pode ter sido o golpe mortal. — Voltou-se e olhou para a segunda caixa. — Agora, a mulher. Foi encontrada a cerca de dezoito metros.

Na segunda mesa de autópsias, tornou a estender um
folha de plástico. Ele e Maura colocaram as ossadas nas de
vidas posições anatómicas com o ritmo acelerado de do
empregados a arranjarem uma mesa para um jantar. Os o
sos entrechocavam-se em cima da mesa. A pélvis cheia o
terra. Uma outra caveira, mais pequena, cujas arcadas su
praciliares eram mais delicadas do que as de um homem
Ossos de pernas e de braços, o externo. Um amontoado o
costelas e dois sacos de papel com tarsos e carpos soltos.

— Aqui está a nossa desconhecida — disse Daljeet, ve
rificando o arranjo final. — Não vos consigo dizer qu
a causa da morte, porque não há nada que ajude. Parece se
jovem, entre os vinte e os vinte e cinco anos, raça branc
Cerca de um metro e sessenta, sem fraturas antigas. Bo
dentição. Uma pequena falha no canino e uma coroa d
ouro no número quatro.

Maura deu uma olhadela ao negatoscópio, onde esta
vam expostas duas radiografias.

— São as radiografias dos dentes?

— A do homem à esquerda, a da mulher à direita. —
Daljeet foi lavar as mãos e arrancou uma toalha de pape
— Pois aí têm os vossos desconhecidos.

Rizzoli pegou na folha impressa com os nomes qu
o CNIC enviara por *e-mail* a Daljeet nessa manhã.

— Credo! Há dezenas de nomes. Tanta gente desapare
cida!

— E isso só na zona da Nova Inglaterra. Indivíduos d
raça branca entre os vinte e os quarenta e cinco anos.

— Todas estas informações reportam aos anos cir
quenta e sessenta.

— Foram os anos que Maura pediu. — Daljeet dirigiu
-se ao computador. — Ora bem, vamos dar uma vista d

olhos a algumas das radiografias enviadas. — Abriu o fi-
cheiro que o CNIC lhe mandara. Apareceu uma fila de íco-
nes, cada um com o número de um caso. Carregou no primeiro ícone e no ecrã apareceu uma radiografia. Uma linha
de dentes tortos, quais dominós brancos a desmoronarem-se.

—Bem, não é nenhum dos nossos — disse ele. —Re-
parem nos dentes deste. O verdadeiro pesadelo de um dentista.

— Ou a mina de ouro de um dentista — emendou Rizzoli.

Daljeet fechou a imagem e abriu a seguinte. Outra radiografia, esta com um espaço entre os incisivos.

— Não me parece — comentou.

Maura desviou a atenção para a mesa. Para os ossos da
desconhecida. Observou a caveira com a sua graciosa linha
das sobrancelhas e o delicado arco zigomático. Um rosto
de proporções delicadas.

— Olá! Acho que reconheço estes dentes.

Maura voltou-se para o ecrã. Viu uma radiografia de
molares inferiores e o brilho de obturações.

Daljeet levantou-se da cadeira e dirigiu-se à mesa onde
estava o esqueleto do homem. Pegou na mandíbula e levou-a até ao computador para poder comparar.

— Obturação nos números dezoito e dezanove — observou. — Sim. Sim, corresponde.

— Que nome está nessa radiografia? — perguntou Rizzoli.

— Robert Sadler.

— Sadler... Sadler... — Rizzoli folheou as páginas impressas. — Pronto, encontrei a informação. Sadler, Robert.

Indivíduo do sexo masculino, de raça branca, vinte e nov
anos. Um metro e cinquenta e seis, cabelo e olhos casta
nhos. — Olhou para Daljeet, que acenou afirmativamente.

— É compatível com o nosso esqueleto.

Rizzoli continuou a ler.

— Era construtor civil. Foi visto pela última vez na su
cidade natal, Kennebunkport, no Maine. Foi dado como
desaparecido a três de julho de 1960, juntamente com a..
— Calou-se. Voltou-se para olhar para a mesa onde os os
sos da mulher estavam colocados. — Juntamente com
a mulher.

— Como se chamava ela? — perguntou Maura.

— Karen. Karen Sadler. Tenho aqui o número do pro
cesso.

— Dê-mo — pediu Daljeet, voltando-se para o compu
tador. — Deixem-me ver se as radiografias dela estão aqui
— Maura pôs-se atrás de Daljeet, olhando por cima do
ombro do médico enquanto ele carregava no ícone certo
e uma imagem aparecia no ecrã. Era de uma radiografia que
Karen tinha tirado em vida, sentada na cadeira do dentista
Talvez ansiosa com a probabilidade de ter uma cárie e a
inevitável perfuração com a broca. Nunca poderia imaginar,
ao segurar na aba de cartão para manter a película na posi
ção certa, que essa mesma imagem que o dentista capturara
naquele dia seria exposta anos mais tarde no ecrã do com
putador de um patologista.

Maura reparou numa fila de molares e no brilho metáli
co de uma coroa. Voltou ao negatoscópio, onde Daljeet
pendurara a radiografia panorâmica que tirara aos dentes da
desconhecida. Calmamente, afirmou:

— É ela. Estes ossos pertencem a Karen Sadler.

— Então temos uma dupla identificação. Marido e mulher.

Atrás deles, Rizzoli folheava as folhas impressas, procurando o relatório do desaparecimento de Karen Sadler.

— Ótimo, aqui está. Indivíduo do sexo feminino, raça branca, vinte e cinco anos. Cabelos louros e olhos azuis... — Parou repentinamente. — Há aqui qualquer coisa que não bate certo. É melhor verificarem de novo essas radiografias.

— Porquê? — quis saber Maura.

— Verifiquem-nas de novo.

Maura estudou o negatoscópio e depois voltou-se para o computador.

— Correspondem, Jane. Onde está o problema?

— Escapou-vos outro conjunto de ossos.

— Ossos de quem?

— De um feto. — Rizzoli olhou para ela com uma expressão perplexa. — Karen estava grávida de oito meses.

Fez-se um longo silêncio.

— Não encontrámos outras ossadas — informou Daljeet.

— Pode ter-vos escapado — disse Rizzoli.

— Peneirámos o solo e escavámos exaustivamente o local da sepultura.

— Podem ter sido arrastados por predadores.

— É possível. Mas esta *é* Karen Sadler.

Maura aproximou-se da mesa e fitou a pélvis da mulher, pensando nos ossos de outra mulher iluminados pelo negatoscópio. *Nikki Wells também estava grávida.*

Voltou a lente de aumento para a mesa e ligou a luz. Focou a lente sobre o triângulo púbico. Terra avermelhada formara uma crosta sobre a sínfise, onde se juntam os doi ramos, unidos por cartilagem coriácea.

— Daljeet, é capaz de me dar uma compressa ou uma gaze humedecida? Qualquer coisa para retirar esta terra.

O patologista encheu uma bacia de água e abriu uma embalagem de compressas. Colocou-as no tabuleiro ao lado dela.

— De que está à procura?

Maura não respondeu. Estava concentrada a remover a camada de sujidade para pôr à vista o que estava por baixo. À medida que a crosta ia desaparecendo, mais rápido se tornava o seu pulso. A última partícula de terra caiu de repente. Maura olhava fixamente o que a lente de aumento revelara. Endireitou-se e olhou para Daljeet.

— Que é? — perguntou ele.

— Dê uma olhadela. É mesmo na borda, onde os ossos se articulam.

Daljeet inclinou-se para olhar pela lente.

— Refere-se àquele pequeno corte? Está a falar disso?

— Exatamente.

— Quase que nem se dá conta.

— Mas está lá. — Maura inspirou profundamente. — Trouxe uma radiografia. Deixei-a no carro. Acho que a devia ver.

A chuva batia no guarda-chuva enquanto ela se dirigia ao parque de estacionamento. Ao carregar no botão do comando para abrir o carro, não pôde deixar de reparar nos riscos na porta do lado do passageiro. Marcas de uma garra, que tinham por objetivo assustarem-na. *Só me enfureceram. Estou pronta a ripostar.* Retirou o sobrescrito do banco traseiro e protegeu-o por baixo do casaco ao levá-lo para dentro do edifício.

Daljeet parecia espantado ao vê-la colocar a radiografia de Nikki no negatoscópio.

— Que caso é que me vai mostrar?

— Um homicídio de há cinco anos, que aconteceu em Fitchburg, no Massachusetts. O crânio da vítima foi esmagado e posteriormente o corpo foi queimado.

Daljeet carregou o sobrolho ao olhar para a radiografia.

— Uma grávida. O feto parece estar no final da gestação.

— Mas o que me chamou a atenção foi isto. — Maura apontou para o fragmento brilhante cravado na sínfise púbica de Nikki. — Acho que é a ponta partida da lâmina de uma faca.

— Mas Nikki Wells foi morta com um pé de cabra — disse Rizzoli. — Esmagaram-lhe o crânio.

— É verdade — concordou Maura.

— Então, porque usaria também uma faca?

Maura apontou para a radiografia. Os ossos do feto aninhavam-se sobre a pélvis de Nikki Wells.

— Aqui está a razão. O que o assassino queria realmente era isto.

Por momentos, Daljeet nada disse. Mas Maura sabia que, apesar de não pronunciar uma palavra, ele percebia onde ela queria chegar. O patologista foi mais uma vez verificar as ossadas de Karen Sadler. Pegou na pélvis.

— Uma incisão ao meio e a todo o comprimento do abdómen — verificou. — A lâmina embateria no osso, exatamente onde está este corte...

Maura pensou na faca de Amalthea a retalhar o abdómen de uma jovem com um golpe tão decidido que a lâmina só se detém quando encontra osso. Pensou em si própria, na sua profissão, onde as facas têm um papel tão

293

importante, e nos dias que tinha passado no laboratório de autópsias, retalhando pele e órgãos. *Ambas cortamos, tanto a minha mãe, como eu. Mas, enquanto eu corto carne morta, ela corta os vivos.*

— Foi por isso que você não encontrou ossos de feto na sepultura de Karen Sadler — explicou Maura.

— Mas o seu outro caso... — Apontou para a radiografia de Nikki Wells. — Aquele feto não foi retirado. Foi queimado com a mãe. Porquê fazer uma incisão e depois matá-lo na mesma?

— Porque o bebé de Nikki tinha um defeito congénito. Um cordão amniótico.

— Que é isso? — perguntou Rizzoli.

— É um fio membranoso que por vezes se estende no interior da bolsa do âmnio — explicou Maura. — Se se enrolar à volta de um membro do feto, pode cortar a circulação e até amputar o membro. A malformação foi diagnosticada no segundo trimestre da gravidez. — Apontou para a radiografia. — Pode ver que falta ao feto a perna direita, abaixo do joelho.

— Não é uma malformação fatal?

— Não. Teria sobrevivido. Mas a assassina ter-se-á logo dado conta da deformação. Terá reparado que não era um bebé perfeito. Acho que foi por isso que ela não o levou. — Maura voltou-se e olhou para Rizzoli. Não podia ignorar a gravidez da detetive. O ventre dilatado, o rubor das faces, causado pelo estrogénio. — Queria um bebé perfeito.

— Mas o bebé de Karen também não era perfeito — observou Rizzoli. — Estava grávida de oito meses apenas e os pulmões da criança ainda não estariam completamente formados, certo? Precisaria de uma incubadora para sobre-viver.

Maura olhou para os ossos de Karen Sadler. Lembrou-se do local onde tinham sido recolhidos. Lembrou-se também dos ossos do marido, enterrados a cerca de dezoito metros. Mas não na mesma sepultura — noutro lugar. Porquê cavar dois buracos diferentes? Porque não enterrar juntos marido e mulher?

De repente, sentiu a boca seca. A resposta deixou-a abismada.

Não tinham sido enterrados ao mesmo tempo.

CAPÍTULO
21

A casa agachava-se sob os ramos de árvores pesados com a água da chuva, como se receasse o seu contacto. Quando Maura a vira uma semana antes, tinha-a achado apenas deprimente; parecera-lhe um caixote pequeno e escuro, a ser lentamente estrangulado pela mata envolvente. Agora, ao observá-la do carro, as janelas pareciam devolver-lhe o olhar, com um ar malévolo.

— Foi nesta casa que Amalthea cresceu — comentou Maura. — Anna não deve ter tido grande dificuldade em conseguir esta informação. A única coisa que teve de fazer foi consultar os registos da escola secundária onde Amalthea andou. Ou procurar numa lista telefónica antiga o nome Lank. — Olhou para Rizzoli. — A senhoria, a menina Clausen, disse-me que Anna quis arrendar, especificamente, esta casa.

— Significa que Anna devia saber que Amalthea viveu outrora aqui.

E, como eu, estava ansiosa por saber mais acerca da nossa mãe, pensou Maura. *Por compreender a mulher que nos deu à luz, para, em seguida, nos abandonar.*

A chuva caía com intensidade no tejadilho do carro e escorria numa cortina prateada pelo para-brisas.

Rizzoli fechou o impermeável e pôs o capuz na cabeça.

— Bom, vamos lá entrar e dar uma vista de olhos.

Correram debaixo de chuva e subiram apressadamente as escadas da entrada. Sacudiram a chuva das gabardinas. Maura tirou a chave que tinha ido buscar ao escritório de Miss Clausen e meteu-a na fechadura. A princípio, não rodava, como se a casa estivesse a dar luta, determinada a não a deixar entrar. Quando finalmente conseguiu abri-la, fez um ruído de aviso, resistindo até ao fim.

No interior era ainda mais sombria e claustrofóbica do que Maura se lembrava. O ar cheirava a mofo, como se a humidade exterior tivesse passado das paredes para as cortinas e para a mobília. A luz que entrava pela janela espalhava na saleta lúgubres sombras cinzentas. *Esta casa não nos quer aqui,* pensou ela. *Não quer que descubramos os seus segredos.*

Tocou no braço de Rizzoli.

— Veja — disse, apontando para as duas fechaduras e as correntes de bronze.

— Fechaduras novas em folha.

— Anna mandou instalá-las. Faz-nos pensar, não é verdade? Em quem queria ela impedir de entrar.

— Se é que não era Charles Cassell. — Rizzoli foi até à janela da sala e olhou para fora, para uma cortina de folhas a pingar chuva. — Este lugar é mesmo isolado. Nem um único vizinho. Só árvores. Também eu gostaria de mais umas quantas fechaduras. — Riu-se, pouco à vontade. — Sabe, nunca gostei disto, do campo. Uma vez, na secundária, fomos acampar em grupo. Fomos de carro até New Hampshire e estendemos os sacos de dormir à volta da fogueira. Não dormi nada. Só pensava: «Como é que eu sei o que está no bosque a observar-me? Em cima das árvores, ou escondido no mato.»

— Venha daí. Quero mostrar-lhe o resto da casa. — Dirigiu-se à cozinha e ligou o interruptor. Luzes fluorescentes piscaram com um zumbido agourento. À luz crua viam-se com nitidez todas as rachas, todos os remendos no linóleo já velho. Olhou para o padrão em xadrez preto e branco, amarelado pelo uso, e pensou em todo o leite derramado, em toda a lama trazida do exterior durante anos e que tinham deixado indícios microscópicos no chão. Que mais teria penetrado naquelas rachas, naquelas fendas? Que acontecimentos medonhos teriam deixado as suas marcas?

— Estas aqui também são fechaduras novas — comentou Rizzoli, junto da porta das traseiras.

Maura dirigiu-se para a porta da cave.

— O que eu queria que você visse era isto.

— Outro ferrolho?

— Mas vê como está baço? Já não é novo. Este ferrolho está aqui há muito tempo. A menina Clausen disse-me que já cá estava quando ela adquiriu a propriedade em leilão, há vinte e oito anos. E agora a parte estranha.

— Qual é?

— O único sítio para onde esta porta dá é a cave. — Olhou para Rizzoli. — É um beco sem saída.

— Porque precisaria alguém de fechar à chave esta porta?

— É o que pergunto a mim mesma.

Rizzoli abriu a porta e o cheiro a terra húmida subiu da escuridão.

— Cruzes! Odeio descer a caves.

— Há uma corrente para acender a luz mesmo por cima da sua cabeça.

Rizzoli levantou o braço e deu um puxão à corrente. A lâmpada acendeu-se com uma luz débil, deixando entrever uma escada estreita. Em baixo, só sombras.

— Tem a certeza de que não há outra entrada para esta cave? — perguntou, perscrutando as trevas. — Um alçapão para meter o carvão ou algo do género?

— Percorri o exterior da casa de uma ponta à outra. Não vi nada que se parecesse com uma entrada para a cave.

— Já esteve lá em baixo?

— Não vi razão para lá ir. — *Até hoje.*

— Está bem. — Rizzoli tirou do bolso uma lanterna pequena e respirou fundo. — Acho que devíamos dar uma vista de olhos.

A lâmpada dançou por cima delas, balouçando sombras para trás e para diante, à medida que elas desciam as escadas que rangiam a cada passo. Rizzoli descia lentamente, como que a testar a segurança das escadas antes de lhes pôr o seu peso em cima. Maura jamais vira Rizzoli tão hesitante, tão cautelosa, e sentiu-se contagiada por aquela apreensão. Quando chegaram ao fim das escadas, a porta para a cozinha dava a sensação de estar muito longe, numa outra dimensão.

A lâmpada que havia ao fundo das escadas estava fundida. Rizzoli varreu com a luz da lanterna o chão de terra batida, húmido da água da chuva que se infiltrava. A luz mostrou uma pilha de latas de tinta e um tapete enrolado, cheio de bolor, encostado a uma parede. A um canto, uma grade com gravetos para a lareira da sala. Não havia nada fora do normal, nada que justificasse a sensação de ameaça que Maura sentira antes de descer as escadas.

— Bem, tem razão. De facto, parece não existir outra saída.

— Só a porta lá em cima, que dá para a cozinha.

— Quer isso dizer que o ferrolho não faz sentido A não ser... — O feixe de luz da lanterna de Rizzoli deteve-se na parede do fundo.

— Que é isso?

Rizzoli atravessou a cave e ficou a olhar.

— Porque estará isto aqui? Que uso daria alguém a isto?

Maura aproximou-se. Sentiu um arrepio pelas costas acima quando viu o que a luz da lanterna de Rizzoli iluminava. Era um aro de ferro, cravado numa das pedras da cave. «Que uso daria alguém a isto?», perguntara Rizzoli. A resposta obrigou Maura a recuar, repelida pelas visões suscitadas.

Isto não é uma cave. É uma masmorra.

A lanterna de Rizzoli deslocou-se de repente para cima.

— Está alguém dentro de casa — cochichou.

Sobrepondo-se ao bater do seu coração, Maura ouviu o soalho ranger no andar de cima. Ouviu passadas fortes moverem-se de um lado para o outro. A dirigirem-se à cozinha. Subitamente, uma silhueta delineou-se na ombreira e o feixe de luz de uma lanterna cegou Maura, que teve de voltar-se.

— Doutora Isles? — A voz era de homem.

Maura piscou os olhos devido à luz.

— Não consigo vê-lo.

— Detetive Yates. A polícia técnica também acabou de chegar. Quer mostrar-nos a casa antes de começarmos?

Maura suspirou de alívio.

— Vamos já para cima.

Quando Maura e Rizzoli saíram da cave, viram quatro homens de pé na cozinha. Maura conhecera os detetives Corso e Yates, do estado do Maine, na semana anterior, na clareira do bosque. Dois elementos da polícia técnica, que se apresentaram simplesmente como Pete e Gary, aproximaram-se e trocaram apertos de mão.

— Então, isto é uma espécie de caça ao tesouro? — perguntou Yates.

— Não posso garantir que se vá encontrar alguma coisa — replicou Maura.

Os técnicos da polícia investigavam a cozinha, esquadrinhando o chão.

— O linóleo está bastante gasto — comentou Pete. — A que época nos reportamos?

— Os Sadler desapareceram há quarenta e cinco anos. A suspeita ainda estaria a viver aqui, com um primo. Depois de se irem embora, a casa esteve vazia durante anos, até que foi vendida em leilão.

— Há quarenta e cinco anos? Este linóleo é bem capaz de ter esses anos todos.

— Sei que o tapete da sala é mais recente, tem à volta de vinte anos — informou Maura. — Teríamos de arrancar o linóleo para examinar o chão.

— Só experimentámos isto em coisas com quinze anos no máximo. Se conseguirmos, será um recorde. — Pete olhou pela janela. — Ainda temos umas duas horas de luz.

— Então, vamos começar pela cave — decidiu Maura. — Lá já está bastante escuro.

Foram todos ajudar a retirar equipamento da carrinha: câmaras de filmar fixas e de vídeo, tripés, caixas com material de proteção, *sprays,* água destilada, uma caixa frigorífica com frascos de químicos, cabos elétricos e lanternas. Trans portaram tudo pelas escadas estreitas que davam para a ca ve, que, de repente, ficou a abarrotar com seis pessoas mai o equipamento. Ainda não havia meia hora, Maura tinha-se sentido pouco à vontade naquele mesmo espaço lúgubre Agora, ao ver os homens a montar tripés e a desenrolar fio elétricos com indiferença, a sala perdeu o poder de a assus tar. *É só terra batida e pedra húmida,* pensou. *Não há fantasma cá em baixo.*

— Isto aqui... tenho dúvidas — disse Pete, e voltou a aba do boné da equipa de basebol dos Sea Dogs para a nuca. — O chão é de terra batida. Tem, de certeza, um teor de ferro elevado. Pode ficar todo iluminado. Vai ser difícil de interpretar.

— Estou mais interessada nas paredes — disse Maura — Manchas, padrões de salpicos. — Apontou o bloco de granito com o aro de ferro. — Vamos começar por aquela parede.

— Primeiro, precisamos de tirar uma foto panorâmica para servir de termo de comparação. Vou montar o tripé Detetive Corso, é capaz de colocar a régua ali na parede? É luminosa. Vai dar-nos uma dimensão de referência.

Maura olhou para Rizzoli.

— Deve ir para cima, Jane. Vão começar a misturar o luminol. Acho que não deve expor-se.

— Não sabia que era assim tão tóxico.

— De qualquer modo, não deve correr o risco. Com o bebé, não.

Rizzoli suspirou.

— Pronto, está bem. — Devagar, subiu as escadas. — Mas detesto perder um espetáculo de luz. — A porta da ca ve fechou-se atrás dela.

— A detetive não devia estar já de licença de parto? — perguntou Yates.

— Ainda lhe faltam seis semanas — respondeu Maura.

Um dos técnicos riu-se.

— Como aquela agente da polícia, a do filme, do *Fargo*. Como é que se consegue apanhar um bandido quando se está assim tão grávida?

Através da porta fechada da cave, Rizzoli gritou:

— Ei, posso estar muito grávida, mas não estou surda.

— E também está armada — gracejou Maura.

— Podemos começar? — perguntou o detetive Corso.

— Há máscaras e óculos de proteção naquela caixa — informou Pete. — Podem começar a distribuí-los.

Corso entregou uma máscara e um par de óculos a Maura. Esta colocou-os e observou Gary, que começara a medir os produtos químicos.

— Vamos usar uma preparação Weber — explicou. — É um pouco mais sensível e considero-a menos perigosa. Este material é bastante irritante para a pele e para os olhos.

— O que está a misturar são aqueles solutos inertes? — perguntou Maura numa voz abafada pela máscara.

— Sim, conservamo-los no frigorífico do laboratório e misturamos os três com água destilada no próprio local. — Pôs a tampa no frasco e agitou-o energicamente. — Há aqui alguém que use lentes de contacto?

— Uso eu — disse Yates.

— Então, detetive, talvez seja melhor sair. As lentes fazem aumentar a sensibilidade, mesmo com os óculos de proteção.

— Não, quero assistir.

— Então, afaste-se quando começarmos a pulverizar.
— Agitou o frasco mais uma vez e depois decantou o conteúdo para um pulverizador. — Bem, estamos prontos. Primeiro, vou tirar uma fotografia. Detetive, importa-se de se afastar da parede?

Corso afastou-se e Pete carregou no botão do obturador. O *flash* extinguiu-se quando a máquina fotográfica captou a imagem de referência da parede que iam pulverizar com luminol.

— Quer que apague as luzes? — perguntou Maura.

— Deixe que o Gary se ponha primeiro em posição. Quando apagarmos a luz, vamos andar aos tropeções. O melhor é cada um escolher um sítio e deixar-se lá ficar. Só o Gary é que se move.

Gary dirigiu-se à parede e apontou-lhe o pulverizador de luminol. De óculos e máscara, fazia lembrar um exterminador de infestações prestes a eliminar uma barata prevaricadora.

— Apague as luzes, doutora Isles.

Maura virou-se para o holofote junto de si e desligou-o, deixando a cave na mais densa escuridão.

— Avança, Gary.

Ouviu-se o pulverizador esguichar. Salpicos azul-esverdeados brilharam de súbito na escuridão, quais estrelas em céu noturno. Um círculo fantasmagórico surgiu, parecendo flutuar, solto, na escuridão. O aro de ferro.

— Pode não ser sangue — disse Pete. — O luminol reage com montes de coisas. Ferrugem, metais. Solutos com lixívia. O aro de ferro brilharia de qualquer modo, quer haja sangue nele quer não. Gary, podes afastar-te enquanto tiro a foto? São quarenta segundos de exposição, por isso, fica quieto. — Finalmente, ouviu-se o estalido do obturador. — Luz, doutora Isles — pediu Pete.

Maura procurou na escuridão o interruptor do holofote. Quando a luz se acendeu, fitava a parede de pedra.

— Que lhe parece? — perguntou Corso a Pete.

— Nada de especial — retorquiu Pete, encolhendo os ombros. — Vão aparecer-nos muitos falsos positivos. Há terra a manchar todas estas pedras. Vamos tentar nas outras paredes, mas, a não ser que surja a impressão de uma mão ou uma mancha grande, não vai ser fácil descobrir sangue neste plano.

Maura reparou que Corso olhara de soslaio para o relógio. Fora uma viagem longa para ambos os detetives do Maine, e Maura apercebeu-se de que ele começava a interrogar-se se tudo aquilo não seria uma perda de tempo.

— Vamos continuar — disse.

Pete moveu o tripé e posicionou a máquina fotográfica de modo a focar a outra parede. Fotografou-a com o *flash* e, depois, disse:

— Luzes.

A sala mergulhou de novo na mais profunda escuridão.

O pulverizador silvou. Como que por magia, surgiram mais salpicos azul-esverdeados, que piscavam, quais pirilampos, na escuridão à medida que o luminol reagia com os metais oxidados da pedra, produzindo pontos de luminescência. Gary traçou na parede outro arco com o pulverizador e uma nova faixa de estrelas surgiu, eclipsada pela sua silhueta quando passou à frente. Ouviu-se um encontrão e a silhueta inclinou-se repentinamente para a frente.

— Bolas!

— Tudo bem, Gary? — perguntou Yates.

— Bati com o queixo em qualquer coisa. Nas escadas, acho eu. Não consigo ver nada... — calou-se. — Rapaziada, vejam isto — murmurou seguidamente.

Ao afastar-se, uma mancha verde-azulada ficou à vista, como um aglomerado fantasmagórico de ectoplasma.

— Que raio é aquilo? — perguntou Corso.

— Luz! — pediu Pete.

Maura acendeu a luz. O aglomerado verde-azulado desapareceu. No seu lugar, Maura viu apenas as escadas de madeira que levavam à cozinha.

— Estava ali naquele degrau — disse Gary. — Quando tropecei, apanhou com algumas borrifadelas.

— Deixa-me reposicionar a máquina fotográfica. Depois, quero que subas as escadas até lá acima. Achas que consegues descer com as luzes apagadas?

— Não sei. Se for devagar...

— Pulveriza os degraus à medida que desces.

— Não. Não. Acho que vou começar de baixo para cima. Não me agrada a ideia de descer as escadas de costas e às escuras.

— Como te sentires melhor. — O *flash* da máquina fotográfica desapareceu. — Pronto, Gary. Já tenho a foto de comparação. Quando estiveres pronto.

— Certo. A luz, doutora.

Maura apagou a luz.

De novo, ouviram o silvo do pulverizador a deitar uma leve nuvem de luminol. Junto ao chão, apareceu uma mancha azul-esverdeada, e, mais acima, outra mancha, como charcos de água espetrais. Conseguiam ouvir a respiração pesada de Gary através da máscara e o ranger dos degraus à medida que subia de costas, pulverizando continuamente.

Os degraus acenderam-se um após outro, formando uma cascata intensamente luminosa.

Uma cascata de sangue.

Maura pensou que não podia ser outra coisa. Estava espalhado em todos os degraus, com pequenos salpicos dispersos por ambos os lados da escada.

— Meu Deus — murmurou Gary —, ainda está mais nítido aqui em cima, no primeiro degrau. Parece que veio da cozinha. Escorreu por baixo da porta e pingou pelas escadas abaixo.

— Fiquem todos onde estão. Vou fotografar. Quarenta e cinco segundos.

— Lá fora já deve estar bem escuro — comentou Corso. — Podemos passar ao resto da casa.

Rizzoli esperava por eles na cozinha, quando subiram, carregando o equipamento.

— Parece que foi um espetáculo de luzes — observou.

— Penso que ainda vamos ter mais — respondeu Maura.

— E agora, onde quer começar a pulverizar? — perguntou Pete a Corso.

— Aqui mesmo. No chão, junto à porta da cave.

Desta vez, Rizzoli não deixou a sala quando as luzes se apagaram. Recuou quando uma nuvem de luminol foi pulverizada pelo chão. Subitamente, um padrão geométrico brilhou junto dos pés deles, um xadrez azul-esverdeado de sangue antigo, colado ao linóleo. O tabuleiro de xadrez aumentou como fogo azul a alastrar pela paisagem. Agora, espalhava-se por uma superfície vertical, em largas pinceladas e manchas, em arcos de pingos brilhantes.

— Acenda a luz — disse Yates, e Corso ligou o interruptor.

As manchas desapareceram. Fitaram a parede da cozinha, que perdera o brilho azul. O linóleo gasto, com o seu padrão repetitivo de quadrados pretos e brancos. Nada de terrível, apenas uma sala com um chão amarelado e utensílios gastos. Porém, para onde tinham olhado havia apenas alguns instantes, havia manchas berrantes de sangue.

Maura olhou fixamente para a parede, com a lembrança do que vira ainda a inflamar-lhe a memória.

— São salpicos arteriais — disse brandamente. — Foi aqui que aconteceu. Foi aqui que elas morreram.

— Mas também havia sangue na cave — lembrou Rizzoli.

— Nos degraus.

— Exato. Portanto, sabemos que pelo menos uma das vítimas foi morta aqui, já que há sangue arterial espalhado por aquela parede. — Rizzoli deu uns passos na cozinha e quando se baixou para observar o chão os caracóis rebeldes cobriram-lhe os olhos. Parou. — Como podemos saber que não há outras vítimas? Como podemos saber que este sangue é dos Sadler?

— Não podemos.

Rizzoli dirigiu-se à cave e abriu a porta. Ficou ali um momento, olhando insistentemente para o fundo das escadas. Voltou-se e olhou para Maura.

— O chão da cave é de terra batida.

Por momentos, reinou silêncio.

A seguir, Gary informou:

— Temos um GPR na carrinha. Usámo-lo há dois dias, numa quinta em Machias.

— Traga-o cá para dentro — disse Rizzoli. — Vamos ver o que está por baixo da terra batida.

O GPR, o radar de penetração do solo, utiliza ondas eletromagnéticas para sondar sob a superfície do solo. O sistema de interface de radar que os técnicos descarregaram da carrinha era um aparelho com duas antenas, uma que enviava para o solo um impulso de energia eletromagnética de alta frequência e outra que media as ondas do eco devolvidas pelas características do subsolo. Os dados eram apresentados no ecrã de um computador, que mostrava os vários estratos como uma série de camadas horizontais. Enquanto os técnicos levavam para baixo o equipamento, Yates e Corso marcavam intervalos de um metro no chão da cave para formar uma grelha de busca.

— Com esta chuva toda — disse Pete, desenrolando cabos elétricos —, o chão vai estar bastante húmido.

— Faz alguma diferença? — perguntou Maura.

— A resposta do GPR varia de acordo com o teor de água do subsolo. Tem de se ajustar a frequência eletromagnética a essa situação.

— Duzentos megahertz? — perguntou Gary.

— Era por onde eu começaria. Não se pode aumentar mais, ou só apanhamos pormenores. — Pete ligou os cabos à consola portátil e ligou o computador. — Isto vai ser difícil, com toda esta mata à nossa volta.

— O que têm as árvores a ver com isto? — quis saber Rizzoli.

— Esta casa está construída numa parcela de mato. Deve haver cavidades por baixo, deixadas por raízes em decomposição, o que tornará as imagens mais confusas.

— Ajudem-me a pôr a consola às costas — pediu Gary.

— Que tal? É preciso ajustar as alças?

— Não, estão bem. — Gary respirou fundo e olhou à volta da cave. — Vou começar naquela ponta.

À medida que Gary movia o GPR pelo chão de terra, o perfil do subsolo surgia em faixas ondulantes no ecrã do computador portátil. A formação médica de Maura familiarizara-a com os ultrassons e com as TAC ao corpo humano, mas não fazia a mínima ideia de como interpretar as ondas que via no ecrã.

— Que vê? — perguntou a Gary.

— Estas áreas escuras são ecos positivos de radar. Os ecos negativos aparecem a branco. Andamos à procura de algo anormal. Um reflexo hiperbólico, por exemplo.

— Que é isso?

— Parece uma protuberância, como se as várias camadas fossem empurradas para cima. É causada por alguma coisa que está enterrada por baixo e que dispersa as ondas de radar em todas as direções. — Parou, estudando o ecrã. — Olhe, aqui, está a ver? Há qualquer coisa a três metros de profundidade que transmite um reflexo hiperbólico.

— Que lhe parece? — perguntou Yates.

— Pode ser só a raiz de uma árvore. Vamos marcá-la e seguir adiante.

Pete enfiou uma estaca no chão para marcar o local.

Gary continuou, seguindo as linhas da grelha para trás e para diante, à medida que os ecos do radar ondulavam no

310

crã. De vez em quando, parava e pedia uma estaca para marcar outro local que, mais tarde, seria reexaminado numa segunda passagem. Virara-se e estava a voltar pelo meio da grelha quando, subitamente, parou.

— Isto, sim, é interessante — comentou.

— Que está a ver? — perguntou Yates.

— Só um segundo. Deixe-me tentar esta secção outra vez. — Gary retrocedeu, deslocando o GPR pela secção que tinha acabado de examinar. Avançou um nadinha, com os olhos fixos no computador portátil. Parou novamente. — Temos aqui uma anomalia enorme.

Yates aproximou-se.

— Mostre-ma.

— Tem menos de um metro de profundidade. Uma bolsa enorme, aqui. Consegue vê-la? — Gary apontou para o ecrã, onde uma saliência distorcia os ecos do radar. — Há qualquer coisa aqui mesmo, neste sítio — explicou, observando o chão. — E não está muito profunda. — Olhou para Yates. — Que quer fazer?

— Têm pás na carrinha?

— Sim, temos uma. E mais umas colheres de pedreiro.

Yates acenou com a cabeça.

— Está bem. Vamos buscá-las. Também vamos precisar de mais luz.

— Temos outro holofote na carrinha. E mais extensões.

— Vou buscá-los — disse Corso, e começou a subir as escadas.

— Eu ajudo — disse Maura e subiu atrás dele até à cozinha.

Lá fora, a chuva forte aliviara e transformara-se em chuvisco. Vasculharam a carrinha da equipa da polícia técnica e encontraram a pá e o material de iluminação, que Corso levou para casa. Maura fechou a porta da carrinha e preparava-se para o seguir com a caixa das ferramentas de escavação quando viu faróis luzindo por entre as árvores. Ficou na entrada, a observar a chegada de uma carrinha de caixa aberta, que lhe era familiar e que estacionou junto da da equipa de investigação científica.

A menina Clausen saiu. Vestia um impermeável demasiado grande, que arrastava atrás de si como um manto.

— Pensei que já tinha acabado. Perguntava-me porque não me teria levado a chave.

— Vamos ficar aqui mais um bocado.

A mulher olhou para os veículos ali estacionados.

— Pensei que só queria dar mais uma vista de olhos. O que está o laboratório criminal a fazer aqui?

— Isto vai levar-nos mais tempo do que eu pensava. Provavelmente, a noite toda.

— Porquê? A roupa da sua irmã já nem cá está. Meti-a numa caixa para a poder levar consigo.

— Isto não é só por causa da minha irmã, menina Clausen. A polícia está cá por outra razão. Algo que aconteceu há muito tempo.

— Há quanto tempo?

— Aí há uns quarenta e cinco anos. Antes mesmo de ter comprado a casa.

— Quarenta e cinco anos? Então devia ter sido quando... — A mulher calou-se.

— Quando quê?

O olhar da menina Clausen foi, de súbito, atraído pela caixa de material de escavação que Maura segurava.

— Para que querem as colheres de pedreiro? Que andam a fazer em minha casa?

— A polícia está a fazer uma busca à cave.

— Busca? Quer dizer que estão a *cavar* lá em baixo?

— Podem ter de o fazer.

— Não lhe dei autorização para isso. — Voltou-se e subiu pesadamente a escada para o pátio com o impermeável a arrastar pelos degraus.

Maura foi atrás dela até à cozinha e pousou a caixa das ferramentas na bancada.

— Espere. Não está a perceber...

— Não quero ninguém a destruir-me a cave! — A menina Clausen abriu de rompante a porta da cave e fuzilou com o olhar o detetive Yates, que segurava uma pá. Yates já cavara o chão e tinha um monte de terra a seus pés.

— Menina Clausen, deixe-os trabalhar — disse Maura.

— Esta casa é minha — gritou a mulher do cimo da escada. — Não pode andar a cavar aí sem eu dar autorização!

— Minha senhora, prometemos tapar o buraco quando acabarmos — respondeu Corso. — Vamos só dar uma olhadela.

— Porquê?

— Porque o nosso radar mostra aqui um ressalto enorme.

— *Ressalto?* Que quer dizer com isso? Que é que está lá em baixo?

— É o que estamos a tentar descobrir. Se nos deixar continuar.

Maura puxou a mulher para fora da cave e fechou a porta.

— Por favor, deixe-os trabalhar. Se recusar, terão de arranjar um mandado.

— Mas por que carga de água é que estão a escavar lá em baixo?

— Sangue.

— Que sangue?

— Há sangue em toda esta cozinha.

O olhar da mulher voltou-se para o chão e esquadrinhou o linóleo.

— Não vejo sangue nenhum.

— Não consegue vê-lo. É preciso pulverizar com um produto químico para o tornar visível. Mas, acredite, está cá. Vestígios microscópicos no chão e salpicos espalhados naquela parede. Um rasto que vai por baixo da porta da cave e continua pelas escadas abaixo. Alguém tentou eliminá-lo, lavando o chão com uma esfregona e esfregando a parede. Pensaram talvez que se tinham livrado dele, só porque já não o viam. Mas o sangue ainda cá está. Infiltra-se nas frestas, nas rachas da madeira. Fica durante anos e anos e não se consegue eliminá-lo. Está preso nesta casa. Nas próprias paredes.

Britta Clausen voltou-se e olhou-a fixamente.

— De quem é o sangue? — perguntou com suavidade.

— Isso gostava a polícia de saber.

— Não pensam que eu tive alguma coisa a ver...

— Não. Pensamos que o sangue já é muito antigo. É provável que já cá estivesse quando comprou a casa.

A mulher parecia confusa e deixou-se cair numa cadeira da cozinha. O capuz do impermeável escorregara-lhe da cabeça, deixando a descoberto um tufo de cabelo grisalho e crespo. Parecia ainda mais pequena e mais velha, a nadar na gabardina desproporcionada. Uma mulher com os pés para a cova.

314

— A partir de agora, ninguém quererá comprar esta casa — murmurou. — Quando ouvirem falar disto, não quererão. Não conseguirei livrar-me dela.

Maura sentou-se em frente dela.

— Porque quis a minha irmã arrendar esta casa? Disse-lhe?

Nenhuma resposta. A menina Clausen continuava a abanar a cabeça com uma expressão atordoada.

— Contou-me que a minha irmã viu o anúncio de venda na estrada e lhe telefonou para o escritório — prosseguiu Maura.

Finalmente, a menina Clausen acenou com a cabeça e respondeu:

— Inesperadamente.

— Que é que ela lhe disse?

— Queria saber mais pormenores sobre a propriedade. Quem tinha vivido aqui, a quem pertencia antes de eu a ter comprado. Disse que andava à procura de uma propriedade nesta zona.

— Contou-lhe dos Lank?

A menina Clausen ficou rígida.

— Sabe deles?

— Sei que eram donos desta casa. Eram pai e filho. E uma sobrinha do senhor, uma rapariga chamada Amalthea. A minha irmã também perguntou por eles?

A mulher inspirou.

— Queria saber. Compreendi, porque quando se pensa comprar uma casa, quer-se saber quem a construiu. Quem viveu nela. — Olhou para Maura. — Isto tem a ver com eles, não é verdade? Os Lank.

— Cresceu nesta cidade?

— Sim.

— Então deve ter conhecido a família Lank.

A mulher não respondeu logo. Em vez disso, levantou-se e despiu a gabardina. Levou o seu tempo a pendurá-la num dos cabides da porta da cozinha.

— Ele era da minha turma — disse, ainda de costas para Maura.

— Quem?

— Elijah Lank. Não conhecia muito bem a prima, Amalthea, porque andava cinco anos atrás de nós na escola, era uma criança. Mas todos conhecíamos Elijah. — A sua voz era agora um sussurro, como se sentisse relutância em dizer o nome em voz alta.

— Conhecia-o bem?

— O suficiente.

— Parece que não gostava muito dele.

A menina Clausen voltou-se e olhou para ela.

— É difícil gostar de uma pessoa que nos aterroriza.

Pela porta da cave, ouvia-se o ruído da pá a bater na terra. A escavar, cada vez mais fundo, os segredos da casa. Uma casa que, tantos anos depois, era ainda testemunha silenciosa de algo terrível.

— Isto aqui era uma cidade pequena, doutora Isles. Não como agora, com toda esta gente que vem de longe e compra casa para o verão. Naquela altura, era só gente daqui e acabávamos por conhecer as pessoas. Quais eram as boas famílias e quais as que devíamos evitar. Fiquei a saber acerca de Elijah Lank quando tinha catorze anos. Era daqueles rapazes de quem era melhor afastarmo-nos. — Voltou para a mesa e deixou-se cair numa cadeira como se estivesse exausta. Olhava para a superfície de fórmica como e estivesse a ver o seu reflexo numa poça. O reflexo de uma adolescente de catorze anos, aterrorizada pelo rapaz que vivia naquela montanha.

Maura esperou, fitando a cabeça inclinada, com o seu ufo crespo de cabelo grisalho.

— Porque é que ele a assustava?

— Não era só a mim. Todos tínhamos medo de Elijah. Depois de...

— Depois de quê?

A menina Clausen levantou a cabeça.

— Depois de Elijah ter enterrado viva aquela rapariga.

No silêncio que se seguiu, Maura ouviu o murmurar das vozes dos homens a escavar, cada vez mais fundo, o chão da cave. Sentia o pulsar do coração nas costelas. *Jesus*, pensou. *Que encontrarão eles lá em baixo?*

— Era nova na cidade — disse a menina Clausen. — Alice Rose. As outras raparigas sentavam-se atrás dela e faziam comentários. Diziam piadas. Podíamos dizer coisas horríveis sobre ela e nada acontecia porque ela não nos podia ouvir. Nunca suspeitou que fizéssemos pouco dela. Sei que éramos cruéis, mas são coisas que se fazem quando se tem catorze anos. Antes de conseguirmos imaginar-nos na situação da outra pessoa. Antes de nos fazerem o mesmo. — Suspirou, como se sentisse remorsos pelas transgressões da infância, por todas as lições aprendidas demasiado tarde.

— Que aconteceu a Alice?

— Elijah disse que tinha sido só uma partida. Que planeava puxá-la para fora algumas horas mais tarde. Mas consegue imaginar o que terá sido sentir-se presa num buraco?

Tão aterrorizada que se urinou toda? E ninguém que a ouvisse gritar? Ninguém, exceto o rapaz que a atirou lá para dentro?

Maura esperou em silêncio. Receosa de ouvir o final da história.

A menina Clausen leu apreensão nos seus olhos e abanou a cabeça.

— Não, Alice não morreu. Foi o cão que a salvou. Sabia onde ela estava. Ladrou que nem um doido e indicou o local às pessoas.

— Então, ela sobreviveu.

A mulher acenou com a cabeça.

— Encontraram-na nessa noite, mais tarde. Por essa altura, já estava há horas naquele buraco. Quando a tiraram, mal conseguia falar. Parecia uma morta viva. Algumas semanas mais tarde, a família mudou-se. Não sei para onde foram.

— Que aconteceu a Elijah?

Miss Clausen encolheu os ombros.

— Que acha que lhe aconteceu? Continuou a insistir que tinha sido uma partida. O género de coisas que fazíamos a Alice todos os dias na escola. E é verdade. Todos nós a atormentávamos. Tornávamos-lhe a vida insuportável. Mas Elijah superou-se.

— Não foi castigado?

— Quando se tem catorze anos, dão-nos uma segunda oportunidade. Em especial se precisam de nós em casa. Quando o pai anda bêbado metade do dia e há uma prima de nove anos a viver na mesma casa.

— Amalthea — disse Maura, suavemente.

A menina Clausen assentiu.

— Imagine uma garota a viver numa casa destas. A crescer numa família de bestas.

Bestas.

O ar, de repente, ficou pesado. As mãos de Maura estavam frias. Lembrou-se dos desvarios de Amalthea. *Vai-te embora antes que ele te veja.*

E lembrou-se da marca de garras gravadas na porta do carro. *A marca da* Besta.

A porta da cave rangeu, assustando Maura. Voltou-se e viu Rizzoli na ombreira.

— Descobriram qualquer coisa — informou Rizzoli.

— O quê?

— Madeira. Uma espécie de placa de madeira, mais ou menos a sessenta centímetros de profundidade. Agora, estão a tentar remover a terra. — Apontou para a caixa em cima da bancada. — Vamos precisar daquilo.

Maura carregou com a caixa para a cave. Reparou nos montículos de terra retirada, que orlavam o perímetro de uma vala com quase dois metros de comprimento.

O tamanho de um caixão.

O detetive Corso, que manejava agora a pá, deitou um olhar a Maura.

— A placa parece bastante espessa. Mas oiça. — Bateu com a pá contra a madeira. — Não é sólido. Há um espaço de ar por baixo.

— Quer que o substitua agora? — perguntou Yates.

— Quero. As costas estão a dar cabo de mim. — Corso entregou-lhe a pá.

Yates deixou-se cair dentro da vala e os pés bateram na madeira. Um som cavo. Atacou a terra com determinação, atirando-a para um montículo que crescia rapidamente. Cada vez se via melhor a placa de madeira. Ninguém dizia palavra. Os dois holofotes lançavam uma luz crua para a vala, e a sombra de Yates baloiçava nas paredes da cave, tal qual um fantoche. Os outros observavam, silenciosos como ladrões de sepulturas, ávidos de lançarem o primeiro olhar para dentro de um túmulo.

— Já limpei este canto — disse Yates, respirando com dificuldade; raspou a madeira com a pá. — Parece uma espécie de caixote. Já lhe bati com a pá. Não quero danificar a madeira.

— Tenho as colheres e as escovas — disse Maura.

Yates endireitou-se, ofegante, e trepou para fora do buraco.

— Está bem. Talvez consiga limpar a terra que está por cima. Vamos tirar algumas fotos antes de o abrir.

Maura e Gary deixaram-se cair na vala e ela sentiu a placa de madeira tremer sob o seu peso. Imaginou os horrores por baixo daquelas tábuas manchadas e teve uma visão terrível da madeira a dar de si repentinamente e ela a cair em cima de carne em decomposição. Ignorando o bater do coração, pôs-se de joelhos e começou a limpar a terra de cima da placa de madeira.

— Passe-me também uma dessas escovas — disse Rizzoli, pronta a saltar para dentro da vala.

— Você não — disse Yates. — Porque não fica sossegada?

— Não sou deficiente. Detesto ficar a olhar, sem fazer nada.

Yates deu uma risada nervosa.

— Pois sim, mas não gostaríamos de a ver entrar em trabalho de parto ali em baixo. E também não gostaria de ter de o dizer ao seu marido.

— Não há muito espaço de manobra aqui em baixo, Jane — corroborou Maura.

— Bem, vou colocar melhor as luzes. Para ver melhor o que está a fazer.

Rizzoli mudou um holofote e, de repente, a luz iluminou o canto onde Maura estava a trabalhar. De joelhos, Maura limpava a terra das tábuas com uma escova, pondo a descoberto pintas de ferrugem.

— Estou a ver cabeças enferrujadas de pregos — disse Maura.

— Tenho um pé de cabra no carro — disse Corso. — Vou buscá-lo.

Maura continuou a limpar terra, pondo a descoberto mais cabeças enferrujadas de outros pregos. O espaço era apertado e o pescoço e os ombros começaram a doer-lhe. Endireitou as costas. Ouviu um estrépito atrás dela.

— Ei, olhem para isto — disse Gary.

Maura voltou-se e viu que a espátula de Gary batera num pedaço de tubo partido.

— Parece que sobe diretamente pelo bordo desta placa — disse Gary. De mãos nuas, examinou com cuidado a excrescência enferrujada e quebrou uma camada de terra que lhe cobria o topo. — Porque é que alguém havia de meter um tubo num... — Deteve-se. Olhou para Maura.

— É um respiradouro — disse ela.

Gary olhou para as tábuas que tinha sob os joelhos e, suavemente, interrogou:

— Que diabo estará dentro desta coisa?

— Vocês os dois, saiam daí — pediu Pete. — Vamos tirar fotos.

Yates baixou-se para a ajudar e Maura afastou-se da vala, sentindo-se de repente tonta por se ter posto de pé demasiado depressa. Pestanejou, encandeada pelos *flashes* da máquina fotográfica. Pelo brilho irreal dos holofotes e pelas sombras que dançavam nas paredes. Foi até às escadas e sentou-se. Só depois se lembrou que o degrau onde se sentara estava impregnado de sangue.

— Pronto — disse Pete. — Vamos abri-lo.

Corso ajoelhou-se junto da vala e meteu a ponta do pé de cabra por baixo de um canto da tampa. Fez força para levantar a placa; as cabeças dos pregos enferrujados queixaram-se ruidosamente.

— Nem se mexeu — disse Rizzoli.

Corso parou e limpou o rosto com a manga, deixando uma mancha de terra na testa.

— Amanhã, as minhas costas vão estar lindas. — Meteu novamente a ponta do pé de cabra por baixo da tampa. Desta vez, conseguiu empurrá-la mais para dentro. Respirou fundo e atirou todo o seu peso contra o ponto de apoio.

Os pregos deram de si.

Corso pôs o pé de cabra de lado. Ele e Yates agarraram a borda da tampa e levantaram-na. Por momentos, ninguém falou. Todos tinham os olhos fixos no buraco, agora completamente visível à luz dos holofotes.

— Não percebo — disse Yates.

A caixa estava vazia.

Voltaram para casa nessa noite por uma autoestrada brilhante de chuva. As escovas do para-brisas do automóvel de Maura moviam-se num ritmo lento e hipnótico no vidro embaciado.

— Todo aquele sangue na cozinha — começou Rizzoli —, sabe o que significa. Amalthea já matara anteriormente. Nikki e Theresa não foram as suas primeiras vítimas.

— Ela não estava sozinha naquela casa, Jane. O primo, Elijah, também vivia lá. Pode ter sido ele.

— Tinha dezanove anos quando os Sadler desapareceram. Tinha de saber o que se passava na sua própria cozinha.

— Não significa que tenha sido ela a fazê-lo.

Rizzoli olhou para ela.

— Acredita na teoria de O'Donnell? Acerca da *Besta?*

— Amalthea é esquizofrénica. Explique-me como é que alguém com uma mente tão perturbada consegue matar duas mulheres e, depois, numa atitude perfeitamente lógica, queimar os corpos para destruir as provas?

— Não fez um trabalho assim tão bom a encobrir as pistas. Foi apanhada, lembra-se?

— A polícia da Virgínia teve sorte. Apanhá-la numa operação de rotina de verificação do trânsito não foi propriamente um brilhante trabalho de investigação. — Maura fitava os rolos de nevoeiro que se encaracolavam na autoestrada deserta. — Ela, sozinha, não matou aquelas mulheres. Houve alguém a ajudá-la, alguém que deixou impressões digitais no carro. Alguém que esteve com ela desde o princípio.

— O primo?

— Elijah só tinha catorze anos quando enterrou a rapariga viva. Que espécie de rapaz faria uma coisa daquelas? E em que espécie de homem se terá tornado?

— Odeio imaginá-lo.

— Penso que ambas sabemos a resposta — disse Maura. — Ambas vimos o sangue naquela cozinha.

O *Lexus* ronronava na estrada. A chuva parara, mas o ar continuava húmido e enevoava o para-brisas.

— Se mataram, de facto, os Sadler — disse Rizzoli —, então temos de interrogar-nos... — Olhou para Maura. — Que fizeram com o bebé de Karen Sadler?

Maura não respondeu. Manteve os olhos na estrada, conduzindo a direito. Nada de desvios, nada de rodeios. *Continua simplesmente a conduzir.*

— Percebe onde quero chegar? — perguntou Rizzoli. — Há quarenta e cinco anos, os primos Lank mataram uma grávida. Os restos mortais do bebé desapareceram. Cinco anos mais tarde, Amalthea Lank aparece em Boston no escritório de Van Gates com duas filhas recém-nascidas à venda.

Os dedos de Maura tinham ficado dormentes no volante.

— E se os bebés não fossem dela? — continuou Rizzoli. — E se Amalthea não for, de facto, sua mãe?

Mattie Purvis estava sentada no escuro, perguntando-se quanto tempo levaria uma pessoa a morrer à fome. Os seus mantimentos estavam a desaparecer demasiado depressa. No saco das mercearias já só restavam seis barras de chocolate, meio pacote de bolachas d'água e sal e umas tiras de carne seca. *Tenho de racionar*, pensou. *Preciso que durem até...*

Até quê? Até morrer à sede primeiro?

Partiu com os dentes um precioso pedaço de chocolate e esteve francamente tentada a dar mais uma dentada, mas conseguiu controlar-se. Com cuidado, tornou a embrulhar o resto da barra para mais tarde. *Se me sentir completamente desesperada, ainda há o papel para comer*, pensou. *O papel era comestível, não era? É feito de madeira, e os veados, quando têm fome, comem a casca das árvores, por isso, deve ter algum valor nutritivo. Sim, guarda o papel. Mantém-no limpo.* Sem grande vontade, voltou a colocar a barra de chocolate meio comida no saco. Fechando os olhos, pensou nos hambúrgueres, no frango frito e em todas as comidas proibidas de que se privara desde que Dwayne lhe dissera que as grávidas lhe lembravam vacas. Insinuando que *ela* lhe lembrava uma vaca. Depois disso, durante duas semanas, só comera saladas, até que um dia sentira tonturas e tivera de sentar-se ali mesmo no chão do Macy's. Dwayne ficara vermelho de raiva quando algumas

senhoras, preocupadas com o acontecido, se juntaram à su
volta, perguntando por várias vezes se a esposa se senti
bem. Enquanto fazia gestos para as afastar, sibilava por er
tre os dentes a Mattie para se levantar. A imagem era tud
gostava ele de dizer, e ali estava o senhor *BMW* e a vaca c
mulher, nas suas calças elásticas de grávida, a espojar-se n
chão. *É verdade, Dwayne, sou uma vaca. Uma vaca grande e lin*
que traz dentro de si a tua cria. Agora, vem e salva-nos, caramb
Salva-nos, salva-nos.

Ouviu o ranger de passos por cima.

Levantou os olhos quando o seu raptor se aproximo
Já conseguia reconhecer as suas passadas, leves e cautel
sas, como as de um gato a caçar. De todas as vezes em q
ele viera, suplicara-lhe que a libertasse. De todas as veze
limitara-se a afastar-se, deixando-a no caixote. Agora, a c
mida estava a acabar e a água também.

— Minha senhora!

Não respondeu. *Que fique na dúvida*, pensou. *Não sabe*
se estou bem ou não e terá de abrir o caixote. Tem de manter-me viv
ou não receberá o seu precioso resgate.

— Fale comigo, minha senhora.

Continuou calada. *Nada mais resultou*, pensou. *Talvez is*
o assuste. Talvez agora me deixe sair.

Uma pancada no chão.

— Está aí?

Onde havia de estar, cretino?

Uma longa pausa.

— Bem, se já está morta, não faz sentido desenterrá-l
pois não? — Os passos afastaram-se.

— Espere! *Espere!* — Acendeu a lanterna e começo
a bater no teto. — Volte, caramba! Volte aqui! — Pôs-s
à escuta com o coração a querer saltar-lhe pela boca. Quas

desatou a rir quando o ouviu aproximar-se. Que tristeza! Estava reduzida a suplicar pela atenção dele, como uma amante ignorada.

— Está acordada — comentou ele.

— Falou com o meu marido? Quando é que ele lhe paga?

— Como se sente?

— Porque é que nunca responde às minhas perguntas?

— Responda primeiro à minha.

— Sinto-me fresca que nem uma alface!

— E o bebé?

— A comida está a acabar. Preciso que me traga mais.

— Tem mais do que suficiente.

— Ora essa! Quem está aqui em baixo sou eu e não você! Estou esfomeada. Como vai conseguir o dinheiro, se eu morrer?

— Acalme-se. Descanse. Vai correr tudo bem.

— *Nada* está a correr bem!

Nenhuma resposta.

— Está aí? *Está aí!?* — gritou.

Os passos afastaram-se.

— Espere! — Bateu com força no teto. — Volte aqui! — Bateu na madeira com os punhos. A raiva apoderou-se dela, uma raiva como jamais sentira. Desatou a berrar. — Não pode fazer-me isto! Não sou um animal! — Caiu de encontro à parede; tinha as mãos feridas e a doer e o corpo sacudido por soluços. Soluços de fúria, não de derrota. — Vá-se lixar! — disse ela. — Vá-se lixar! O Dwayne que se lixe. E que se lixem todos os cretinos deste mundo!

Exausta, deixou-se cair de costas. Passou o braço pelos olhos e limpou as lágrimas. *Que quererá ele de nós? Nesta altura,*

Dwayne já deve ter-lhe pago. Então, porque estou ainda aqui? D
que estará ele à espera?

A bebé deu um pontapé. Pôs a mão na barriga num toque suave para transmitir calma através da pele que as sepa-
rava. Sentiu um aperto no útero, primeiro sinal de uma
contração. Pobrezinha. Pobre...

Bebé.

Ficou muito quieta, a pensar. A lembrar-se de todas as
conversas através do respiradouro. Nunca se falara de
Dwayne. Nem de dinheiro. Não fazia sentido. Se o cretino
quer dinheiro, Dwayne é a pessoa a contactar. Mas ele não
faz perguntas sobre o meu marido. Não fala de Dwayne.
E se nem sequer lhe telefonou? Se não pediu nenhum resgate?

Nesse caso, que pretende ele?

A luz da lanterna enfraqueceu. O segundo par de pilhas
estava a acabar. Ainda havia mais dois pares e, depois, escuridão total. Desta vez, não entrou em pânico quando tirou
a embalagem do saco e a rasgou. Já fiz isto, consigo fazer
outra vez. Retirou a parte de trás da lanterna; com calma,
tirou as pilhas usadas e colocou as novas. Uma luz brilhante jorrou, uma trégua temporária, antes da longa noite que,
como receava, se perfilava.

Toda a gente morre. Mas eu não quero morrer enterrada nesta
caixa, onde jamais alguém encontrará os meus ossos.

Poupa a luz, poupa-a enquanto puderes. Desligou o interruptor e ficou na escuridão, sentindo o medo a aproximar-se
e a envolvê-la com os seus tentáculos. *Ninguém sabe*, pensou. *Ninguém sabe que estou aqui.*

Para com isso, Mattie. Mantém-te calma. Só tu podes salvar-te.

Voltou-se de lado e abraçou-se. Ouviu qualquer coisa a rolar no chão. Uma das pilhas usadas, agora sem utilidade.

E se ninguém souber que fui raptada? Se ninguém souber que ainda estou viva?

Cruzou os braços por cima da barriga e pôs-se a pensar em todas as conversas que tivera com o raptor. *Como se sente?* Era sempre o que ele perguntava, como se sentia. Como se se importasse. Como se alguém que mete uma grávida num caixote quisesse saber como ela se sentia. Mas ele perguntava sempre o mesmo e ela implorava-lhe sempre que a deixasse sair.

Está à espera de uma resposta diferente.

Chegou os joelhos mais para si e o pé bateu em algo que rolou para longe. Sentou-se e ligou a lanterna. Começou a procurar, por todo o chão, as pilhas soltas. Tinha quatro usadas e duas novas, ainda na embalagem. Mais as duas da lanterna. Desligou de novo o interruptor. *Poupa a luz, poupa a luz.*

Na escuridão, começou a descalçar-se.

A doutora Joyce P. O'Donnell entrou na sala de reuniões da unidade de homicídios com ar de quem era dona do local. O fato macio de marca *St. John* provavelmente custara mais do que todo o orçamento anual de Rizzoli para aquisição de roupa. Saltos de sete centímetros salientavam a sua altura já de si monumental. Embora três agentes da polícia a fitassem quando ela se sentou à mesa, não manifestou o mais leve indício de desconforto. Sabia como apoderar-se de uma sala, capacidade que Rizzoli não conseguia deixar de invejar, muito embora desprezasse a mulher.

A antipatia era nitidamente mútua. O'Donnell lançou uma olhadela gelada a Rizzoli, depois passou os olhos por Barry Frost antes de finalmente concentrar por completo a atenção no tenente Marquette, chefe da unidade de homicídios. Evidentemente, concentrar-se-ia em Marquette; O'Donnell não perdia o seu tempo com subordinados.

— É um convite inesperado, tenente — disse ela. — Não me pedem muitas vezes para vir à Schroeder Plaza.

— A detetive Rizzoli foi quem o sugeriu.

— Ainda mais inesperado, então. Considerando...

Considerando que jogamos em equipas adversárias, pensou Rizzoli. *Eu apanho os monstros e você defende-os.*

— Mas, como disse à detetive Rizzoli por telefone — prosseguiu O'Donnell —, não posso ajudar-vos a menos que também me ajudem. Se querem que eu ajude a encontrar a *Besta,* têm de partilhar todas as informações que possuem.

Em resposta, Rizzoli empurrou uma pasta na direção de O'Donnell.

— É o que até agora sabemos sobre Elijah Lank. — Viu nos olhos da psiquiatra um brilho de avidez ao estender a mão para o processo. Era para isto que O'Donnell vivia: uma olhadela a um monstro. Uma oportunidade de se aproximar do coração pulsante do mal.

O'Donnell abriu o processo.

— A caderneta de liceu.

— De Fox Harbor.

— Um QI de cento e trinta e seis. Mas só notas médias.

— Um caso clássico de alguém que fica aquém das suas capacidades. — «Capaz de grandes coisas se se aplicar», escrevera um professor, sem perceber aonde as realizações de Elijah Lank o levariam. — Depois da morte da mãe, foi criado pelo pai, Hugo. O pai nunca manteve um emprego durante muito tempo. Aparentemente, passava a maior parte dos seus dias com uma garrafa e morreu de pancreatite quando Elijah tinha dezoito anos.

— E foi nesta mesma família que Amalthea cresceu.

— Sim. Foi viver com o tio quando tinha nove anos, depois da morte da mãe. Nunca ninguém soube quem era o pai. Portanto, eis a família Lank, de Fox Harbor. Um tio alcoólatra, um primo sociopata e uma rapariga que se torna esquizofrénica. A sua simpática família americana.

— Chamou sociopata a Elijah.

— Que chamaria a um rapaz que enterra viva uma co lega só para se divertir?

O'Donnell virou a página. Qualquer outra pessoa que lesse aquele processo ostentaria uma expressão de horror mas o rosto dela denotava fascínio.

— A garota que ele enterrou tinha só catorze anos — disse Rizzoli. — Alice Rose era nova na escola. Também ouvia mal e talvez fosse por isso que os outros garotos a atormentavam. Provavelmente, foi também por isso que Elijah a escolheu. Era vulnerável, uma presa fácil. Elijah convidou-a a ir até sua casa, depois levou-a pelos bosques até um fosso que cavara. Atirou-a lá para dentro, cobriu a abertura com tábuas e empilhou pedras em cima. Quando interrogado sobre isso posteriormente, disse que era tudo uma partida, mas acho que ele tencionava de facto matá-la.

— De acordo com este relatório, a garota saiu incólume.

— Incólume? Não exatamente.

— Mas sobreviveu — comentou O'Donnell, erguendo o olhar.

— Alice Rose passou os cinco anos seguintes da sua vida a ser tratada a uma grave depressão e a ataques de ansiedade. Aos dezanove anos, meteu-se numa banheira e cortou os pulsos. Pelo que me diz respeito, Elijah Lank é responsável pela morte dela. Foi a sua primeira vítima.

— Pode provar que há outras?

— Há quarenta e cinco anos, um casal cujos nomes eram Karen e Robert Sadler desapareceu de Kennebunkport. Na altura, Karen Sadler estava no oitavo mês de gravidez. As suas ossadas foram encontradas precisamente na semana passada, no mesmo lote de terreno onde Elijah enterrou viva Alice Rose. Penso que os Sadler foram vítimas de Elijah. Dele e de Amalthea.

O'Donnell ficara muito quieta, como se estivesse a prender a respiração.

— A senhora foi a primeira pessoa que sugeriu isto, doutora O'Donnell — disse o tenente Marquette. — Disse que Amalthea tinha um parceiro, alguém a quem ela chamava a *Besta*. Alguém que a ajudou a matar Nikki e Theresa Wells. Foi o que disse à doutora Isles, não foi?

— Ninguém acreditou na minha teoria.

— Pois bem, agora acreditamos — observou Rizzoli. — Achamos que a *Besta* é o primo, Elijah.

O'Donnell ergueu uma sobrancelha, divertida.

— Um caso de *primos assassinos?*

— Não seria a primeira vez que primos matam em conjunto — esclareceu Marquette.

— Correto — comentou O'Donnell. — Kenneth Bianchi e Angelo Buono, os Estranguladores de Hillside, eram primos.

— Portanto, há um precedente — continuou Marquette. — Primos, como parceiros de assassínio.

— Não precisa de mo dizer.

— Você soube da *Besta* antes de qualquer outra pessoa — disse Rizzoli. — Tem tentado encontrá-lo e contactá-lo através de Amalthea.

— Mas não tive êxito. Por isso, não vejo como poderei ajudar-vos a encontrá-lo. Nem sequer sei porque me chamaram cá, detetive, uma vez que tem tão pouca consideração pela minha investigação.

— Sei que Amalthea fala consigo. Não me disse uma única palavra quando ontem estive com ela, mas os guardas disseram-me que ela fala realmente *consigo*.

— As nossas sessões são confidenciais. Ela é minha paciente.

— O primo não é. É o primo que queremos encontrar.

— Bem, onde foi localizado pela última vez? Devem ter qualquer informação por onde possam começar.

— Não temos quase nada. Nada acerca do seu paradeiro há décadas.

— Sabem ao menos se está vivo?

Rizzoli suspirou e admitiu:

— Não.

— Estaria hoje com cerca de setenta anos, não? Começa a ser um caso de assassino em série geriátrico.

— Amalthea tem sessenta e cinco — disse Rizzoli —, e no entanto ninguém duvidou nunca de que ela tivesse assassinado Theresa e Nikki Wells. Que lhes esmagou os crânios, que lhes ensopou o corpo em gasolina e lhes pegou fogo.

O'Donnell recostou-se na cadeira e fitou Rizzoli por momentos.

— Diga-me por que motivo a polícia de Boston está à procura de Elijah Lank. Trata-se de crimes antigos e nem sequer da vossa jurisdição. Qual é o vosso interesse nisto?

— Pode estar relacionado com o crime de Anna Leoni.

— Como?

— Mesmo antes de ser assassinada, Anna fez uma quantidade de perguntas sobre Amalthea. Talvez soubesse de mais. — Rizzoli empurrou outro processo para O'Donnell.

— Que é isto?

— Está familiarizada com o Centro Nacional de Informação Criminal do FBI? O FBI mantém uma base de dados de pessoas desaparecidas em todo o país, que pode ser consultada.

— Sim, tenho conhecimento do CNIC.

— Apresentámos um pedido de busca usando as palavras-chave «mulher» e «grávida». Eis o que recebemos do FBI. Todos os casos que têm na base de dados, recuando até 1960. Todas as mulheres grávidas que desapareceram no território continental dos Estados Unidos.

— Porque especificaram mulheres grávidas?

— Porque Nikki Wells estava grávida de nove meses. Karen Sadler estava grávida de oito meses. Não acha que é uma coincidência horrível?

O'Donnell abriu a pasta e deparou com páginas de computador impressas. Levantou o olhar, surpresa.

— Há aqui dúzias de nomes.

— Tenha em consideração que neste país desaparecem milhares de pessoas todos os anos. Se uma vez por outra uma grávida desaparecer, é só mais um pequeno ponto num quadro mais amplo, não chama a atenção. Mas quando desaparece uma mulher todos os meses ao longo de um período de quarenta anos, então o número total começa a despertar atenções.

— Consegue ligar alguns desses casos de pessoas desaparecidas a Amalthea Lank ou ao primo?

— Foi por isso que a chamámos, porque teve mais de uma dúzia de sessões com ela. Contou-lhe alguma coisa acerca das suas viagens? Onde viveu, onde trabalhou?

O'Donnell fechou a pasta.

— Está a pedir-me que quebre a confidencialidade entre paciente e médico. Porque o faria?

— Porque a mortandade não acabou. Não parou.

— A minha paciente não pode matar ninguém. Está na cadeia.

— Mas o parceiro não está. — Rizzoli inclinou-se para a frente e aproximou-se da mulher a quem desprezava tanto. Mas agora precisava de O'Donnell e conseguiu conter a repulsa. — A *Besta* fascina-a, não é verdade? Quer saber mais acerca dele. Quer entrar na cabeça dele, saber o que o faz mover-se. Gosta de ouvir todos os pormenores. É por isso que deve ajudar-nos. Para poder acrescentar mais um monstro à sua coleção.

— E se estivermos ambas erradas? Talvez a *Besta* seja apenas imaginação nossa.

Rizzoli fitou Frost.

— Porque não liga esse retroprojetor?

Frost empurrou o projetor, pô-lo em posição e carregou no interruptor. Na época dos computadores e da exibição de *slides* em Power Point, um retroprojetor assemelhava-se a tecnologia da Idade da Pedra. Mas Rizzoli e Frost haviam optado pela maneira mais rápida e mais direta de apresentar o caso. Frost abriu então uma pasta e dela retirou várias transparências nas quais tinham registado informações com marcadores de diferentes cores.

Frost colocou uma folha no retroprojetor. No ecrã surgiu um mapa dos Estados Unidos. Depois, sobrepôs ao mapa a primeira transparência. Seis pontos pretos foram acrescentados à imagem.

— Que significam os pontos? — perguntou O'Donnell.

— São registos do CNIC de casos dos primeiros seis meses de 1984 — esclareceu Frost. — Escolhemos esse ano porque foi o primeiro ano completo em que a base de dados computadorizada do FBI foi ativada. Portanto, os dados devem ser bastante completos. Cada ponto destes representa um relatório sobre uma grávida desaparecida. — Com um ponteiro a laser, indicou um ponto do ecrã. — Há aqui uma certa dispersão geográfica, um caso no Oregon, outro em Atlanta. Mas repare neste nichozinho aqui no Sudoeste. — Frost desenhou um círculo no canto relevante do mapa. — Uma mulher desaparecida no Arizona, outra no Novo México. Duas no Sul da Califórnia.

— E que é suposto eu fazer com isso?

— Bem, vamos dar uma olhadela ao período de seis meses seguinte. De julho a dezembro de 1984. Talvez as coisas se tornem mais claras.

Frost colocou sobre o mapa a transparência seguinte. Um novo grupo de pontos foi acrescentado, estes assinalados a vermelho.

— Mais uma vez verificamos alguma dispersão pelo país — disse ele. — Mas repare que temos outro aglomerado. — Desenhou um círculo em volta de um grupo de três pontos vermelhos. — São José, Sacramento e Eugene, no Oregon.

O'Donnell disse suavemente:

— Isto começa a tornar-se interessante.

— Espere até ver os seis meses seguintes — replicou Rizzoli.

Com a terceira transparência, foi acrescentado outro grupo de pontos, desta vez a verde. Entretanto, o padrão não deixava margem para dúvidas. Um padrão para o qual O'Donnell olhava com incredulidade.

— Meu Deus! — exclamou. — O aglomerado está em movimento.

Rizzoli assentiu e com ar soturno voltou-se de frente para o ecrã.

— Do Oregon, dirige-se para nordeste. Nos seis meses seguintes, desaparecem duas grávidas no estado de Washington, depois desaparece uma terceira no estado mais acima, em Montana. — Voltou-se e fitou O'Donnell. — Não para aqui.

O'Donnell debruçou-se na cadeira com o rosto alerta como um gato prestes a dar o salto.

— Para onde se dirige o aglomerado a seguir?

Rizzoli olhou para o mapa.

— Nesse verão e outono, move-se diretamente para leste, para o Illinois e o Michigan, Nova Iorque e Massachusetts. Depois, faz uma curva abrupta para sul.

— Em que mês?

Rizzoli olhou de relance para Frost, que rebuscou entre os impressos.

— O caso seguinte surge na Virgínia, a catorze de dezembro — esclareceu.

— Move-se segundo o tempo — comentou O'Donnell.

Rizzoli olhou para ela.

— Como?

— O tempo. Está a ver como atravessa a parte superior do Midwest durante os meses de verão? No outono, está na Nova Inglaterra. E depois, em dezembro, vai subitamente para sul. Precisamente quando o tempo arrefece.

Rizzoli franziu as sobrancelhas e observou o mapa. *Meu Deus,* pensou. *A mulher tem razão. Como não demos por isto?*

— Que acontece a seguir? — perguntou O'Donnell.

— Faz um círculo completo — disse Frost. — Percorre o Sul, da Florida ao Texas. Acaba por se dirigir novamente para o Arizona.

O'Donnell ergueu-se da cadeira e aproximou-se do ecrã. Ficou a estudar o mapa por momentos.

— Qual foi o ciclo temporal? De quanto tempo precisou para completar este circuito?

— Dessa vez, levou três anos e meio a perfazer o círculo do país — respondeu Rizzoli.

— Um ritmo tranquilo.

— Sim. Mas repare que nunca fica num estado por muito tempo, nunca colhe muitas vítimas numa única área. Está sempre em movimento, de forma que as autoridades nunca veem o padrão, nunca percebem que isto acontece há anos e anos.

— Como? — O'Donnell voltou-se. — O ciclo repete-se?

Rizzoli assentiu.

— Recomeça e refaz a rota. Da maneira como as antigas tribos nómadas costumavam seguir as manadas de búfalos.

— As autoridades nunca repararam no padrão?

— Porque estes caçadores nunca deixam de mover-se. Estados diferentes, jurisdições diferentes. Uns meses numa região e depois vão-se embora. Para o novo território de caça. Lugares aos quais voltam uma e outra vez.

— Território familiar.

— *Vamos para os locais que conhecemos e conhecemos os locais para onde vamos* — disse Rizzoli, citando um dos princípios da caracterização geográfica do perfil do criminoso.

— Algum desses corpos apareceu?

— Destes, nenhum. São os casos que continuam em aberto.

— Portanto, devem ter esconderijos para os sepultar. Locais onde escondem as vítimas e se desfazem dos corpos.

— Estamos a partir do princípio de que se servem de locais fora de mão — disse Frost. — Zonas rurais ou cursos de água. Uma vez que nenhuma dessas mulheres foi encontrada.

— Mas encontraram Nikki e Theresa Wells — comentou O'Donnell. — Esses corpos não foram enterrados, foram queimados.

— As irmãs foram encontradas a vinte e cinco de novembro. Estivemos a analisar os registos meteorológicos dessa altura. Houve uma tempestade de neve inesperada nessa semana: num só dia caíram cerca de cento e vinte centímetros. Apanhou Massachusetts de surpresa e encerrou várias estradas. Talvez não tivessem conseguido ir para o local de enterro do costume.

— E foi por isso que queimaram os corpos?

— Como você mesma observou, dá a sensação de que os desaparecimentos acompanham as alterações meteorológicas — disse Rizzoli. — À medida que vai arrefecendo, vão-se dirigindo para sul. Mas, nesse mês de novembro, a Nova Inglaterra foi apanhada de surpresa. Ninguém estava à espera de um nevão tão precoce. — Voltou-se para O'Donnell. — Aí está a sua *Besta*. As pegadas deste mapa

pertencem-lhe. Penso que Amalthea estava com ele em todos os pontos do percurso.

— Está a pedir-me que faça o quê? Um perfil psicológi-
co? Que explique por que motivo eles mataram?

— Sabemos porque o fizeram. Não mataram nem por
prazer nem pela adrenalina. Não se trata dos assassinos em
série a que está acostumada.

— Então, qual foi o motivo?

— Absolutamente mundano, doutora O'Donnell. De
facto, o motivo deles é provavelmente sem interesse para
uma caçadora de monstros como a senhora.

— Não acho que assassinar seja algo, no mínimo, sem
interesse. Porque acha que eles matavam?

— Sabe que não há registo de empregos nem para
Amalthea, nem para Elijah? Não conseguimos encontrar
provas de que algum deles tivesse tido um emprego, pago
à Segurança Social ou preenchido um impresso de imposto
sobre rendimentos. Não possuíam cartões de crédito, não
tinham contas no banco. Durante décadas, foram pessoas
invisíveis, que viviam nas franjas mais periféricas da socie-
dade. Portanto, como é que comiam? Como conseguiam
pagar a alimentação, o gás, o alojamento?

— Em dinheiro, calculo.

— Mas de onde vinha o dinheiro? — Rizzoli voltou-se
para o mapa. — Era assim que ganhavam a vida.

— Não estou a segui-la.

— Umas pessoas pescam, outras colhem maçãs.
Amalthea e o parceiro eram ceifeiros. — Olhou para
O'Donnell. — Há quarenta anos, Amalthea vendeu duas filhas recém-nascidas a pais adotivos. Pagaram-lhe quarenta
mil dólares por essas crianças. Não acredito que fossem
dela para as poder dar.

O'Donnell franziu as sobrancelhas.

— Está a falar da doutora Isles e da irmã?

— Sim. — Rizzoli sentiu uma pontada de satisfação quando viu a expressão espantada de O'Donnell. *Esta mulher não fazia ideia daquilo com que estava a lidar*, pensou Rizzoli. A psiquiatra que tão regularmente lidava com monstros foi apanhada de surpresa.

— Examinei Amalthea — disse O'Donnell. — Concordei com outros psiquiatras...

— Que ela era psicótica?

— Sim. — O'Donnell soltou um sopro forte. — O que estão a mostrar-me aqui... é uma criatura totalmente diferente.

— Mas não demente.

— Não sei. Não sei o que ela é.

— Ela e o primo matavam por dinheiro. Por dinheiro contado. A mim, parece-me demência bastante.

— Possivelmente...

— A senhora, doutora O'Donnell, convive com assassinos. Conversa com eles, passa horas com gente como Warren Hoyt. — Rizzoli fez uma pausa. — Compreende-os.

— Esforço-me por isso.

— Então, que espécie de assassina é Amalthea? É um monstro? Ou apenas uma mulher de negócios?

— É minha paciente. É tudo o que me interessa dizer.

— Mas neste exato momento põe em questão o seu diagnóstico, não põe? — Rizzoli apontou para o ecrã. — *Aquilo* que ali vê é comportamento lógico. Caçadores nómadas, perseguindo a presa. Ainda acha que ela é louca?

— Repito, é minha paciente. Preciso de proteger os interesses dela.

— Você não está interessada em Amalthea. Quem você quer é o outro, Elijah. — Rizzoli aproximou-se de O'Donnell até estarem quase rosto com rosto. — Esse não deixou de caçar e você sabe-o.

— Quê?

— Amalthea está detida há quase cinco anos. — Rizzoli olhou para Frost. — Mostre os pontos que surgiram desde que Amalthea Lank foi presa.

Frost retirou as transparências anteriores e colocou uma nova sobre o mapa.

— No mês de janeiro — esclareceu —, uma mulher grávida desapareceu na Carolina do Sul. Em fevereiro, foi uma mulher na Geórgia. Em março, em Daytona Beach. — Colocou outra folha. — Seis meses mais tarde, aconteceu o mesmo no Texas.

— Amalthea Lank esteve presa durante esses meses todos — prosseguiu Rizzoli. — Mas os desaparecimentos continuaram. A *Besta* não parou.

O'Donnell fitou a incansável marcha dos pontos. Um ponto, uma mulher. Uma vida.

— Em que local do círculo estamos agora? — perguntou suavemente.

— Há um ano — disse Frost —, chegou à Califórnia e começou a dirigir-se novamente para norte.

— E agora? Onde está agora?

— O último desaparecimento relatado foi há um mês. Em Albany, Nova Iorque.

— Albany? — O'Donnell olhou para Rizzoli. — Isso significa...

— Que entretanto chegou ao Massachusetts — atalhou Rizzoli. — A *Besta* dirige-se para a cidade.

Frost desligou o retroprojetor e a paragem súbita da ventoinha deixou o aposento fantasmagoricamente silencioso. Embora o ecrã estivesse agora em branco, a imagem do mapa parecia permanecer, gravada a fogo na memória de cada um. O toque do telemóvel de Frost pareceu ainda mais alarmante na sala silenciosa.

— Desculpem — disse Frost, e saiu da sala.

Rizzoli disse a O'Donnell:

— Fale-nos da *Besta*. Como o podemos encontrar?

— Do mesmo modo que encontram outros homens de carne e osso. Não é o que vocês, polícias, fazem? Já têm um nome. Vão à procura.

— Mas este não tem cartão de crédito nem conta bancária. É difícil de localizar.

— Não sou nenhum cão de caça.

— Você tem falado com a única pessoa íntima dele. A única pessoa que poderia saber como encontrá-lo.

— As nossas sessões são confidenciais.

— Ela costuma referir-se a ele pelo nome? Já fez alguma insinuação de que Elijah seja seu primo?

— Não tenho liberdade para partilhar quaisquer conversas privadas que tenha tido com a minha paciente.

— Elijah Lank não é seu paciente.

— Mas Amalthea é e você está a tentar organizar um processo contra ela igualmente. Acusações múltiplas de homicídio.

— Não estamos interessados em Amalthea. É *ele* quem eu quero.

— Não faz parte das minhas funções ajudá-la a apanhar o seu homem.

— E quanto ao raio da sua responsabilidade cívica?

— Detetive Rizzoli — admoestou Marquette.

O olhar de Rizzoli continuou pregado em O'Donnell.

— Pense nesse mapa. Em todos aqueles pontos, todas aquelas mulheres. Ele está cá, agora. À caça da próxima.

Os olhos de O'Donnell pousaram no abdómen saliente de Rizzoli.

— Nesse caso, acho que é melhor ter cuidado, detetive. Não lhe parece?

Rizzoli ficou em rígido silêncio enquanto O'Donnell pegava na pasta.

— De qualquer modo, duvido que pudesse acrescentar muito — prosseguiu O'Donnell. — Como vocês dizem, este assassino é movido pela lógica e pelo pragmatismo, não pela luxúria. Não pela diversão. Precisa de um modo de ganhar a vida prático e simples. Acontece apenas que a ocupação escolhida é um bocadinho fora do vulgar. A caracterização do perfil criminal não vos ajuda a apanhá-lo. Porque ele não é um monstro.

— E tenho a certeza de que você reconheceria quem o fosse.

— Aprendi a reconhecer. Mas você também. — O'Donnell voltou-se para a porta. Parou e voltou a olhar para Rizzoli com um sorriso brando. — Por falar em monstros, detetive, o seu velho amigo pergunta-me por si, não sei se sabe. De todas as vezes que o visito.

O'Donnell não precisava de dizer o nome dele; ambas sabiam que estava a falar de Warren Hoyt. Do homem que continuava a vir à superfície nos pesadelos de Rizzoli, cujo bisturi havia gravado as cicatrizes nas palmas das mãos dela havia quase dois anos.

— Ele ainda pensa em si — prosseguiu O'Donnell Outro sorriso, calmo e manhoso. — Pensei apenas que gostaria de saber que é lembrada. — Saiu porta fora.

Rizzoli sentia o olhar de Marquette a observar a sua reação. À espera de ver se ela se descontrolava ali mesmo Sentiu-se aliviada quando também o tenente saiu do apo sento, deixando-a sozinha a embalar o retroprojetor. Juntou as transparências, desligou a máquina e enrolou o cabo em curvas apertadas, direcionando toda a sua raiva contra o cabo enquanto o enrolava em volta da mão.

Rolou o projetor para fora, para o corredor, e quase co lidiu com Frost, que acabara de fechar o telemóvel con uma pancada seca.

— Vamos — disse ele.

— Onde?

— A Natick. Têm uma mulher desaparecida.

— Está...? — perguntou Rizzoli, franzindo as sobran celhas.

— Está grávida de nove meses — assentiu Frost.

— Se quer saber — disse o detetive Sarmiento, de Natick —, é mais um caso Laci Peterson. Um casamento a
descarrilar, o marido que arranja uma amante pela calada.

— O marido admite que arranjou uma namorada? —
perguntou Rizzoli.

— Ainda não, mas sinto-lhe o cheiro, percebe? — Sarmiento deu umas pancadinhas no nariz e riu-se. — O cheiro de outra mulher.

Sim, provavelmente conseguia sentir *tal cheiro,* pensou Rizzoli, enquanto Sarmiento os conduzia, a ela e a Frost, por entre secretárias iluminadas pelos ecrãs dos computadores.
Sarmiento tinha aspeto de ser um homem familiarizado
com o cheiro das mulheres. Tinha o andar confiante e em-
pertigado do tipo frio, com o braço direito a balançar afastado do corpo por anos de utilização de uma arma na anca,
aquele halo revelador que denunciava um polícia. Barry
Frost nunca apanhara aquele jeito de bambolear. Ao pé de
Sarmiento, robusto e de cabelos escuros, Frost parecia um
pálido escriturário com a sua fiel caneta e o bloco de apon-
tamentos.

— O nome da desaparecida é Matilda Purvis — esclareceu Sarmiento, detendo-se junto da secretária para pegar
numa pasta, que estendeu a Rizzoli. — Trinta e um anos,

branca. Casada há sete meses com Dwayne Purvis, dono do *stand* de vendas da *BMW* cá na cidade. Viu a mulher pela última vez na sexta-feira, quando ela foi ter com ele ao trabalho. Aparentemente, tiveram uma discussão, porque há testemunhas de que a mulher se foi embora a chorar.

— Então, quando é que ele participou o desaparecimento dela? — perguntou Frost.

— No domingo.

— Precisou de dois dias para se decidir?

— Diz que depois da discussão quis deixar as coisas acalmarem entre eles e que por isso ficou num hotel. Só voltou para casa no domingo. Encontrou o automóvel da mulher na garagem e o correio de sábado ainda na caixa. Percebeu que havia algo errado. Recebemos a participação dele no domingo à noite. Depois, hoje de manhã, vimos o alerta que vocês enviaram sobre mulheres grávidas em risco de desaparecerem. Não tenho a certeza de que esta se integre no vosso padrão. A mim, parece-me mais a clássica discussão doméstica.

— Já confirmaram com o hotel onde ele ficou? — perguntou Rizzoli.

Sarmiento respondeu com um sorriso afetado:

— Da última vez que falei com ele, estava com dificuldade em lembrar-se de qual fora.

Rizzoli abriu a pasta e viu uma fotografia de Matilda Purvis com o marido, tirada no dia do casamento. Se estavam casados havia apenas sete meses, então ela já estava grávida de dois meses quando a foto fora tirada. A noiva tinha um rosto meigo, cabelo castanho, olhos igualmente castanhos e faces arredondadas de menina. O seu sorriso refletia pura felicidade. Era a expressão de uma mulher que cabara de realizar o sonho da sua vida. De pé a seu lado, Dwayne Purvis parecia cansado, quase entediado. A fotografia podia ter por legenda: «Preveem-se problemas.»

Sarmiento indicou o caminho por um corredor até uma ala às escuras. Através de uma janela de observação unilateral, viam a sala de interrogatório contígua e que, de momento, estava desocupada. Tinha paredes brancas frias, uma mesa, três cadeiras e uma câmara de vídeo montada num canto em cima. Era uma sala concebida para extrair a verdade.

Pela janela, viram que a porta se abriu e entraram dois homens. Um deles era polícia, tinha o peito saliente e estava a ficar calvo. O rosto não tinha expressão, era um rosto em branco, o tipo de rosto que nos faz ansiar por um lampejo de emoção.

— O detetive Ligett vai tratar do assunto desta vez — murmurou Sarmiento. — Vamos a ver se consegue sacar-lhe alguma coisa.

— Sente-se — ouviram o detetive Ligett dizer. Dwayne sentou-se de frente para a janela. Do seu ponto de vista, era apenas um espelho. Aperceber-se-ia de que havia olhos a vigiá-lo pelo vidro? O olhar dele pareceu focar-se por instantes diretamente em Rizzoli, que dominou a tentação de recuar, de retroceder para a escuridão. Não que Dwayne Purvis parecesse especialmente ameaçador. Tinha trinta e poucos anos e usava roupa prática, uma camisa branca de botões, sem gravata, e calças de caqui. No pulso, um relógio *Breitling* — era uma jogada errada da sua parte apresentar-se a um interrogatório policial ostentando uma joia a que um agente da polícia não tem acesso. Dwayne tinha

um ar doce e bem-parecido e uma autoconfiança pretensio
sa que certas mulheres acham atraentes — se gostarem d
homens que ostentam relógios caros.

— Deve vender montes de *BMW* — disse Rizzoli.

— Está empenhado até às orelhas — respondeu Sa
miento. — A casa pertence ao banco.

— Seguro de vida da mulher?

— Duzentos e cinquenta mil.

— Não é o suficiente para valer a pena matá-la.

— Mesmo assim, são duzentos e cinquenta mil dólare
Mas, sem um corpo, ser-lhe-á muito difícil recebê-los. At
agora, não temos nenhum.

Na sala ao lado, o detetive Ligett disse:

— Muito bem, Dwayne, só preciso de rever alguns po
menores. — A voz de Ligett era tão monótona quant
a sua expressão.

— Já falei com o outro agente da polícia — diss
Dwayne. — Esqueci-me do nome dele. O tipo que parec
aquele ator. Você sabe, Benjamin Bratt.

— O detetive Sarmiento?

— Sim.

Rizzoli ouviu Sarmiento, que estava a seu lado, dar ur
grunhidozinho de satisfação. É sempre agradável ouvir d
zer que se é parecido com Benjamin Bratt.

— Não sei porque estão a perder o vosso tempo aqu
— disse Dwayne. — Deviam andar lá por fora à procur
da minha mulher.

— E andamos, Dwayne.

— Qual a utilidade desta conversa?

— Nunca se sabe. Nunca se sabe de que pormenorz
nho você se lembrará e que fará a diferença na busca. —
Ligett fez uma pausa. — Por exemplo.

— O quê?

— Esse hotel onde você se hospedou. Já se lembra do nome?

— Foi só mais um hotel.

— Como o pagou?

— Isso é irrelevante!

— Usou cartão de crédito?

— Calculo que sim.

— Calcula?

Dwayne soltou um som de exasperação.

— Sim, pronto, paguei com o cartão de crédito.

— Portanto, o nome do hotel deve estar no talão. Só temos de verificar.

Um silêncio.

— Pronto, já me lembro. Foi o Crowne Plaza.

— O de Natick?

— Não. O de Wellesley.

Sarmiento, que estava ao pé de Rizzoli, estendeu subitamente a mão para o telefone que se encontrava na parede e para o qual murmurou:

— Aqui é o detetive Sarmiento. Preciso do hotel Crowne Plaza, em Wellesley...

Na sala de interrogatórios, Ligett dizia:

— Wellesley até que fica um pouco longe de casa, não?

Dwayne suspirou.

— Precisava de espaço para respirar, só isso. Algum tempo para mim mesmo. Sabe, Mattie ultimamente está sempre colada a mim. Depois, tenho de ir trabalhar e também aí todos querem um pouco de mim.

— Vida difícil, hã? — Ligett disse isto calmamente e sem uma ponta do sarcasmo que devia estar a sentir.

— Toda a gente quer fazer negócio e eu tenho de sorri
com todos os dentes para clientes que me pedem a lua
Mas não posso dar-lhes a lua. Uma máquina excelente co
mo um *BMW,* as pessoas têm de saber que pagarão por ela
E todos têm dinheiro, isso é que dá cabo de mim. Têm di
nheiro, mas continuam a tentar chupar-me até ao últime
tostão.

A mulher desapareceu, é possível que tenha morrido, pensou
Rizzoli, *mas ele está chateado porque os compradores de* BMW *gos*
tam de regatear?

— Por isso é que perdi a cabeça. A discussão foi tod
por causa disso.

— Com a sua mulher?

— Sim. Não foi sobre nós. Foram os negócios. O di
nheiro anda escasso, percebe? Foi só sobre isso. As coisa
estão difíceis.

— Os empregados que viram essa discussão...

— Que empregados? Com quem é que você falou?

— Havia um vendedor e um mecânico. Ambos disse
ram que a sua mulher parecia bastante enervada quando se
foi embora.

— Bem, está grávida. Fica enervada com as coisas mai
estúpidas. Todas aquelas hormonas a deixam descontrolada
Grávidas, simplesmente não se pode ser racional com elas.

Rizzoli sentiu o sangue subir-lhe às faces e perguntou
-se se Frost pensaria o mesmo dela.

— Além disso, está sempre cansada — acrescentou
Dwayne. — Grita ao menor ruído. Doem-lhe as costas
doem-lhe os pés. Tem de correr para a casa de banho d
dez em dez minutos. — Encolheu os ombros. — Tend

m conta a situação, acho que lido bastante bem com o as-
unto.

— Que rapaz simpático — disse Frost.

Sarmiento pendurou subitamente o telefone e saiu. Depois, pela janela, viram-no meter a cabeça na sala de interrogatórios e fazer sinal a Ligett. Saíram ambos da sala.
Dwayne, agora sozinho à mesa, olhou para o relógio e re-
mexeu-se na cadeira. Olhou para o espelho e franziu as sobrancelhas. Tirou do bolso um pente e ocupou-se do cabelo até todos os fios estarem perfeitos. O esposo enlutado
a preparar-se para aparecer no noticiário das cinco.

Sarmiento voltou a entrar na sala onde estavam Rizzoli
e Frost e dirigiu-lhes uma piscadela de olho de entendido.

— Apanhámo-lo.

— Que descobriu?

— Vejam.

Pela janela, viram Ligett voltar a entrar na sala de interrogatórios. Fechou a porta e ficou a olhar fixamente para
Dwayne. Este ficou imóvel, mas por cima do colarinho da
camisa via-se nitidamente pulsar uma veia do pescoço.

— Então — disse Ligett. — Quer contar-me agora
a verdade?

— Sobre quê?

— Aquelas duas noites no hotel Crowne Plaza?

Dwayne deu uma gargalhada — resposta inadequada
naquelas circunstâncias.

— Não sei o que quer dizer.

— O detetive Sarmiento acabou de falar com o Crowne Plaza. Confirmam que você esteve lá hospedado nessas
duas noites.

— Bem, está a ver? Eu disse-lhe...

— Quem era a mulher que se hospedou consigo Dwayne? Loura, bonita. Tomou o pequeno-almoço na sala de jantar consigo nas duas manhãs.

Dwayne calou-se e engoliu em seco.

— A sua mulher sabe da loura? Foi por isso que você e Mattie estiveram a discutir?

— Não...

— Então, ela não sabe da outra?

— Não! Isto é, não foi por isso que discutimos.

— Decerto que foi.

— Você está a tentar dar a isto o pior aspeto possível!

— Ora essa, a namorada não existe? — Ligett aproximou-se e pôs-se mesmo diante do rosto de Dwayne. — Não vai ser difícil de encontrar. Provavelmente, é ela quem *nos* telefona. Verá a sua cara no noticiário e perceberá que é melhor avançar e oferecer-nos a verdade de bandeja.

— Ela não tem nada a ver com isto... quer dizer, sei que causa má impressão, mas...

— É claro que causa.

— Pronto — suspirou Dwayne. — Pronto, tive uma espécie de devaneio, percebem? Muitos tipos na minha posição têm. É difícil quando a nossa mulher está tão grande que já não o conseguimos fazer. Aquela grande barriga espetada... E também não está interessada...

Rizzoli olhou em frente rigidamente, perguntando-se se Frost e Sarmiento estariam a olhar na sua direção. *Sim, estou aqui. Mais uma de barriga grande. E com o marido fora da cidade.* Fitou Dwayne e imaginou Gabriel sentado naquela cadeira a dizer aquelas palavras. *Credo, não faças isto a ti mesma*, pensou, *não estejas tu própria a atormentar-te. Aquele não é Gabriel, é um falhado chamado Dwayne Purvis que foi apanhado com uma*

354

*mante e não consegue enfrentar as consequências. A tua mulher des-
obre a existência da fulaninha e tu começas a pensar: adeus, relógios
Breitling, adeus, metade da casa e dezoito anos de apoio à infância.
Este asno é sem dúvida culpado.*

Olhou para Frost. Este abanou a cabeça. Ambos viam
perfeitamente que se tratava apenas da reencenação de uma
velha tragédia que já haviam presenciado uma dúzia de
vezes.

— Então, ela ameaçou com o divórcio? — perguntou
Ligett.

— Não. Mattie não sabia de nada acerca da outra.

— Apareceu simplesmente no emprego e arranjou uma
discussão?

— Foi uma coisa estúpida. Contei tudo a Sarmiento.

— Porque ficou furioso, Dwayne?

— Porque ela andou a passear-se com um raio de um
pneu vazio e nem sequer deu por isso! Quer dizer, até que
ponto se é estúpido para não se reparar que se está a gastar
a jante? O outro vendedor apercebeu-se. Um pneu novo
em folha e todo rasgado, feito em tiras. Vi aquilo e acho
que comecei a berrar com ela. Ela ficou logo com os olhos
cheios de lágrimas e isso ainda me irritou mais, porque me
fez sentir um asno.

És um asno, pensou Rizzoli. Olhou para Sarmiento.

— Acho que já ouvimos o suficiente.

— Que foi que eu lhe disse?

— Diz-nos se se verificar algum desenvolvimento?

— Sim, sim. — O olhar de Sarmiento regressara a
Dwayne. — É fácil, quando são assim estúpidos.

Rizzoli e Frost voltaram-se para saírem.

— Quem sabe quantos quilómetros terá ela conduzido com o pneu daquela maneira? — estava Dwayne a dizer. — Que diabo, podia já estar em baixo quando ela foi ao consultório médico.

Subitamente, Rizzoli deteve-se. Voltou para junto da janela, franzindo as sobrancelhas a Dwayne. De repente, sentiu o coração bater-lhe nas têmporas. *Meu Deus! Quase perdia isto.*

— De que médico está ele a falar?

— De uma tal doutora Fishman. Falei com ela ontem.

— Por que motivo a senhora Purvis foi consultá-la?

— Foi só uma consulta de obstetrícia de rotina, nada de anormal.

Rizzoli olhou para Sarmiento.

— A doutora Fishman é obstetra?

Acenando com a cabeça, Sarmiento esclareceu:

— Tem consultório na Women's Clinic. Ao fundo da Bacon Street.

A doutora Susan Fishman estivera a pé a maior parte da noite, no hospital, e o seu rosto parecia um mapa da exaustão. O cabelo castanho por lavar estava puxado para trás num rabo de cavalo e a bata branca de laboratório que usava sobre o fato de trabalho amarfanhado tinha os bolsos tão cheios com vários instrumentos de exame que parecia que o tecido lhe puxava os ombros para baixo.

— Larry, da segurança, trouxe as gravações — disse ela enquanto escoltava Rizzoli e Frost do balcão de receção da clínica até ao corredor das traseiras. Os seus ténis chiavam o linóleo. — Está a tratar de montar o equipamento de vídeo na sala de trás. Graças a Deus que ninguém espera que u faça isso. Não tenho sequer aparelho de vídeo em casa.

— A sua clínica ainda tem as gravações de há uma semana? — perguntou Frost.

— Temos um contrato com a Minute Man Security, que conserva as gravações durante uma semana, pelo menos. Pedimos-lhes que as guardassem, dadas as ameaças.

— Que ameaças?

— Esta clínica é a favor da liberdade de escolha, não ei se sabe. Não realizamos abortos no local, mas o simples acto de nos denominarmos clínica de *mulheres* parece acicatar a multidão de direita. Gostamos de ter debaixo de olho quem entra na clínica.

— Então, já anteriormente teve problemas?

— Os que seriam de esperar. Cartas com ameaças, sobrescritos com falso carbúnculo. Gente estúpida a cirandar por aqui e a tirar fotografias às nossas pacientes. Por isso temos essa câmara de vídeo no parque de estacionamento. Queremos vigiar todo aquele que se aproximar da porta da frente. — Conduziu-os por outro corredor, decorado com os mesmos cartazes animadamente genéricos que pareciam enfeitar todos os consultórios dos obstetras. Diagramas sobre amamentação, sobre alimentação materna, sobre «os cinco sinais de perigo de que tem um companheiro abusivo». Uma ilustração anatómica de uma grávida com o conteúdo do abdómen revelado em corte transversal, que fez Rizzoli sentir-se desconfortável por caminhar ao lado de Frost com aquele cartaz a salientar-se da parede, como se fosse a sua própria anatomia que ali estivesse exposta. Intestinos, bexiga, útero. O feto enrolado numa confusão de

357

membros. Havia apenas uma semana, Matilda Purvis passa
ra por este mesmo cartaz.

— Estamos todos consternados por causa de Mattie –
disse a doutora Fishman. — É uma pessoa extremament
meiga e estava muito entusiasmada com o bebé.

— Na última consulta, estava tudo bem? — pergunto
Rizzoli.

— Oh, sim. Pulsação cardíaca fetal forte, boa posiçãc
Tudo parecia excelente. — Fishman olhou de relance par
Rizzoli. — Acha que foi o marido? — perguntou então er
tom soturno.

— Porque pergunta?

— Bem, não é geralmente o marido? Ele só cá vei
com ela uma vez, creio que no início, e esteve sempre abor
recido durante toda a consulta. Depois disso, Mattie vei
sozinha às consultas. Para mim, isso é muito revelador. S
fazem um filho juntos, então só têm de aparecer juntos
Mas isto é só a minha opinião. — Abriu uma porta. —
A nossa sala de reuniões é aqui.

Larry, da Minute Man Security, estava à espera deles n
sala.

— Preparei o vídeo para vos mostrar — disse. — Sele-
cionei o período de tempo que vos interessa. Doutora Fishman, precisa de ver esta gravação. Diga-nos quando a su
paciente aparecer no vídeo.

Fishman suspirou e acomodou-se numa cadeira diante
do monitor.

— Nunca tive de olhar para estas coisas antes.

— Sorte a sua — comentou Larry. — Na maior part
das vezes, são bastante enfadonhas.

Rizzoli e Frost sentaram-se um de cada lado de Fishman.

— Muito bem — disse Rizzoli. — Vamos lá ver o que temos aqui.

Larry carregou no *Play*.

No monitor, apareceu uma imagem longa da entrada principal da clínica. Um dia claro, com o sol a incidir numa fila de automóveis estacionados diante do edifício.

— Esta câmara está montada em cima de um poste de iluminação do parque de estacionamento — esclareceu Larry. — Podem ver as horas aqui, no fundo. Duas da tarde.

Um *Saab* surgiu no campo de visão e parou num espaço de estacionamento. A porta do condutor abriu-se e dele saiu uma morena alta. Dirigiu-se para a clínica e desapareceu no interior.

— A consulta de Mattie era às treze e trinta — disse a doutora Fishman. — Talvez devêssemos recuar um pouco.

— Continue a olhar — disse Larry. — Ali. Catorze e trinta. É ela?

Uma mulher acabara de sair da clínica. Parou por momentos ao sol e passou a mão pelos olhos como se estivesse ofuscada pela luz.

— É ela — disse a médica. — É Mattie.

Mattie começou então a afastar-se do edifício, movimentando-se com o bambolear à pato característico das mulheres no fim da gravidez. Deslocava-se lentamente, procurando na carteira as chaves do automóvel, enquanto andava, distraída, sem prestar atenção. De repente, parou e olhou em volta com uma expressão admirada, como se se tivesse esquecido de onde deixara o automóvel. *Sim, era uma mulher que podia não reparar que tinha o pneu vazio*, pensou Rizzoli. Entretanto, Mattie voltara-se e caminhava numa direção totalmente diferente, desaparecendo do campo de visão da câmara.

— Só tem isso? — perguntou Rizzoli.

— Era o que queria, não era? — replicou Larry. — A confirmação da hora em que saiu do edifício?

— Mas onde está o automóvel? Não a vemos entrar no automóvel.

— Há alguma dúvida de que tenha entrado?

— Só quero vê-la a sair do parque de estacionamento.

Larry levantou-se e dirigiu-se ao sistema de vídeo.

— Há um outro ângulo, que posso mostrar-vos, de uma câmara que se encontra do outro lado do parque de estacionamento — disse ele, mudando a fita. — Mas não me parece que ajude grande coisa porque está muito afastada. — Pegou no comando e carregou novamente no *Play*.

Surgiu outra imagem. Desta vez, só era visível uma esquina do edifício da clínica; a maior parte do ecrã encontrava-se cheio de automóveis estacionados.

— Este parque de estacionamento é comum à clínica médico-cirúrgica que fica do outro lado — explicou Larry. — Por isso veem tantos automóveis aqui. Bem, olhem. Não é ela?

À distância, a cabeça de Mattie era visível conforme ela percorria uma fila de carros. Entretanto, saiu do campo de visão. Um momento depois, um carro azul saiu do estacionamento em marcha-atrás e afastou-se do ecrã.

— É tudo o que temos — indicou Larry. — Ela sai do edifício, entra no automóvel e afasta-se. O que quer que lhe tenha acontecido, não se deu no nosso parque de estacionamento.

— Espere — disse Rizzoli.

— Quê?

— Ande para trás.

— Quanto?

— Cerca de trinta segundos.

Larry carregou em *Rewind* e por breves instantes, no monitor, surgiram píxeis digitais amalgamados, que, a seguir, tomaram a forma de uma imagem de automóveis estacionados. Lá estava Mattie a bambolear-se em direção ao carro. Rizzoli ergueu-se da cadeira, dirigiu-se ao monitor e observava Mattie a afastar-se, quando um relâmpago branco surgiu, deslizando num dos cantos do ecrã, no mesmo sentido do *BMW* de Mattie.

— Pare! — exclamou Rizzoli. A imagem imobilizou-se e Rizzoli tocou no ecrã. — Aqui. Esta carrinha branca.

— Vai em movimento paralelo ao do automóvel da vítima — disse Frost. *A vítima.* Assumindo já que Mattie sofrera o pior destino.

— E então? — perguntou Larry.

Rizzoli fitou Fishman.

— Reconhece aquele veículo?

A médica encolheu os ombros, ao responder:

— Até parece que dou alguma atenção a automóveis. Não sei a mínima coisa sobre marcas e modelos.

— Mas já viu anteriormente esta carrinha branca?

— Não sei. A mim, parece-me igual a todas as carrinhas brancas.

— Porque está interessada naquela carrinha? — perguntou Larry. — É que se vê perfeitamente que ela se meteu no automóvel e se afastou sem problemas.

— Ande para trás — ordenou Rizzoli.

— Quer voltar a passar esta parte?

— Não, quero ir ainda mais para trás. — Olhou para Fishman. — Disse que a consulta era às treze e trinta?

— Sim.

— Vá até às treze horas.

Larry carregou no comando. No monitor, os píxeis baralharam-se e depois reordenaram-se. Em baixo, o relógio marcava uma hora e dois minutos.

— É suficiente — disse Rizzoli. — Vamos ver.

À medida que os segundos tiquetaqueavam, viam automóveis que entravam e saíam do campo de visão. Viram uma mulher tirar duas crianças das cadeiras do automóvel e atravessar o parque de estacionamento com as mãozinhas firmemente agarradas às suas.

À uma hora e oito minutos, apareceu a carrinha branca. Percorreu lentamente a fila de automóveis, depois saiu do alcance da câmara.

À uma e vinte e cinco, o *BMW* azul de Mattie Purvis entrou no parque de estacionamento. Estava parcialmente escondida pela fila de automóveis entre si e a câmara e só se lhe conseguia ver o topo da cabeça quando saiu do carro e, percorrendo a fila, se dirigiu para o edifício.

— É suficiente? — perguntou Larry.

— Continue a passar a gravação.

— De que está à procura?

Rizzoli sentiu a pulsação acelerar.

— Disto — disse suavemente.

A carrinha branca voltara ao ecrã. Percorreu lentamente a fila de automóveis. Parou entre a câmara e o *BMW* azul.

— Bolas! — exclamou Rizzoli. — Tapa-nos a vista! Não conseguimos ver o que o condutor está a fazer.

Segundos depois, a carrinha pôs-se em movimento. Não tinham conseguido ver o rosto do condutor nem sequer de relance, nem a chapa de matrícula.

— Para que foi tudo isto? — perguntou a doutora Fishman.

Rizzoli voltou-se e fitou Frost. Não precisou de dizer palavra, ambos sabiam o que acontecera naquele parque de estacionamento. *O pneu vazio. Theresa e Nikki Wells também tinham um pneu vazio.*

É assim que ele as apanha, pensou Rizzoli. O parque de estacionamento de uma clínica. Mulheres grávidas que se dirigem à consulta dos respetivos médicos. Um rasgão rápido no pneu e depois é só um jogo de paciência. Seguir a presa quando esta sai do parque de estacionamento. Quando ela para, lá está ele, mesmo atrás.

Pronto para oferecer ajuda.

Enquanto Frost conduzia, Rizzoli ia pensando na vida que tinha aninhada dentro de si. Em como era delgada a parede de pele e músculo que aconchegava o bebé. Uma lâmina não teria de cortar muito fundo. Uma incisão rápida pelo abdómen abaixo, do esterno ao púbis, sem a preocupação das cicatrizes porque não iria sarar, sem preocupações quanto à saúde da mãe. É apenas um recipiente descartável e que é aberto por causa do tesouro que contém. Apertou a barriga com as mãos e, de repente, sentiu-se maldisposta perante a ideia do que Mattie Purvis podia estar nesse momento a sofrer. Decerto que Mattie não alimentara imagens tão grotescas quando olhara para o seu

próprio reflexo. Talvez olhasse para as estrias que lhe dese
nhavam uma teia no abdómen e tivesse a sensação de qu
fora privada do seu encanto. Uma sensação de dor porqu
agora, quando o marido olhava para ela, era com desinte
resse e não com desejo.

Sabias que Dwayne andava a ter um caso?

Olhou para Frost.

— Ele deve precisar de um intermediário.

— Quê?

— Quando deita as mãos a um novo bebé, que fa
com ele? Deve levá-lo para um local temporário. A alguém
que confirma a adoção, que trata da papelada. E que lh
paga.

— Van Gates.

— Sabemos que ele tratou disso com ela pelo meno
uma vez anteriormente.

— Isso foi há quarenta anos.

— De quantas adoções não tratou desde então? Quan
tos bebés não colocou junto de famílias dispostas a pagar
Isto mexe com muito dinheiro.

*Dinheiro para conseguir manter a esposa-troféu vestida de elasta
no cor-de-rosa.*

— Van Gates não vai cooperar.

— Nem por sombras. Mas agora já sabemos o que pro
curamos.

— A carrinha branca.

Frost continuou a conduzir em silêncio por momentos
Depois, disse:

— Sabe que se essa carrinha aparecer em casa dele, pro
vavelmente significa... — A voz morreu-lhe na garganta.

Que Mattie Purvis já está morta, pensou Rizzoli.

Mattie encostou-se a um dos lados, apoiou os pés no outro lado e empurrou. Contou os segundos até as pernas lhe começarem a tremelicar e o suor lhe perlar o rosto. *Vamos, mais cinco segundos. Dez.* Afrouxou, sentindo um ardor agradável nas barrigas das pernas e nas coxas. Mal conseguira mexê-las naquela caixa, passara demasiadas horas enrolada sobre si mesma, mergulhada em autocomiseração, enquanto os músculos enfraqueciam. Lembrou-se da altura em que apanhara uma gripe, uma gripe forte, que a metera de cama, febril e a tremer. Dias mais tarde, saíra da cama e sentira-se tão fraca que tivera de rastejar até à casa de banho. É o que faz ficarmos deitados tempo de mais: rouba-nos as forças. Em breve precisaria desses músculos; tinha de estar preparada para quando ele voltasse.

Porque ele *voltaria.*

Chega de descanso. Pés contra a parede outra vez. Força!

Gemeu e o suor escorreu-lhe pela testa. Pensou no filme *GI Jane* e em como Demi Moore parecia esbelta e tonificada quando levantava pesos. Mattie manteve a imagem na cabeça enquanto voltava a fazer força contra as paredes da sua prisão. Visualizar os músculos. Dar-lhe luta. E vencer o pulha.

Arquejando, descontraiu-se de novo contra a pared
e ficou a descansar, respirando profundamente, enquanto
a dor das pernas diminuía. Preparava-se para repetir o exer
cício quando sentiu o apertão na barriga.

Outra contração.

Esperou, contendo a respiração, na esperança de qu
passasse rapidamente. Já estava a abrandar. Era só o útero
a exercitar os próprios músculos, como ela estivera a exer
citar os seus. Não doía, mas era sinal de que a sua hora s
aproximava.

Espera, bebé. Tens de esperar mais um bocadinho.

Maura voltou a desfazer-se de todas as provas da sua própria identidade. Colocou a carteira no cacifo, juntou-lhe o relógio, o cinto e as chaves do automóvel. *Mas, mesmo com o meu cartão de crédito, a minha carta de condução e o meu cartão da Segurança Social*, pensou, *continuo a não saber quem sou. A única pessoa que sabe a resposta está à minha espera do outro lado da barreira.*

Entrou no cubículo dos visitantes, tirou os sapatos e colocou-os sobre o balcão para inspeção, depois passou pelo detetor de metais. Aguardava-a uma guarda.

— Doutora Isles?

— Sim.

— Requisitou uma sala de entrevista?

— Preciso de falar com a presa a sós.

— Mas continuará a ser acompanhada visualmente. Sabe disso?

— Desde que a nossa conversa seja privada...

— É a mesma sala onde as detidas se encontram com os respetivos advogados. Por conseguinte, terá privacidade. — A guarda conduziu Maura pela sala de estar pública e depois por um corredor. Aí, com a chave, abriu uma porta e fez sinal a Maura para passar. — Nós trazemo-la à sala. Queira sentar-se.

Maura entrou na sala de entrevistas e deparou com uma mesa e duas cadeiras. Sentou-se na cadeira que estava de frente para a porta. Uma janela de material plástico dava para o corredor e duas câmaras de vigilância espreitavam de cantos opostos da sala. Aguardou, com as mãos a transpirar apesar do ar condicionado. Levantou o olhar, espantada, e viu os olhos escuros e inexpressivos de Amalthea a fitá-rem-na da janela.

A guarda escoltou Amalthea até à sala e sentou-a numa cadeira.

— Hoje não está muito faladora. Não sei o que vai dizer-lhe, mas aqui está ela. — A guarda inclinou-se, fechou uma algema de aço em volta do tornozelo de Amalthea e prendeu-a à perna da mesa.

— Isso é mesmo necessário? — perguntou Maura.

— É uma questão de regulamento, para sua segurança. — A guarda endireitou-se. — Quando terminar, carregue nesse botão, ali, no intercomunicador de parede. Nós viremos buscá-la. — Afagou o ombro de Amalthea. — Vamos falar com a senhora, está bem, querida? Ela veio de tão longe para *te* visitar. — Deitou a Maura um olhar em que lhe desejava silenciosamente boa sorte e saiu, fechando à chave a porta atrás de si.

Passou-se um momento.

— Estive cá a semana passada a visitá-la — disse Maura. — Lembra-se?

Amalthea arqueou as costas contra a cadeira com os olhos pousados na mesa.

— Disse-me qualquer coisa quando eu estava prestes a sair. Disse «Agora também vais morrer.» Que queria dizer com isso?

Silêncio.

— Estava a avisar-me, não estava? A dizer-me que a deixasse em paz. Não quer que eu ande a escavar no seu passado.

Mais uma vez, silêncio.

— Ninguém está a ouvir-nos, Amalthea. Nesta sala somos só nós as duas. — Maura colocou as mãos sobre a mesa para mostrar que não levava gravador nem bloco de notas. — Não sou agente da polícia. Não sou promotora pública. Pode dizer-me o que quiser e só nós o ouviremos. — Inclinou-se para se aproximar e prosseguiu calmamente. — Sei que compreende todas as palavras que estou a dizer. Por isso, olhe para mim, caramba! Estou farta deste jogo.

Embora Amalthea não levantasse a cabeça, não passou despercebida a tensão súbita dos braços e a crispação dos músculos. *Está a ouvir, é evidente. Está à espera de ouvir o que tenho para dizer.*

— Aquilo foi uma ameaça, não foi? Quando me disse que eu ia morrer, estava a dizer-me que me afastasse ou acabaria como Anna. Pensei que fosse tagarelice de uma psicótica, mas estava a falar a sério. Está a protegê-lo, não está? Está a proteger a *Besta*.

Lentamente, a cabeça de Amalthea ergueu-se. Olhos escuros encontraram os de Maura num olhar tão frio e tão vazio que Maura recuou com a pele arrepiada.

— Sabemos dele — disse Maura. — Sabemos sobre ambos.

— Que sabem?

Maura não esperava que ela falasse. A pergunta foi tão suavemente murmurada que Maura se perguntou se de facto a ouvira. Engoliu em seco. Inspirou profundamente, abalada pelo tenebroso vácuo daqueles olhos. Não havia neles demência, só vazio.

— Você é mentalmente tão sã quanto eu — comentou Maura. — Mas não se atreve a deixar que alguém saiba disso. É muito mais fácil esconder-se atrás da máscara da esquizofrenia. É mais fácil fazer-se de psicótica, porque as pessoas deixam sempre os malucos em paz. Não se dão ao trabalho de a interrogarem. Não aprofundam, porque, de qualquer modo, acham que é tudo alucinação. E agora nem sequer lhe dão medicamentos, porque você é excelente a fingir os efeitos secundários. — Maura obrigou-se a fitar mais profundamente aquele vazio. — Não sabem que a *Besta* é real. Mas você sabe. E sabe onde está.

Amalthea ficou perfeitamente imóvel, mas a tensão invadira-lhe o rosto. Os músculos em volta da boca retesaram-se e ficaram encordoados pelo pescoço abaixo.

— Foi simplesmente opção sua, não foi? Alegar insanidade mental. Não podia eliminar as provas: o sangue no pé de cabra, as carteiras roubadas. Mas convenceu-os de que era doente mental e talvez tenha evitado posteriores investigações. Talvez não descubram nada sobre todas as outras vítimas. As mulheres que você matou na Florida e na Virgínia. No Texas e no Arkansas. Estados com pena de morte. — Maura inclinou-se mais para ela. — Porque não o entrega, muito simplesmente, Amalthea? Afinal, ele deixou que *você* arcasse com as culpas. E continua lá fora a matar. Continua sem si, visita os mesmos lugares, os mesmos territórios de caça. Acabou de raptar outra mulher, em Natick. Você pode detê-lo, Amalthea. Pode pôr fim a isto.

Amalthea parecia reter a respiração, expectante.

— Olhe para si, aqui na prisão. — Maura riu-se. — Que fracassada que você é! Porque há de estar aqui enquanto Elijah está em liberdade?

Amalthea pestanejou. Num instante, deu a impressão de que toda a rigidez dos músculos se desfazia.

— Fale comigo — instou Maura. — Não há mais ninguém nesta sala. Só você e eu.

O olhar da outra mulher ergueu-se para uma das câmaras de vídeo montadas num canto.

— Sim, conseguem ver-nos — disse Maura. — Mas não conseguem ouvir-nos.

— Todos conseguem ouvir-nos — segredou Amalthea. Fitou Maura. O olhar insondável tornara-se frio, controlado. E assustadoramente são, como se uma nova criatura tivesse emergido de súbito e olhasse através daqueles olhos.

— Porque vieste cá?

— Quero saber. Elijah matou a minha irmã?

Uma longa pausa. E, estranhamente, um brilho divertido naqueles olhos.

— E porque havia de a matar?

— Sabe por que motivo Anna foi morta, não sabe?

— Porque não me fazes uma pergunta cuja resposta eu saiba? A pergunta que vieste realmente fazer-me. — A voz de Amalthea era baixa e intimista. — É sobre ti, Maura, não é? Que queres *tu* saber?

Maura fitou-a, com o coração a bater fortemente. Uma única pergunta formava-se-lhe na garganta como uma ferida.

— Quero que me diga...

— Sim? — Um simples murmúrio, suave como uma voz na mente de Maura.

— Quem foi realmente a minha mãe?

Um sorriso retorceu os lábios de Amalthea.

— Quer dizer que não notas as parecenças?

— Diga-me apenas a verdade.

— Olha para mim. E olha-te ao espelho. Eis a tua verdade.

— Não reconheço em mim qualquer parte de si.

— Mas eu reconheço-me em *ti*.

Maura deu uma gargalhada, surpreendida por ainda conseguir rir-se.

— Não sei porque vim cá. Esta visita é uma perda de tempo. — Empurrou a cadeira para trás e começou a levantar-se.

— Gostas de trabalhar com os mortos, Maura? — Surpreendida pela pergunta, Maura deteve-se, soerguida. — Não é o que fazes? — prosseguiu Amalthea. — Corta-los e abre-los. Retiras-lhes os órgãos. Dissecas-lhes o coração. Porque fazes isso?

— O meu trabalho assim o exige.

— Porque escolheste esse trabalho?

— Não estou aqui para falar de mim.

— Estás, sim. Tem tudo a ver contigo. Com quem és realmente.

Lentamente, Maura voltou a sentar-se.

— Porque não me diz simplesmente?

— Abres barrigas. Mergulhas as mãos em sangue. Porque achas que é assim tão diferente? — A mulher movera-se para a frente tão impercetivelmente que Maura ficou espantada ao aperceber-se de repente de quão próxima de si Amalthea estava. — Olha-te ao espelho. Ver-me-ás a mim.

— Não somos sequer da mesma espécie.

— Se é nisso que queres acreditar, quem sou eu para te fazer mudar de ideias? — Amalthea fitou Maura com uma expressão inflexível. — Há sempre o ADN.

Maura ficou sem fôlego. *Um* bluff, pensou. *Amalthea está à espera de que eu lhe peça isso. Para ver se quero realmente saber a verdade. O ADN não mente. Com um esfregaço da boca dela, consigo a minha resposta. Consigo confirmar os meus piores receios.*

— Sabes onde encontrar-me — comentou Amalthea. — Volta quando te sentires preparada para saber a verdade. — Levantou-se e a algema tilintou contra a perna da mesa. Olhou para a câmara de vídeo. Um sinal à guarda de que queria ir-se embora.

— Se você é minha mãe, diga-me então quem é o meu pai — disse Maura.

Amalthea voltou a olhar para ela, novamente com um sorriso nos lábios.

— Não adivinhaste?

A porta abriu-se e a guarda meteu a cabeça na sala.

— Tudo bem por aqui?

A transformação foi espantosa. Apenas um instante antes, Amalthea fitara Maura com frio calculismo. Agora, essa criatura desaparecera e dera lugar a uma aturdida sombra de mulher, que puxava a algema do tornozelo como se se sentisse atónita por não conseguir libertar-se.

— Ir — tartamudeou. — Quero... quero ir.

— Sim, querida, é claro que vamos. — A guarda olhou para Maura. — Calculo que já não precise dela...

— Por agora — respondeu Maura.

Rizzoli não esperava a visita de Charles Cassell e, po isso, ficou surpreendida quando o sargento que se encon trava à secretária lhe telefonou a informá-la de que o douto Cassell a aguardava na receção. Quando saiu do elevador e viu, ficou chocada com a transformação na sua aparência Em apenas uma semana, parecia ter envelhecido dez anos Perdera nitidamente peso e tinha agora o rosto chupado e descorado. O casaco do fato, embora caro e sem dúvid que feito à medida, parecia estar pendurado, sem forma, do ombros curvos.

— Preciso de falar consigo — disse ele. — Preciso d saber o que se passa.

Rizzoli indicou com a cabeça o agente à secretária e res pondeu:

— Vou levá-lo lá para cima.

Quando entraram no elevador, Cassell disse-lhe:

— Ninguém me diz nada.

— Percebe, é evidente, que é essa a norma durante um investigação em curso.

— Vai acusar-me? O detetive Ballard diz que é só um questão de tempo.

Rizzoli fitou-o.

— Quando é que ele lhe disse isso?

— De todas as vezes que o ouço. É essa a estratégia, de tetive? Assustar-me, ameaçar-me até chegarmos a acordo?

Rizzoli não disse nada. Não sabia dos contínuos telefo nemas de Ballard a Cassell.

Saíram do elevador e a detetive levou-o para a sala de interrogatórios, onde se sentaram a um canto da mesa de frente um para o outro.

— Tem algo de novo para me dizer? — perguntou-lhe
ela. — Porque se não, não há motivo para este encontro.

— Não a matei.

— Já disse isso antes.

— Penso que não me ouviu da primeira vez.

— Há mais alguma coisa que queira dizer-me?

— Verificaram a minha viagem de avião, não? Dei-lhes
essa informação.

— A Northwest Airlines confirma que você esteve nesse voo. Mas continua sem álibi para a noite do assassinato
de Anna.

— E aquele incidente com o passarinho morto na caixa
do correio dela? Deram-se sequer ao trabalho de confirmar
onde eu estava quando isso aconteceu? Sei que não estava
na cidade. A minha secretária pode confirmar-lho.

— Mesmo assim, compreenda que isso não prova a sua
inocência. Pode ter contratado alguém para torcer o pescoço a um passarinho e entregá-lo na caixa do correio de
Anna.

— Admito francamente as coisas que *de facto* fiz. Sim,
segui-a. Passei em frente de casa dela meia dúzia de vezes.
E sim, *bati*-lhe naquela noite, e não me orgulho disso. Mas
nunca enviei ameaças de morte. Nunca matei nenhum passarinho.

— Foi só isso que veio dizer? Porque se for... — Rizzoli soergueu-se.

Para seu espanto, ele estendeu a mão e agarrou-a pelo
braço, apertando-a tanto que ela reagiu de imediato em autodefesa. Agarrou-lhe a mão e, torcendo-a, afastou-a.

Cassell deu um gemido de dor e sentou-se com ar es
pantado.

— Quer que lhe parta o braço? — disse Rizzoli. — Ex
perimente essa brincadeira outra vez!

— Desculpe — murmurou ele, fitando-a com um olha
contrito. Toda a raiva que conseguira reunir durante aquel
troca de palavras pareceu escoar-se. — Meu Deus, desculpe..

Rizzoli viu-o retorcido na cadeira e pensou: *O desgost
dele é real.*

— Só preciso de saber o que se passa — disse ele. —
Preciso de saber que está a *fazer* alguma coisa.

— Estou a fazer o meu trabalho, doutor Cassell.

— Não faz outra coisa senão investigar-*me*.

— Isso não é verdade. Trata-se de uma investigaçã
alargada.

— Ballard disse...

— O detetive Ballard não é o responsável, eu é que
sou. E, confie em mim, estou a analisar todos os ângulo
possíveis.

Cassell assentiu. Inspirou profundamente e endireitou-se

— É realmente o que eu queria ouvir, que tudo está
a ser feito. Que não estão a descurar nada. Não me interes
sa o que pensem de mim, a mais pura verdade é que a ama
va *realmente*. — Passou a mão pelos cabelos. — É terríve
quando as pessoas nos deixam.

— Sim, é.

— Quando amamos alguém, o mais natural é querer-
mos conservar essa pessoa. Cometemos loucuras, atos de
sesperados...

— Incluindo assassínio?

— Não a matei. — O olhar dele encontrou o de Rizzo-
i. — Mas, sim. Teria matado *por* ela.

O telemóvel tocou. Rizzoli levantou-se.

— Desculpe — disse, e saiu da sala. Era Frost ao telefone.

— A vigilância acabou de detetar uma carrinha branca
perto da residência de Van Gates — disse ele. — Passou
pela casa há uns quinze minutos, mas não parou. Há uma
probabilidade de o condutor ter descoberto os nossos rapa-
es e por isso eles mudaram-se para outro local da rua.

— Acha que é a carrinha certa?

— As chapas de matrícula são roubadas.

— Quê?

— Os rapazes investigaram o número da matrícula. As
chapas foram tiradas a uma caravana Dodge há três semanas, em Pittsfield.

Pittsfield, pensou Rizzoli, *mesmo do outro lado da fronteira estadual de Albany.*

Onde desapareceu uma mulher precisamente no mês passado.

Conservou o telefone encostado ao ouvido, sentindo
que o coração desatava a bater fortemente.

— Onde está agora essa carrinha?

— A nossa equipa deixou-se estar e não a seguiu. Quando ficaram a saber das chapas de matrícula, já a carrinha se
tinha ido embora. Não voltou.

— Vamos mudar de carro e levá-lo para uma rua para-
ela. Levem uma segunda equipa para vigiar a casa. Se a carrinha voltar, seguimo-la à vez. Dois carros que se vão alter-
nando.

— Certo, vou agora para lá.

377

Rizzoli desligou. Voltou-se para olhar para a sala de in
terrogatórios, onde Charles Cassell continuava sentad
à mesa, cabisbaixo. *Será amor ou obsessão o que estou a ver?* pe
guntou-se.

Por vezes, é difícil ver a diferença.

O dia morria quando Rizzoli atravessou Dedham Park-
way. Descobriu o automóvel de Frost e estacionou atrás.
Saiu do carro e entrou para o banco do passageiro.

— E então? Que se passa? — perguntou.

— Absolutamente nada.

— Bolas! Já passou mais de uma hora. Tê-lo-emos espantado?

— Ainda há uma hipótese de que não fosse Lank.

— Carrinha branca, chapas de matrícula roubadas de
Pittsfield?

— Bem, não anda por aqui. E também não regressou.

— Quando é que Van Gates saiu de casa pela última
vez?

— Ele e a mulher foram fazer compras de mercearia cerca do meio-dia. Depois disso, têm estado sempre em casa.

— Vamos passar por lá. Quero dar uma vista de olhos.

Frost passou pela casa, movendo-se lentamente, o suficiente para Rizzoli dar uma boa olhadela à Tara-na-Sprague-Street. Passaram pela equipa de vigilância, deslizaram
até ao fim do quarteirão, depois deram a volta à esquina
e estacionaram.

— Tem a certeza de que eles estão em casa? — perguntou Rizzoli.

— A equipa não viu sair nem um nem outro depois de meio-dia.

— Aquela casa, a mim, parece-me horrivelmente escura.

Assim ficaram durante uns minutos, à medida que o crepúsculo se intensificava. À medida que o mal-estar de Rizzoli aumentava. Não vira acenderem-se luzes. Estariam ambos, marido e mulher, a dormir? Ter-se-iam esgueirado sem que a equipa de vigilância os visse?

Que estava aquela carrinha a fazer neste bairro?

Olhou para Frost.

— Acabou-se. Não vou esperar mais. Vamos fazer uma visita.

Frost deu a volta de novo até à casa e estacionou. Tocaram a campainha e bateram à porta. Ninguém respondeu. Rizzoli desceu do pátio, recuou até à entrada e olhou para a parte de cima da fachada, semelhante à de uma casa de plantação sulista com as suas priápicas colunas brancas. No andar de cima também não havia luzes. *A carrinha,* pensou, *Esteve cá por alguma razão.*

— Que lhe parece? — perguntou Frost.

Rizzoli sentiu novamente palpitações e arrepios de mal-estar. Inclinou a cabeça e Frost percebeu a mensagem: *Vamos por trás.*

Rizzoli deu a volta ao jardim lateral e abriu um portão. Viu apenas um corredor de tijolo, estreito e ladeado por uma sebe. Não havia espaço para um jardim e quase também não o havia para os dois caixotes do lixo que ali se encontravam. Rizzoli passou pelo portão. Não tinham mandado, mas havia ali algo de errado, algo que lhe fazia comichão nas mãos, as mesmas mãos onde a lâmina de

Warren Hoyt deixara as cicatrizes. Um monstro deixa a sua marca na nossa carne, nos nossos instintos, e, depois disso, sentimo-lo sempre que outro monstro passa por nós.

Com Frost logo atrás, passou por janelas às escuras e por um aparelho central de ar condicionado que soprava ar quente contra a sua pele gelada. Calma, calma. Estavam agora a invadir a casa, mas a única coisa que Rizzoli queria era dar uma espreitadela por uma janela, uma olhadela na porta das traseiras.

Deu a volta à esquina e encontrou um pequeno pátio cercado por uma sebe. O portão de trás estava aberto. Entrou no pátio por esse portão e olhou para a álea a seguir. Não havia ninguém. Começou a andar em direção à casa e estava quase a chegar à porta das traseiras quando reparou que aquela estava aberta de par em par.

Rizzoli e Frost trocaram um olhar. Ambas as armas vieram cá para fora. Acontecera tão rápida e automaticamente que Rizzoli nem se lembrava de ter sacado a sua. Frost deu um empurrão à porta e esta abriu-se de todo e revelou um arco de azulejos de cozinha.

E sangue.

Frost entrou e tocou no interruptor da parede. As luzes da cozinha acenderam-se. Havia mais sangue a chamar a atenção deles nas paredes e armários, numa cacofonia tão poderosa que Rizzoli cambaleou para trás como se tivesse sido empurrada. No útero, o bebé deu um súbito pontapé de alarme.

Frost saiu da cozinha em direção ao corredor, mas Rizzoli ficou imóvel a olhar para Terence Van Gates, que jazia como um nadador de olhos vítreos a flutuar num lago vermelho. *O sangue ainda nem sequer está seco.*

381

— Rizzoli! — ouviu Frost clamar. — A mulher... aind.
está viva!

Barriguda e desajeitada, Rizzoli quase escorregou ac
sair a correr da cozinha. O corredor era um contínuo rol d
terror. Ao longo da parede, havia um rasto de sangue arte
rial e de gotículas que haviam espirrado. Rizzoli seguiu
o rasto até à sala, onde Frost estava ajoelhado, a berrar pel.
rádio que lhe enviassem uma ambulância, enquanto com
primia uma mão contra o pescoço de Bonnie Van Gates
O sangue escorria-lhe por entre os dedos.

Rizzoli ajoelhou-se ao lado da mulher que estava caída
Os olhos de Bonnie estavam arregalados e revirados de ter
ror, como se estivesse a ver a Morte em pessoa a pairar po
cima dela e à espera de lhe dar as boas-vindas.

— Não consigo conter isto — exclamou Frost, vend
que o sangue continuava a escapar-se-lhe por entre os dedos

Rizzoli arrancou uma cobertura do braço do sofá e fe:
um chumaço. Inclinou-se e pressionou a compressa impro
visada contra o pescoço de Bonnie. Frost retirou a mão
soltando um esguicho de sangue antes de Rizzoli consegui
cobrir a ferida. O rolo de tecido ficou imediatamente satu
rado.

— A mão também está a sangrar! — disse Frost.

Baixando os olhos, Rizzoli viu que da palma cortada d
mão de Bonnie escorria continuamente sangue. *Não conse
guimos parar tudo isto...*

— A ambulância? — perguntou Rizzoli.

— A caminho.

A mão de Bonnie ergueu-se e agarrou no braço de Riz
zoli.

— Fique quieta! Não se mexa!

Bonnie arquejou, agora com as duas mãos no ar, como um animal que, em pânico, morde o atacante.

— Agarre-a, Frost!

— Credo, é forte.

— Bonnie, pare! Estamos a tentar ajudá-la!

Outro sacão e Rizzoli soltou-a. Sentiu um jato quente no rosto e na boca o sabor a sangue. Comprimiu os lábios contra o líquido quente e que sabia a cobre. Bonnie torceu-se e ficou de lado com as pernas a sacudirem-se como pistões.

— Está com convulsões! — exclamou Frost.

Rizzoli empurrou o rosto de Bonnie de encontro ao tapete e voltou a comprimir o pano contra a ferida. Agora havia sangue por todo o lado. Espirrara para a camisa de Frost e ensopara o casaco de Rizzoli, que se esforçava por manter a pressão sobre a pele escorregadia. Tanto sangue! Credo, quanto sangue podia uma pessoa perder?

Ouviu-se o som surdo de passos dentro de casa. Era a equipa de vigilância que estivera estacionada na rua. Rizzoli nem sequer levantou os olhos quando os dois homens entraram na sala. Frost gritou-lhes que segurassem Bonnie. Mas já não havia grande necessidade porque as convulsões tinham dado lugar a tremores agónicos.

— Não está a respirar — constatou Rizzoli.

— Vire-a de costas! Vamos, vamos!

Frost pôs a boca contra a de Bonnie e soprou. Afastou-se com os lábios orlados de sangue.

— Não tem pulso!

Um dos polícias apoiou-lhe as mãos no peito e começou a fazer compressões, com as palmas enterradas entre

os seios hollywoodescos de Bonnie. A cada compressão, s
um fiozinho de sangue escorria da ferida. Restava pouquís
simo sangue a circular-lhe nas veias e a alimentar-lhe os ór
gãos vitais. Estavam a bombear um poço seco.

A equipa da ambulância chegou com os seus tubos
monitores e frascos de fluido intravenoso. Rizzoli recuo
para lhes dar lugar e de repente sentiu-se tão tonta que tev
de sentar-se. Deixou-se cair num cadeirão e baixou a cabe
ça. Percebeu que se sentara num tecido branco e que pro
vavelmente o estava a manchar com o sangue que tinha na
roupas. Quando voltou a erguer a cabeça, viu que Bonni
fora intubada. Rasgaram-lhe a blusa e cortaram-lhe o suti?
Havia apenas uma semana, Rizzoli pensara naquela mulhe
como numa boneca *Barbie,* estúpida, de plástico, com a blu
sa cor-de-rosa muito apertada e as sandálias de salto alt
De plástico, era exatamente o que parecia agora, com a cai
ne cor de cera e os olhos sem resquício de alma. Rizzo
descobriu, um pouco afastada, uma das sandálias de Bonni
e perguntou-se se ela teria tentado fugir em cima daquele
sapatos. Imaginou-a a percorrer freneticamente o corredo
com as sandálias a bater, deixando um rasto de esguicho
vermelhos, lutando contra os saltos de agulha. Mesmo de
pois de a equipa de paramédicos ter levado Bonnie de ma
ca, Rizzoli continuou a fitar a sandália inútil.

— Não vai safar-se — comentou Frost.

— Bem sei. — Rizzoli fitou-o. — Tem sangue na boca
Frost.

— Devia ver-se ao espelho. Diria que ambos estivemo
totalmente expostos.

Rizzoli pensou no sangue e em todas as coisas terrívei
que podia transmitir. Sida. Hepatite.

— Ela parecia bastante saudável — foi tudo o que Rizzoli conseguiu dizer.

— Mesmo assim. Com a sua gravidez e tudo... — comentou Frost.

Então, que diabo estava a fazer ali, mergulhada no sangue de uma mulher morta? Devia estar em casa diante do televisor, pensou, com os meus pés inchados levantados. Isto não é vida para uma mãe. Não é vida para ninguém.

Tentou levantar-se do cadeirão. Frost estendeu-lhe a mão e, pela primeira vez, aceitou-a, permitindo que ele a ajudasse a pôr-se de pé. *Às vezes temos de aceitar a ajuda que nos oferecem,* pensou ela. *Às vezes temos de admitir que não conseguimos fazer tudo sozinhos.* Tinha a blusa hirta e as mãos castanhas. A equipa da polícia técnica devia estar a chegar em breve e a seguir viria a imprensa. Sempre o diabo da imprensa.

Era tempo de se limpar e voltar ao trabalho.

Maura saiu do automóvel para um desorientador assalto de lentes de câmaras e microfones estendidos para ela. As luzes intermitentes piscavam a azul e branco, iluminando uma multidão de espectadores reunidos junto do perímetro delimitado pela fita da polícia. Não hesitou, não deu aos meios de comunicação qualquer oportunidade de se aproximarem dela enquanto caminhava com vivacidade para dentro da casa e acenava com a cabeça ao polícia que guardava o local.

O agente retribuiu-lhe o aceno com uma expressão espantada.

— Hã... O doutor Costas já está cá...

— Também eu — replicou Maura e passou por baixo da fita.

— Doutora Isles?

— Ele está lá dentro?

— Está, mas...

Maura continuou a andar, sabendo que ele não a desafiaria. A sua expressão de autoridade dava-lhe uma capacidade de acesso que poucos agentes ousavam questionar. Deteve-se junto da porta da frente para pôr luvas e coberturas de sapatos, acessórios de moda necessários quando há sangue envolvido. Depois, avançou para o interior, onde os membros da polícia técnica mal olharam para ela. Todos a conheciam; não tinham motivos para questionar a sua presença. Sem que ninguém a impedisse, foi do vestíbulo até à sala, onde viu o tapete manchado de sangue e restos espalhados deixados pela equipa médica da ambulância. Seringas, ligaduras rasgadas e compressas de gaze sujas juncavam o chão. Não havia corpo.

Começou a percorrer um corredor, onde a violência deixara nas paredes o seu registo. De um lado, esguichos de sangue arterial. Do outro, mais subtis, as gotinhas lançadas pela lâmina do agressor.

— Doutora? — Rizzoli encontrava-se na outra extremidade do corredor.

— Porque não me chamou? — perguntou Maura.

— Costas encarregou-se deste.

— Assim me disseram.

— Não tem necessidade de cá estar.

— Podia ter-me dito, Jane. Podia ter-me dado conhecimento.

— Este caso não lhe pertence.

— Este caso envolve a minha irmã. Diz respeito a *mim*.

— Por isso é que o caso não é seu. — Rizzoli dirigiu-se a Maura sem que o olhar lhe vacilasse. — Não preciso dizer-lhe isso. Já o sabe.

— Não estou a pedir para ser a médica-legista deste caso. Só me sinto incomodada por não me ter telefonado a dar conhecimento.

— Não tive oportunidade, compreende?

— É essa a desculpa?

— Mas é verdade, caramba! — Rizzoli apontou para o sangue das paredes. — Tivemos aqui duas vítimas. Ainda não jantei. Ainda não tirei o sangue do cabelo. Por amor de Deus, ainda nem sequer tive tempo para fazer chichi. — Voltou-se. — Tenho mais que fazer do que dar-lhe explicações.

— Jane.

— Vá para casa, doutora. Deixe-me fazer o meu trabalho.

— Jane! Desculpe. Não devia ter dito o que disse.

Rizzoli voltou-se de novo para ela e Maura viu aquilo em que ainda não conseguira reparar até àquele momento. Os olhos fundos, os ombros descaídos. *Mal se aguenta de pé.*

— Desculpe, também. — Rizzoli olhou para a parede manchada de sangue. — Perdemo-lo por uma unha negra — disse, juntando o polegar e o indicador. — Tínhamos uma equipa na rua a vigiar a casa. Não sei como ele descobriu o carro, mas passou por ele e veio antes pelo portão das traseiras. — Abanou a cabeça. — De algum modo soube. Sabia que andávamos à procura dele. Por isso é que Van Gates era um problema...

— *Ela* avisou-o.

— Quem?

— Amalthea. Teve de ser ela. Um telefonema, uma carta. Algo conseguiu sair através de alguma das guardas. Ela está a proteger o companheiro.

— Acha-a suficientemente racional para fazer isso?

— Acho, sim. — Maura hesitou. — Fui visitá-la hoje.

— Quando tencionava dizer-mo?

— Sabe segredos meus. Tem as respostas.

— Ela ouve vozes, por amor de Deus!

— Não, não ouve. Estou convencida de que é perfeitamente sã e sabe muito bem o que está a fazer. Está a proteger o companheiro, Jane. Nunca o denunciará.

Rizzoli fitou-a em silêncio por momentos.

— Talvez seja melhor vir ver isto. Precisa de saber o que enfrentamos.

Maura seguiu-a até à cozinha e parou à porta, espantada com a carnificina que viu naquela sala. O colega, o doutor Costas, estava agachado sobre o corpo. Ergueu o olhar para Maura com ar atónito.

— Não sabia que você também participava nisto — comentou.

— E não participo. Só preciso de ver... — Olhou para Terence Van Gates e engoliu com dificuldade.

Costas levantou-se.

— Este foi letalmente eficiente. Não há feridas de defesa, nenhuma indicação de que a vítima tivesse qualquer oportunidade de ripostar. Um simples corte, mesmo de orelha a orelha. Aproximou-se por trás. A incisão começa em cima à esquerda, atravessa a traqueia e estende-se um pouco mais abaixo do lado direito.

— Um atacante dextro.

— E forte também. — Costas debruçou-se e, gentilmente, inclinou a cabeça para trás, revelando um anel aberto de cartilagem brilhante. — Estamos quase na coluna
vertebral. — Soltou a cabeça e esta inclinou-se para a frente. Os bordos incisos reuniram-se novamente.

— Uma execução — murmurou Maura.

— Praticamente.

— A segunda vítima... na sala...

— A esposa. Morreu nas Urgências há uma hora.

— Mas essa execução não foi tão eficiente — disse
Rizzoli. — Achamos que o assassino apanhou primeiro
o marido. Talvez Van Gates estivesse à espera da visita.
Talvez o tenha mesmo deixado entrar na cozinha, pensando que se tratava de negócios. Mas não estava à espera do
ataque. Não há ferimentos defensivos, nem sinais de luta.
Voltou as costas ao assassino e tombou como um cordeiro
no matadouro.

— E a mulher?

— Bonnie é uma história diferente. — Rizzoli olhou
para Van Gates, para os tufos pintados dos transplantes de
cabelo, símbolos da vaidade de um velho. — Acho que
Bonnie foi ter com eles. Entra na cozinha e vê o sangue.
Vê o marido estendido no chão e com o pescoço quase totalmente separado do corpo. O assassino também ali está,
ainda tem a faca na mão. O ar condicionado está ligado
e todas as janelas estão bem fechadas. De vidro duplo, por
causa do isolamento. Portanto, a nossa equipa que estava
estacionada na rua não poderia ouvir-lhe os gritos. Se é que
ela conseguiu gritar.

Rizzoli voltou-se para olhar para a porta que dava pa
o corredor. Fez uma pausa, como se visse a falecida ali p
rada.

— Vê o assassino vir direito a ela. Mas, ao contrário d
marido, ela defende-se. Tudo o que consegue fazer quand
a faca vem sobre ela é agarrá-la pela lâmina. A faca cort
-lhe a palma da mão, pele, tendões, até ao osso. Corta tã
fundo que a artéria é atingida.

Rizzoli apontou para a entrada do outro lado do corredo

— Corre naquela direção com a mão a jorrar sangu
Ele está logo atrás dela e encurrala-a na sala. Mesmo assi
ela defende-se, tenta desviar a lâmina com os braços. Ma
ele faz-lhe mais um corte, este na garganta. Não tão pro
fundo quanto a incisão no pescoço do marido, mas suf
cientemente profundo. — Rizzoli fitou Maura. — Estav
viva quando a encontrámos. Conseguimos chegar com e
ainda viva.

Maura olhou para Terence Van Gates, caído de encon
tro ao armário. Pensou na casinha da floresta onde do
primos haviam formado o seu laço venenoso. *Um laço qu
dura até hoje.*

— Lembra-se do que Amalthea lhe disse no primeir
dia em que a foi visitar? — perguntou Rizzoli.

Maura acenou com a cabeça. *Agora também tu vais morre*

— Ambas pensámos que era apenas conversa de do
dos — comentou Rizzoli. Olhou para Van Gates. — Agor
parece bastante evidente que era um aviso. Uma ameaça.

— Porquê? Não sei mais do que você.

— Talvez por causa de quem *é,* doutora. Filha d
Amalthea.

Um vento gélido percorreu a coluna de Maura.

— O meu pai... — disse suavemente. — Se realmente sou filha dela, então quem é o meu pai?

Rizzoli não pronunciou o nome de Elijah Lank; não foi necessário.

— Você é a prova viva da ligação deles — disse a detetive. — Metade do seu ADN é dele.

Fechou à chave a porta da frente e correu o ferrolho. Parou ali, pensando em Anna e em todos os ferrolhos de cobre e correntes que haviam enfeitado a casinha do Maine. *Estou a transformar-me na minha irmã,* pensou. *Não tarda estou escondida atrás de barricadas ou a fugir da minha própria casa à procura de uma nova cidade, de uma nova identidade.*

Luzes de faróis atravessaram as cortinas corridas da sala. Olhou para fora e viu um automóvel da polícia a passar lentamente. Desta vez não era de Brookline, era um carro-patrulha com uma inscrição lateral: Departamento de Polícia de Boston. *Rizzoli deve tê-lo requisitado,* pensou Maura.

Foi à cozinha e preparou uma bebida. Nada de complicado, não a sua mistura do costume, só sumo de laranja, vodca e gelo. Sentou-se na cozinha e bebericou; os cubos de gelo tilintavam no copo. Bebia sozinha; não era bom sinal, mas queria lá saber! Precisava daquela anestesia, precisava de parar de pensar no que vira naquela noite. O ar condicionado sibilava o seu sopro fresco do teto. Não havia janelas abertas naquela noite; estava tudo fechado à chave e seguro. O copo frio gelou-lhe os dedos. Pousou-o

e olhou para a palma da mão, para o tom pálido dos capila
res. *O sangue deles corre nas minhas veias?*

A campainha da porta soou.

Ergueu a cabeça de repente; voltou-se para a sala com
o coração a bater desordenadamente e com todos os mús
culos do corpo rígidos. Lentamente, pôs-se de pé e percor
reu em silêncio o corredor até à porta da frente. Ali, parou
pensando em como seria fácil uma bala penetrar naquel
madeira. Dirigiu-se à janela lateral, olhou para fora e vi
Ballard no pátio.

Com um suspiro de alívio, abriu a porta.

— Já soube de Van Gates — disse ele. — Você est
bem?

— Um pouco abalada. Mas estou bem. — *Não, não es
tou. Tenho os nervos em franja e estou a beber sozinha na cozinha*
— Não quer entrar?

Ballard nunca estivera dentro de casa dela. Entrou, fe
chou a porta e fitou o ferrolho ao corrê-lo.

— Precisa de um sistema de segurança, Maura.

— Ando a pensar nisso.

— Faça-o rapidamente, está bem? — Olhou para ela
— Posso ajudá-la a escolher o melhor.

— Agradeço o conselho — respondeu Maura, acenando com a cabeça. — Apetece-lhe uma bebida?

— Esta noite não, obrigado.

Foram para a sala. Ballard deteve-se, olhando para
o piano a um canto. — Não sabia que tocava.

— Desde garota. Mas quase não pratico.

— Não sei se sabe que Anna também tocava... — Calou-se. — Calculo que não soubesse disso.

— Não sabia. É tão irreal, Rick, mas, de cada vez que
sei alguma coisa sobre ela, mais ela se parece comigo.

— Anna tocava lindamente. — Dirigiu-se ao piano, levantou a tampa do teclado e dedilhou algumas notas. Voltou a baixar a tampa e ficou a olhar fixamente para a superfície negra brilhante. Olhou para Maura.

— Estou preocupado consigo, Maura. Especialmente esta noite, depois do que aconteceu a Van Gates.

Maura suspirou e deixou-se cair no sofá.

— Perdi o controlo da minha vida. Já não posso sequer continuar a dormir com as janelas abertas.

Rick também se sentou. Escolheu uma cadeira à frente dela, de forma que se ela levantasse a cabeça teria de olhar para ele.

— Acho que não devia ficar cá sozinha esta noite.

— Esta é a minha casa. Não saio daqui.

— Então, não saia. — Uma pausa. — Quer que eu fique consigo?

O olhar dela encontrou o dele.

— Porque está a fazer isto, Rick?

— Porque penso que você precisa de quem tome conta de si.

— E é você quem vai fazer isso?

— Quem mais seria? Olhe para si! Vive uma vida tão solitária, entregue a si própria nesta casa! Penso em si aqui sozinha e isso assusta-me, assusta-me o que pode acontecer. Quando Anna precisou de mim, não estava presente. Mas posso estar aqui para si. — Estendeu as mãos e pegou nas dela. — Posso estar aqui sempre que precisar de mim.

Maura olhou para as mãos que cobriam as suas.

— Você amava-a, não? — Como ele não respondesse, ela levantou os olhos e encontrou os dele. — Não é verdade, Rick?

— Ela precisava de mim.

— Não foi o que perguntei.

— Não podia ficar parado a ver fazerem-lhe mal. Não aquele homem.

Devia ter percebido desde o início, pensou ela. *Esteve sempre tudo ali, o modo como me olhava, o modo como me tocava.*

— Se a tivesse visto naquela noite nas Urgências... — disse ele. — O olho negro, as contusões. Dei uma olhadela ao rosto dela e apeteceu-me espancar quem lhe fez aquilo. Não há muita coisa que me faça perder a cabeça, Maura, mas quando um homem bate numa mulher... — Inspirou profundamente. — Não podia permitir que aquilo voltasse a acontecer-lhe. Mas Cassell não a largava. Continuava a telefonar-lhe e a segui-la e, por isso, tive de avançar. Ajudei-a a instalar algumas das fechaduras. Comecei a passar diariamente por casa dela, para saber notícias. Depois, uma noite, ela pediu-me que ficasse para jantar e... — Encolheu os ombros, com ar derrotado. — Foi assim que começou. Ela tinha medo e precisava de mim. É o instinto, percebe? Talvez instinto de polícia. Queremos proteger.

Especialmente quando se trata de uma mulher atraente.

— Tentei mantê-la em segurança, só isso. — Olhou para Maura. — Portanto, sim. Acabei por me apaixonar por ela.

— E que é isto, Rick? — Maura olhou para as mãos dele que continuavam a agarrar as suas. — Que está a acontecer aqui? Isto é por mim ou é por ela? Porque eu não sou Anna. Não sou a sua substituta.

— Estou aqui porque *você* precisa de mim.

— É como se fosse uma repetição. Você entregou-se o mesmo papel, ao de guardião. E eu sou apenas a substituta que, por acaso, teve de desempenhar o papel que era de Anna.

— Não é assim.

— E se você nunca tivesse conhecido a minha irmã, se você e eu fôssemos simplesmente duas pessoas que se conheceram numa festa? Mesmo assim estaria aqui?

— Sim. Estaria. — Inclinou-se para ela e apertou-lhe fortemente as mãos. — Sei que estaria.

Por momentos, ficaram sentados em silêncio. *Quero acreditar nele,* pensou Maura. Seria muito fácil acreditar nele. Mas disse:

— Acho que não deve cá ficar esta noite.

Lentamente, Rick endireitou-se. Continuava com os olhos presos aos dela, mas, agora, havia distância entre eles. E deceção.

Ela levantou-se; ele fez o mesmo.

Em silêncio, dirigiram-se para a porta da frente. Ali, ele parou e voltou-se para ela. Gentilmente, levantou a mão e aninhou nela o rosto de Maura, toque de que esta não se afastou.

— Tenha cuidado — disse ele, e saiu.

Maura fechou a porta à chave.

CAPÍTULO

29

Mattie comeu a última tira de carne seca. Roeu-a como um animal selvagem a alimentar-se de carniça ressequida e pensando: *Proteínas para ter força. Para a vitória!* Pensou em atletas a prepararem-se para as maratonas, a afinarem os corpos para a proeza da sua vida. Isto também seria uma maratona. Uma oportunidade de ganhar.

Perdes e morres.

A carne seca parecia couro e quase se engasgou ao engoli-la, mas conseguiu fazê-la descer com um gole de água. O segundo jarro estava quase vazio. *Estou a chegar às últimas*, pensou. *Não consigo aguentar muito mais.* E agora tinha uma nova preocupação: as contrações tinham começado a tornar-se incomodativas, como se houvesse um punho a apertá-la. Ainda não podia dizer que fossem dolorosas, mas eram um prenúncio do que estava para vir.

Onde estava ele, que diabo? Porque a deixara tanto tempo sozinha? Sem relógio, não podia dizer se se tinham passado horas ou dias desde a sua última visita. Perguntou-se se o teria irritado quando lhe gritara. Seria este o seu castigo? Estaria ele a tentar assustá-la um pouco, fazê-la compreender que tinha de ser bem-educada e mostrar-lhe algum respeito? Toda a vida fora bem-educada e via-se aonde isso a levara. As meninas bem-educadas são empurradas. São atiradas para o fim da fila onde ninguém lhes presta atenção. Casam-se com homens que de imediato se esquecem de que elas existem. *Bem, estou farta de ser bem-educada,* pensou Mattie. *Se conseguir safar-me desta, verão o que é má-criação.*

Mas, primeiro, tenho de sair daqui. E isso significa que tenho de fingir *que sou bem-educada.*

Bebeu outro gole de água. Sentia-se estranhamente saciada, como se tivesse ingerido um banquete e bebido vinho. *Espera pela tua hora,* pensou ela. *Ele há de voltar.*

Aconchegou o cobertor em volta dos ombros e fechou os olhos.

Acordou presa de uma contração. *Oh, não,* pensou, *esta doeu. Esta sem dúvida que doeu.* Ficou a transpirar na escuridão, tentando recordar-se das aulas de Lamaze, mas parecia que tinham sido noutra vida. Na vida de outra pessoa.

Inspirar, expirar. Purificar...

— Senhora.

Ficou rígida. Olhou na direção do respiradouro por onde a voz sussurrara. A pulsação acelerou-se. *Hora de agir, GI Jane.* Mas, deitada na escuridão, respirando o seu próprio cheiro a terror, pensou: *Não estou preparada. Nunca estarei preparada. Porque pensei sequer que conseguia fazer isto?*

— Senhora. Fale comigo.

É a tua única oportunidade. Aproveita.

Inspirou profundamente.

— Preciso de ajuda — gemeu.

— Porquê?

— O meu bebé...

— Conte-me.

— Está a começar. Estou com dores. Oh, por favor deixe-me sair! Não sei quanto tempo mais será... — Soluçou — Deixe-me sair. Preciso de sair. O bebé está a chegar.

A voz ficou em silêncio.

Mattie agarrou-se ao cobertor, receosa de respirar, com medo de perder o mais débil murmúrio dele. Porque não respondia? Ter-se-ia ido embora outra vez? Depois, ouviu um baque surdo e uma raspadela.

Uma pá. Ele começara a cavar.

Uma oportunidade, pensou ela. *Só tenho esta única oportunidade.*

Mais um ruído surdo. A pá movia-se em pancadas mais longas, escavando a terra, em arranhadelas tão desagradáveis como giz a riscar ardósia. Mattie respirava agora mais depressa e sentia o coração aos pulos no peito. *Ou vivo ou morro,* pensou. *Fica tudo decidido agora.*

As cavadelas pararam.

Mattie tinha as mãos frias e com os dedos gelados prendia o cobertor aos ombros. Ouviu madeira a ranger e a seguir as dobradiças chiaram. Entrou-lhe terra, para a prisão e para os olhos. *Meu Deus, meu Deus, não vou conseguir ver. Preciso de ver!* Voltou-se a fim de proteger o rosto da terra que lhe tombava sobre os cabelos. Pestanejou repetidamente para limpar a areia dos olhos. Com a cabeça baixa, não conseguia vê-lo lá em cima. E que via ele ao olhar para o poço? A sua cativa aconchegada debaixo de um cobertor, suja e vencida. Destruída pelas dores do parto.

— Está na altura de sair — disse ele, desta vez já não através do respiradouro. Uma voz calma, absolutamente vulgar. Como podia o mal ter um som tão normal?

— Ajude-me — disse ela com um soluço. — Não consigo saltar até aí.

Ouviu madeira raspar contra madeira e sentiu algo bater no chão a seu lado. Uma escada. Abrindo os olhos, olhou para cima e viu apenas uma silhueta contra as estrelas. Depois do escuro de breu da sua prisão, o céu noturno parecia inundado de luz.

O homem acendeu uma lanterna e apontou-a para as travessas de madeira.

— São só uns degraus — disse ele.

— Dói muito.

— Eu agarro-lhe na mão. Mas tem de subir pela escada.

Fungando, Mattie levantou-se devagar. Faltaram-lhe as pernas e voltou a cair de joelhos. Havia dias que não se punha de pé e ficou desmoralizada ao verificar quão fraca se sentia apesar das tentativas de fazer exercício, apesar da adrenalina que agora lhe fluía para a corrente sanguínea.

— Se quiser sair, tem de pôr-se de pé — disse ele.

Mattie gemeu e cambaleou, instável como um bezerro recém-nascido. A mão direita continuava dentro do cobertor e apertava-o contra o peito. Com a mão esquerda, agarrou-se à escada.

— Isso mesmo. Suba.

Subiu para a travessa mais baixa e parou para se firmar antes de levantar a mão livre para subir para o degrau seguinte. Deu mais um passo. O buraco não era fundo; mais alguns degraus e estaria fora. Já chegava com a cabeça e os ombros à cintura dele.

— Ajude-me — suplicou. — Puxe-me para cima.

— Largue o cobertor.

— Tenho muito frio. Por favor, puxe-me.

Ele pousou a lanterna no chão.

— Dê-me a sua mão — disse ele e inclinou-se para ela, uma sombra sem rosto, um tentáculo estendido para ela.

Isso mesmo. Já está suficientemente perto.

Agora, só a cabeça dele ultrapassava a dela e encontrava-se ao alcance do seu ataque. Por instantes, vacilou, repugnada perante o pensamento do que estava prestes a fazer.

— Não me faça perder tempo — ordenou ele. — *Suba!*

De repente, imaginou que quem olhava para si era o rosto de Dwayne. Era a voz de Dwayne que lhe ralhava e a menosprezava repetidamente. *A imagem é tudo, Mattie, mas olha para ti!* A vaca da Mattie agarrada à escada, com medo de salvar-se. Com medo de salvar o bebé. *Simplesmente, já não és suficientemente boa para mim!*

Sou, sim. SOU, SIM!

Largou o cobertor. Este escorregou-lhe dos ombros, pondo a descoberto aquilo que Mattie trouxera na mão: uma meia bojuda devido às oito pilhas da lanterna. Levantou o braço e girou a meia como uma maça num arco produzido por pura raiva. A pontaria foi acidental e desajeitada, mas ouviu um som aprazível quando as pilhas acertaram no crânio do homem.

A sombra cambaleou para o lado e tombou.

Em segundos chegou ao cimo da escada e rastejou para fora. O terror não nos faz desajeitados, antes nos aguça os sentidos e torna-nos rápidos como gazelas. Na fração de segundo em que os pés dela tocaram chão sólido, apercebeu-se de uma dúzia de pormenores em simultâneo.

O quarto de lua a espreitar atrás de ramos que desenhavam um arco no céu. O cheiro a terra e folhas húmidas. E árvores, árvores por todo o lado, um anel de sentinelas altaneiras que bloqueavam tudo exceto uma estreita cúpula de estrelas. *Estou numa floresta.* Apercebeu-se de tudo isto num simples olhar. Tomou uma decisão numa fração de segundo e desatou a correr em direção ao que lhe pareceu uma abertura entre aquelas árvores. Encontrou-se subitamente a escorregar por uma ravina íngreme, esmagando espinheiros e árvores jovens de tronco esguio que, por vingança, em vez de se quebrarem a chicoteavam no rosto.

Aterrou de mãos e joelhos. Pôs-se de pé atabalhoadamente e um instante depois corria de novo, mas, agora, coxeando, com o tornozelo direito torcido e a latejar. *Estou a fazer muito barulho,* pensou. *Sou barulhenta como um elefante a andar. Não pares, não pares — ele pode estar mesmo atrás de ti. Continua a andar!*

Mas estava como cega naquela floresta, só com as estrelas e aquela deplorável amostra de lua a mostrar-lhe o caminho. Nem luz, nem referências. Nenhuma ideia sobre onde estava ou em que direção podia encontrar-se o auxílio. Não sabia nada acerca daquele lugar e encontrava-se perdida como um caminhante num pesadelo. Abriu caminho à força através dos arbustos e, instintivamente, desceu o monte, permitindo que a gravidade decidisse a direção que devia tomar. As montanhas levam a vales. Os vales levam a cursos de água. Os cursos de água levam às pessoas. Diabos!, fazia sentido, mas seria verdade? Começava a sentir os joelhos hirtos em resultado da queda que dera. Outro trambolhão e talvez não conseguisse andar sequer.

Agora, invadia-a outra dor. Apanhou-a de surpres
e cortou-lhe a respiração. Uma contração. Dobrou-se e es
perou que passasse. Quando finalmente conseguiu endirei
tar-se outra vez, estava ensopada em suor. Algo restolho
na sua retaguarda. Rodou sobre si mesma e deparou con
uma muralha de sombras impenetráveis. Sentia o ma
a aproximar-se. Desatou imediatamente a correr para longe
com os ramos das árvores a flagelarem-lhe o rosto e o pâni
co a guinchar-lhe: *Mais depressa. Mais depressa!*

Ao descer a encosta, perdeu o equilíbrio e só não cai
de frente sobre a barriga porque se agarrou a um tronco
Pobre bebé, quase aterrei em cima de ti! Não ouviu ruído de per
seguição, mas sabia que ele tinha de estar logo atrás e n
seu encalce. O terror atirou-a violentamente para um ema
ranhado de galhos entrelaçados.

A seguir, como por magia, as árvores evaporaram-se
Irrompeu por um último emaranhado de silvas e os pé
embateram contra solo duro. Espantada e sem fôlego, ficou
a olhar para o luar que se refletia na ondulação. Um lago
Uma estrada. E, ao longe, agachada, a silhueta de uma pe
quena cabana.

Deu alguns passos e parou, gemendo, quando outr
contração a prendeu nas suas garras, apertando tão forte
mente que não conseguia respirar. Só conseguiu agachar-s
ali na estrada. Subiram-lhe vómitos à garganta. Ouvi
a água bater levemente na margem e o pio de uma ave n
lago. Invadiu-a uma enorme fraqueza que ameaçava pô-l
de joelhos. *Aqui, não! Não pares aqui, tão exposta na estrada.*

Avançou, cambaleante, depois de a contração ter abran
dado. Obrigou-se a andar, agarrada à esperança da cabana
mergulhada na sombra. Começou a correr. Doíam-lhe os

402

oelhos de cada vez que os pés batiam no solo. *Mais depres-*
sa, pensou. *Ele consegue ver-te refletida no lago. Corre antes que*
a próxima dor te paralise. Quantos minutos até à próxima? Cinco,
dez? A cabana parecia muito distante.

Agora já quase se arrastava, com as pernas bambas e o
ar a entrar e a sair ruidosamente dos seus pulmões. A esperança era uma espécie de combustível de foguetão. *Hei de*
sobreviver. Hei de sobreviver.

As janelas da cabana estavam às escuras. Bateu levemente à porta, sem se atrever a gritar com medo de que
a sua voz chegasse até à estrada, até à montanha. Não obte-
ve resposta.

Hesitou apenas um segundo. *Para o diabo com a boa meni-*
na! Parte mas é a maldita janela! Pegou num pedregulho que
estava ao pé da porta da frente e bateu contra a vidraça.
O som do vidro a estilhaçar-se quebrou o silêncio da noite.
Com o pedregulho, partiu os estilhaços restantes e abriu
a porta.

Parto e entro, agora. Vamos, GI Jane!

No interior, cheirou-lhe a cedro e a ar estagnado. Uma
casa de férias que estava fechada e negligenciada havia muito tempo. Sentiu vidros a esmigalharem-se debaixo dos pés
ao tatear à procura de um interruptor. Um instante depois
de acender a luz, lembrou-se. *Ele vê-a. Agora é tarde de mais.*
Descobre um telefone.

Olhou em volta e viu uma lareira, madeira empilhada
e mobília forrada a tecido axadrezado, mas nenhum telefone.

Correu para a cozinha e descobriu um telefone portátil
sobre a bancada. Pegou nele e estava já a marcar o 112

quando se apercebeu de que não tinha linha. Estava desli
gado.

Na sala, estilhaços de vidro deslizaram pelo chão.

Ele está dentro de casa. Sai. Sai já!

Esgueirou-se pela porta da cozinha e fechou-a silencio
samente atrás de si. Encontrou-se numa pequena garagem
O luar filtrava-se através de uma única janela, suficiente
mente forte para se aperceber da silhueta baixa de um bar
co a remos instalado no reboque. Não havia outro escon
derijo, nenhum lugar para se ocultar. Afastou-se da port
da cozinha, encolhendo-se o mais possível nas sombras
Bateu com o ombro numa prateleira, fazendo chocalha
metal e espalhando o cheiro a pó acumulado há muito. Pas
sou a mão às cegas pela prateleira em busca de uma arma
Tateou latas de tinta antigas e com as tampas grudadas. Ta
teou pincéis com os pelos solidamente colados. Depois, os
dedos fecharam-se-lhe em torno de uma chave de fendas
Empunhou-a. Que arma lastimável, quase tão mortífera
quanto uma lima de unhas. A parente pobre de todas as
chaves de fendas!

Sob a porta da cozinha, a luz ondulou. Uma sombra
movia-se pela fenda iluminada. Parou.

Também ela parou de respirar. Recuou para a reentrân
cia da porta basculante da garagem com o coração a bater-
-lhe na garganta. Só tinha uma escolha.

Estendeu a mão para o puxador e fez força. A porta
guinchou ao deslizar sobre os rodízios, num grito que
anunciava: *Ela está aqui! Ela está aqui!*

No momento em que a porta da cozinha se abria, arras
tou-se por baixo da porta basculante e correu para a noite.
Sabia que ele conseguia vê-la a avançar por aquela margem

impiedosamente exposta. Sabia que não conseguia avançar mais depressa do que ele. Porém, debateu-se ao longo do lago prateado pelo luar, com a lama a sugar-lhe os sapatos. Ouvia-o cada vez mais próximo, abrindo caminho pelo meio dos juncos ruidosos. *Nadar,* pensou ela. *Para dentro do lago.* Correu em direção à água.

Mas, de repente, dobrou-se quando a contração seguinte se apoderou dela. Era uma dor como nunca experimentara. Fê-la cair de joelhos. Esparrinhou a água, que lhe dava pelo tornozelo, enquanto a dor crescia, abocanhando-a tão fortemente nas suas mandíbulas que por momentos viu tudo negro e sentiu-se tombar para o lado, vacilante. Sentiu o sabor da lama. Contorceu-se e tossiu, deitada de costas, tão indefesa quanto uma tartaruga de pernas para o ar. A contração abrandou. As estrelas iluminaram lentamente o céu. Sentia a água a acariciar-lhe o cabelo e a bater-lhe ao de leve no rosto. Nada fria, antes quente como um banho. Ouviu o esparrinhar dos passos dele e o chicotear dos arbustos. Os juncos separaram-se.

A seguir, ali estava ele, de pé, sobre ela, recortado contra o firmamento. Vinha reclamar a sua presa.

Ajoelhou-se ao lado dela e o reflexo da água cintilou nos olhos dele como alfinetes luminosos. O que tinha na mão também cintilou: o risco prateado de uma faca. Parecia saber que ela estava exausta ao agachar-se junto do seu corpo. Que a sua alma esperava apenas libertar-se da sua concha exaurida.

Agarrou nas calças de grávida pelo cós e puxou-as para baixo, pondo à mostra a cúpula branca do ventre dela. Mesmo assim, ela não se moveu, permaneceu catatónica. Já vencida, já morta.

Ele colocou uma mão no abdómen dela; com a outra, agarrou na faca e desceu a lâmina na direção da carne nua, inclinando-se para fazer o primeiro corte.

A água jorrou num esguicho prateado quando a mão dela irrompeu subitamente da lama. Quando apontou a ponta da chave de fendas ao rosto dele. Com os múscu-los tensos de fúria, dirigiu a chave para cima, atirando de repente a armazinha patética ao olho dele com uma ponta-ria letal.

Esta é por mim, seu animal!

E esta é pelo meu bebé!

Enterrou-a profundamente, sentindo a arma penetrar no osso e no cérebro, até que a pega se alojou na órbita e não conseguiu mergulhar mais fundo.

Ele tombou sem emitir um som.

Por momentos, ela não conseguiu mover-se. Ele caíra atravessado sobre as coxas dela, que sentia o calor do san-gue ensopar-lhe as roupas. Os mortos são pesados, muito mais pesados do que os vivos. Empurrou-o, gemendo com o esforço, repugnada com o contacto dele. Por fim, fê-lo rolar e ele ficou estendido de costas entre os juncos.

Pôs-se de pé com dificuldade e cambaleou até atingir terreno mais elevado. Longe da água, longe do sangue. Per-deu as forças na margem e deixou-se cair num leito de er-vas. Ali se deixou ficar até que a contração seguinte veio e se foi embora. E mais uma. E outra ainda. Através dos olhos semicerrados devido à dor, viu o crescente da lua percorrer os céus. Viu as estrelas empalidecerem e um bri-lho rosado sarapintar o céu a oriente.

Quando o Sol se ergueu acima do horizonte, Mattie Purvis deu à filha as boas-vindas a este mundo.

Quais mensageiros de carniça fresca, com as suas asas negras, os abutres traçavam círculos preguiçosos no céu. Os mortos não escapam por muito tempo à atenção da Mãe Natureza. O perfume da decomposição atrai varejeiras e escaravelhos, corvos e roedores, que convergem todos para a dádiva da Morte. *E até que ponto sou diferente?*, pensou Maura ao descer a margem coberta de erva que levava até à água. Também ela era atraída pelos mortos, cortando e picando carne fria como qualquer necrófago. Era um local demasiado belo para tarefa tão sinistra. O céu era de um azul sem nuvens e o lago como vidro prateado. Mas, à beira da água, um lençol branco cobria aquilo com que os abutres que andavam em círculos lá em cima ansiavam banquetear-se.

Jane Rizzoli, que se encontrava com Barry Frost e dois agentes da polícia estadual do Massachusetts, foi ao encontro de Maura.

— O corpo jazia nuns centímetros de água por cima daqueles juncos. Puxámo-lo para a margem. Só queria que soubesse que foi removido.

Maura fitou o cadáver coberto, mas não lhe tocou. Ainda não estava totalmente preparada para enfrentar o que jazia sob a folha de plástico.

— A senhora Purvis está bem?

— Vi-a nas Urgências. Está um pouco abalada, ma:
bem, e a bebé está a passar lindamente. — Rizzoli apontou
para a margem, onde cresciam tufos de erva penugenta. —
Foi ali que ela a teve. Fez tudo sozinha. Quando o guarda
florestal chegou por volta das sete, encontrou-a sentada
à beira da estrada a embalar a bebé.

Maura olhou para a margem e pensou na mulher em
trabalho de parto sozinha e a céu aberto, sem ninguém que
ouvisse os seus gritos de dor, enquanto a vinte metros dela
um cadáver arrefecia e se tornava rígido.

— Onde é que ele a manteve?

— Num poço a cerca de três quilómetros daqui.

— Ela fez esta distância toda a pé? — admirou-se Maura, franzindo as sobrancelhas.

— Fez. Imagine que correu pela floresta, pelo meio da:
árvores, e fez tudo isto em trabalho de parto. Desceu aquela encosta ali e saiu do arvoredo.

— Não consigo imaginar.

— Devia ver a caixa onde ele a manteve, parecia um
caixão. Enterrada viva durante uma semana; não sei como
é que ela conseguiu sair dali mentalmente sã.

Maura pensou na pequena Alice Rose, que tantos anos
antes estivera presa num poço. Uma única noite de desespero e trevas tinham-na perseguido pelo resto da sua curta
vida. No fim, aquilo matara-a. Porém, Mattie Purvis emer-
gira não só mentalmente sã como preparada para dar luta
Para sobreviver.

— Encontrámos a carrinha branca — disse Rizzoli.

— Onde?

— Está estacionada num caminho da guarda florestal, a cerca de trinta ou quarenta metros do poço onde ele a enterrou. Nunca a teríamos encontrado ali.

— Já encontraram alguns restos mortais? Deve haver vítimas sepultadas nas redondezas.

— Só agora começámos a procurar. Há muitas árvores, a área a investigar é grande. Vamos necessitar de tempo para passar a pente fino a encosta toda em busca de sepulturas.

— Tantos anos, tanta mulher desaparecida! Uma delas pode ser a minha... — Maura calou-se e levantou o olhar para as árvores da encosta. *Uma delas pode ser a minha mãe. Talvez eu não tenha nas veias o sangue de um monstro. Talvez a minha verdadeira mãe já estivesse morta durante todos estes anos. Mais uma vítima, enterrada algures nestes bosques.*

— Antes de levantar hipóteses, tem de ver o cadáver — disse Rizzoli.

Maura fitou-a e franziu as sobrancelhas, depois baixou o olhar para o corpo que jazia amortalhado a seus pés. Ajoelhou-se e estendeu a mão para uma ponta da coberta.

— Espere. Devo avisá-la...

— Sim?

— Não é o que você está à espera.

Maura hesitou e ficou com a mão a pairar sobre a coberta. Os insetos zumbiam, ansiosos por terem acesso a carne fresca. Maura inspirou fundo e puxou a coberta.

Por momentos, não disse uma palavra, enquanto olhava fixamente para o rosto que pusera a descoberto. O que a espantava não era o olho desfeito nem a pega da chave de fendas profundamente espetada na órbita. Esse pormenor macabro era simplesmente um facto a anotar e que seria mentalmente arrumado quando elaborasse o ditado do relatório. Não, o rosto é que lhe prendia a atenção, é que a horrorizava.

— É demasiado novo — murmurou Maura. — Este homem é demasiado novo para ser Elijah Lank.

— Calculo que tenha entre trinta e trinta e cinco anos.

Maura soltou um suspiro chocado.

— Não compreendo...

— Mas está a ver, não está? — perguntou Rizzoli suavemente. — Cabelo preto, olhos verdes.

Como os meus.

— Isto é, decerto que deve haver um milhão de indivíduos com cabelo e olhos dessa cor. Mas as parecenças... — Rizzoli fez uma pausa. — Frost também reparou. Reparámos todos.

Maura puxou a coberta para cima do cadáver e recuou afastando-se da verdade que a fitara de forma tão inegável do rosto do morto.

— O doutor Bristol vem agora a caminho — disse Frost. — Achámos que a doutora não quereria fazer esta autópsia.

— Então porque me chamaram?

— Porque disse que queria estar a par de tudo — respondeu Rizzoli. — Porque lhe prometi que estaria. E porque... — Rizzoli fitou o corpo amortalhado. — Porque mais tarde ou mais cedo você descobriria quem é este homem.

— Mas não sabemos quem é. Vocês julgam ver parecenças, mas isso não serve de prova.

— Há mais. Algo que soubemos esta manhã.

Maura olhou para ela.

— Quê?

— Temos tentado seguir a pista do paradeiro de Elijah Lank. Procurámos em todos os lados onde o nome dele surgiu. Detenções, multas de trânsito, tudo. Esta manhã recebemos um faxe de uma conservatória da Carolina do Norte. Era uma certidão de óbito. Elijah Lank faleceu há oito anos.

— Oito anos? Então não estava com Amalthea quando ela matou Theresa e Nikki Wells.

— Não. Nessa altura, Amalthea trabalhava com um novo parceiro. Alguém que avançou e ocupou o lugar de Elijah. Para continuar o negócio da família.

Maura voltou-se e olhou para o lago, cujas águas estavam agora tão cintilantes que cegavam. *Não quero ouvir o resto*, pensou. *Não quero saber.*

— Há oito anos, Elijah morreu de ataque cardíaco num hospital de Greenville — disse Rizzoli. — Foi ao serviço de Urgências e queixou-se de dores no peito. Segundo a ficha, foi levado ao SU pela família.

Família.

— A mulher, Amalthea — disse Rizzoli. — E o filho, Samuel.

Maura inspirou profundamente e sentiu no ar o cheiro a decomposição e a verão. A morte e a vida misturadas num único perfume.

— Sinto muito — disse Rizzoli. — Sinto muito que tenha sabido disto. Ainda há uma possibilidade de estarmos enganados quanto a este indivíduo, como sabe. Ainda há uma possibilidade de não terem qualquer ligação.

Mas não estavam enganados e Maura sabia disso.

Soube assim que lhe vi o rosto.

Quando nessa tarde Rizzoli e Frost entraram no J.P. Doyle's, os agentes da polícia que se encontravam em volta do bar saudaram-nos com uma salva de palmas ruidosa que fez corar Rizzoli. Que diabo, até os indivíduos que não gostavam especialmente dela batiam palmas, reconhecendo com camaradagem o seu êxito, que, naquele instante, estava a ser apregoado no noticiário das dezassete horas, no televisor por cima do bar. A multidão começou a bater com os pés em uníssono conforme Rizzoli e Frost se aproximavam do balcão, onde o sorridente empregado pousara já duas bebidas para eles. Para Frost, um cálice de uísque. E para Rizzoli...

Um grande copo de leite.

Toda a gente desatou a rir-se. Frost inclinou-se e segredou-lhe ao ouvido:

— Sabe, o meu estômago anda meio esquisito. Quer trocar de bebidas?

O engraçado é que Frost *gostava* realmente de leite. Rizzoli empurrou o copo na direção dele e pediu uma *Coca-Cola* ao empregado.

Enquanto os colegas os rodeavam para lhes apertar a mão e dar-lhes palmadinhas, ela e Frost comiam amendoins e bebericavam as suas virtuosas bebidas. Rizzoli sentia falta da sua cerveja habitual. Nessa noite sentia falta de muita coisa — do seu marido, da sua cerveja. Da sua cintura. Apesar de tudo, era um bom dia. *É sempre um bom dia,* pensou ela, *quando um criminoso é apanhado.*

— Ei, Rizzoli! As apostas estão em mais de duzentos dólares em como você vai ter uma rapariga e cento e vinte em como vai ter um rapaz.

Rizzoli olhou para o lado e viu os detetives Vann e Dunleavy ao pé de si junto ao bar. O *hobbit* gordo e o magro, empunhando cada um as suas canecas gémeas de cerveja.

— Então, e se eu tiver os dois? Gémeos?

— Hã! Não pensámos nisso! — exclamou Dunleavy.

— Nesse caso, quem ganha?

— Calculo que ninguém.

— Ou todos! — disse Vann.

Os dois ficaram a analisar a questão por uns instantes. Sam e Frodo, paralisados na Montanha da Perdição dos seus dilemas.

— Bem — comentou Vann —, acho que devíamos acrescentar outra categoria.

— Sim, rapazes, façam isso! — disse Rizzoli, rindo-se.

— Bom trabalho, a propósito — disse Dunleavy. — Pode crer que a seguir vai aparecer na revista *People*. Um criminoso como aquele, todas aquelas mulheres! Que história!

— Quer a honesta verdade? — Rizzoli suspirou e pousou a *Coca-Cola*. — Não podemos ficar com os créditos.

— Não?

Frost olhou também para Vann e Dunleavy.

— Não fomos nós que o apanhámos. Foi a vítima.

— Uma simples dona de casa — explicou Rizzoli. — Uma vulgar dona de casa, assustada e grávida. Não teve necessidade nem de arma, nem de moca, só de um raio de uma meia cheia de pilhas.

No televisor, o noticiário local terminara e o empregado do bar mudou para o canal da HBO. Um filme com mulheres de saias curtas. Mulheres que tinham cintura.

— Então, e quanto à *Black Talon?* — perguntou Dun
leavy. — Como é que se relaciona com o caso?

Rizzoli ficou calada por momentos, bebericando a *Coc*
-Cola.

— Ainda não sabemos.

— Encontraram a arma?

Deu por Frost a fitá-la e sentiu uma pequena onda c
mal-estar. Era esse o pormenor que os incomodava a am
bos. Não haviam encontrado nenhuma arma na carrinh
Havia cordas com nós e facas sujas de sangue. Havia u
bloco de notas bem conservado com os nomes e númerc
de telefone de outros nove traficantes de bebés de tod
o país; Terence Van Gates não fora o único. E havia regi
tos de pagamentos em dinheiro feitos aos Lank ao longo c
anos, um verdadeiro filão de informações que ocuparia c
investigadores durante anos. Mas a arma que matara Anr
Leoni não se encontrava na carrinha.

— Bem, talvez ainda apareça — disse Dunleavy. — C
ele desfez-se dela.

Talvez. Ou talvez nos esteja a falhar alguma coisa.

Estava escuro quando ela e Frost saíram do Doyle'
Em vez de ir para casa, Rizzoli regressou à Schroeder Pl.
za. A conversa com Vann e Dunleavy ainda lhe pesava r
mente e sentou-se à secretária, que estava coberta por un
montanha de pastas. Por cima de tudo, estavam os registc
do CNIC, relatórios sobre pessoas desaparecidas ao long
de várias décadas, compilados durante a caçada à *Besta.* M.
fora o assassínio de Anna Leoni que despoletara toda a ir
vestigação, como um calhau atirado à água e que provoc
ondas circulares cada vez mais amplas. Fora o assassínio c

Anna que os levara a Amalthea e acabara por os levar também à *Besta*. Porém, a morte de Anna continuava a ser um problema ainda por resolver.

Rizzoli pôs de lado os processos do CNIC até encontrar a pasta de Anna Leoni. Embora tivesse lido e relido tudo daquele processo, voltou a folheá-lo, lendo novamente as declarações das testemunhas, a autópsia, os relatórios sobre cabelos e fibras, impressões digitais e ADN. Chegou ao relatório de balística e os olhos demoraram-se-lhe nas palavras *Black Talon*. Recordava-se da forma estrelada da bala na radiografia ao crânio de Anna Leoni. Também se recordava do rasto de devastação que lhe deixara no cérebro.

Uma bala *Black Talon*. Onde estava a arma que a disparara?

Fechou a pasta e fitou a caixa de papelão que estivera pousada ao lado da secretária durante a última semana. Continha os processos que Vann e Dunleavy lhe haviam emprestado acerca do assassinato de Vassily Titov. Fora a outra única vítima de uma bala *Black Talon* nos últimos cinco anos, na área de Boston. Retirou os processos da caixa e empilhou-os sobre a secretária, suspirando ao verificar como a pilha era alta. Até a investigação de uma falta desportiva gera resmas de papel. Vann e Dunleavy tinham-lhe resumido o caso anteriormente e ela lera nos processos o bastante para considerar que eles tinham, de facto, feito uma boa detenção. O subsequente julgamento e a rápida condenação de Antonin Leonov só reforçava essa convicção. No entanto, ali estava ela a rever novamente os processos de um caso em que não havia margem para dúvidas de que fora condenado o homem certo.

O relatório final do detetive Dunleavy era cabal e con vincente. Leonov estivera sob vigilância policial durant uma semana, prevendo-se uma entrega de heroína do Taj quistão. Enquanto os dois detetives vigiavam de dentro d veículo, Leonov estacionara diante da residência de Titov batera à porta da frente e entrara. Momentos depois, forar disparados dois tiros dentro de casa. Leonov saiu, entro para o carro e preparava-se para arrancar quando Van e Dunleavy lhe cortaram a passagem e o detiveram. No ir terior da casa, Titov foi encontrado morto na cozinha con duas *Black Talon* no cérebro. A balística confirmou poste riormente que ambas as balas tinham sido disparadas pel arma de Leonov.

Dito e feito. O agressor foi condenado, as armas fica ram à guarda da polícia. Rizzoli não conseguia ver qu a relação entre as mortes de Vassily Titov e Anna Leon com exceção da utilização das balas *Black Talon*. Muniçã cada vez mais rara, mas não o suficiente para constitu uma verdadeira relação entre os dois assassinatos.

Apesar disso, continuou a folhear os processos e pa sou a hora do jantar a ler. Quando chegou à última past estava tão cansada que mal conseguia manuseá-la. *Acal com isto de vez*, pensou ela, *depois arrumo os processos e vou dorm sobre o problema.*

Abriu a pasta e encontrou um relatório sobre a busc efetuada ao armazém de Antonin Leonov. Continha a de crição feita pelo detetive Vann da incursão, uma lista do empregados de Leonov que haviam sido detidos, juntamer te com um rol de tudo o que fora confiscado, desde grade até dinheiro e livros de contabilidade. Passou as folhas at encontrar a lista dos agentes da polícia presentes no loca

Dez agentes da polícia de Boston. Semicerrou os olhos perante um determinado nome, um nome em que não reparara quando lera o relatório uma semana antes. *Simples coincidência. Não significa necessariamente...*

Deixou-se estar a pensar no assunto por momentos. Recordou-se de uma rusga em que participara quando era uma jovem agente policial. Muito barulho, muita excitação. E confusão — quando uma dúzia de polícias acelerados pela adrenalina convergem para um edifício hostil, todos nervosos, todos a pensarem em si mesmos. Podemos não reparar no que está a fazer o nosso colega. No que ele está a meter ao bolso. Dinheiro, droga. Uma caixa de balas de que ninguém dará pela falta. Está sempre presente, a tentação de guardar uma recordação. Uma recordação que posteriormente se possa considerar útil.

Agarrou no telefone e ligou para Frost.

CAPÍTULO

31

Os mortos não eram uma boa companhia.

Maura estava sentada ao microscópio a olhar pela ocular para secções de pulmão, fígado e pâncreas — pedacinhos de tecido cortados dos restos mortais de uma vítima de suicídio, preservados sob vidro e corados de um rosa berrante e púrpura com um preparado de hematoxilina-eosina. Com exceção do estalido ocasional das lamelas e do silvo débil da ventoinha do ar condicionado, o edifício estava silencioso. Contudo, não estava vazio de pessoas; na sala frigorífica de baixo, visitantes silenciosos, uma meia dúzia, jaziam encerrados nas suas mortalhas com o fecho corrido. Hóspedes sem exigências, cada um com a sua história para contar, mas só aos que estivessem dispostos a cortar e sondar.

O telefone da secretária tocou, mas Maura deixou que o gravador de chamadas fora de horas atendesse. *Não está ninguém senão os mortos. E eu.*

A história que Maura viu sob as lentes do microscópio não era nova. Órgãos jovens, tecidos saudáveis. Um corpo destinado a viver muitos mais anos, assim a alma o tivesse querido, assim uma voz interior tivesse segredado ao homem desesperado: *Vá lá, espera um pouco, os males do coração são temporários. Essa dor há de passar e um dia encontrarás outra rapariga a quem amar.*

Terminou a última lamela e pô-la na caixa. Parou por momentos, com a mente não nas lamelas que acabara de ever mas noutra imagem: um homem jovem de cabelos escuros e olhos verdes. Não assistira à sua autópsia; nessa tarde, enquanto ele fora aberto e dissecado pelo doutor Bristol, deixara-se estar no andar de cima, no seu gabinete. Mas mesmo enquanto ditava relatórios e examinava lamelas de microscópio nessa tarde, estivera a pensar nele. *Quero realmente saber quem era ele?* Ainda não se decidira. Mesmo ao levantar-se da secretária, enquanto agarrava na carteira e num braçado de pastas, não estava certa da resposta.

O telefone voltou a tocar e ela ignorou-o novamente.

Percorrendo o corredor silencioso, passou por portas fechadas e gabinetes desertos. Lembrou-se de outra noite em que saíra deste edifício vazio e encontrara a marca de garras no carro e o seu coração começou a bater um pouco mais depressa.

Mas já cá não está. A Besta está morta.

Saiu pela porta das traseiras para a noite amena graças ao calor estival. Parou sob o candeeiro exterior do edifício para perscrutar o parque de estacionamento cheio de sombras. Atraído pelo brilho da luz, um enxame de traças juntara-se em redor do candeeiro; ouvia-se as asas a adejar contra a lâmpada. Depois, outro som: a porta de um automóvel a fechar-se. Uma silhueta dirigiu-se a ela, tomando forma e feições à medida que se aproximava da luz do candeeiro.

Maura deu um suspiro de alívio quando viu que era Ballard.

— Estava à minha espera?

— Vi o seu carro no parque. Tentei telefonar-lhe.

— Depois das cinco deixo o gravador atender.

— Também não atendeu o telemóvel.

— Desliguei-o. Não precisa de vigiar-me constante mente, Rick. Estou bem.

— Está realmente?

Maura suspirou ao encaminharem-se para o automóvel Olhou para o céu, onde as estrelas se viam esbatidas devido às luzes da cidade.

— Tenho de resolver o que fazer quanto ao ADN. S quero de facto saber a verdade.

— Não faça nada, então. Não interessa se é ou não fa mília deles. Amalthea não tem nada a ver com aquilo qu *você* é.

— Isso é o que eu diria antes. *Antes de saber qual a linha gem que partilhava. Antes de saber que podia vir de uma família d monstros.*

— A maldade não é hereditária.

— Mesmo assim, não é uma sensação boa saber qu posso ter na família alguns assassinos em série.

Abriu a porta e sentou-se ao volante. Acabara de meter chave na ignição quando Ballard se debruçou para o carro.

— Maura — disse ele —, venha jantar comigo.

Ela deteve-se, sem olhar para ele. Limitou-se a fita o clarão esverdeado das luzes do painel enquanto pensava no convite.

— A noite passada — prosseguiu Ballard —, fez-me uma pergunta. Queria saber se eu me teria interessado po si se não tivesse amado a sua irmã. Acho que não acreditou na minha resposta.

Maura voltou-se e olhou para ele.

— Não há maneira de o saber, ou há? Porque você amou-a *realmente*.

— Então, dê-me uma oportunidade de a conhecer a *si*. O que aconteceu no bosque não foi imaginação minha. Você sentiu-o, eu senti-o. *Houve* qualquer coisa entre nós. — Inclinou-se mais para ela. — É só um jantar, Maura — concluiu suavemente.

Maura pensou nas horas que acabara de passar a trabalhar naquele edifício estéril, com os mortos por única companhia. *Esta noite não quero estar sozinha*, pensou. *Quero estar com os vivos.*

— O bairro chinês é logo ali ao fundo da rua. — sugeriu Maura. — Porque não vamos lá?

Ballard sentou-se no banco do passageiro ao lado dela e fitaram-se por momentos. A luz do candeeiro do parque de estacionamento incidia-lhe no rosto, deixando metade dele na sombra. Ballard estendeu a mão e tocou-lhe na face. Depois, o braço dele puxou-a para mais perto, mas ela já lá estava, inclinada para ele e pronta a ir ao seu encontro. A boca dele encontrou a dela. Maura suspirou. Sentiu que ele a puxava para o calor dos seus braços.

A explosão abanou-a.

Estremeceu quando a janela de Rick implodiu e o vidro lhe picou o rosto. Voltou a abrir os olhos e olhou para ele. Para o que restava do rosto dele, agora uma polpa sanguinolenta. Lentamente, o corpo dele tombou sobre ela. A cabeça caiu-lhe sobre as pernas e o calor do seu sangue penetrou-lhe no colo.

— Rick. *Rick!*

Um movimento no exterior atraiu-lhe o olhar espantado. Ergueu os olhos e da escuridão emergiu uma figura de negro que avançou para ela com a eficiência de um robô.

421

Vem matar-me.

Arranca! Arranca!

Empurrou o corpo de Rick, lutando por retirá-lo de cima do volante. O rosto esfacelado jorrava sangue e tornava-lhe as mãos escorregadias. Conseguiu meter a marcha atrás e carregou no acelerador.

O *Lexus* saltou para trás e saiu do lugar onde estava estacionado.

O atirador estava algures atrás dela e a aproximar-se.

Arquejando devido ao esforço, afastou o rosto de Rick do volante, mergulhando os dedos em carne sangrenta. Meteu a primeira.

O vidro de trás explodiu e Maura encolheu-se quando lhe choveram estilhaços sobre a cabeça.

Carregou no acelerador a fundo. O *Lexus* guinchou e saltou para a frente. O atirador cortara-lhe a saída do parque de estacionamento mais próxima e agora só havia uma direção por onde podia ir, a do parque de estacionamento contíguo pertencente ao Centro Médico da Universidade de Boston. Os dois parques estavam separados apenas por uma curva. Maura cortou a curva a direito e agarrou-se firmemente, preparando-se para o salto. Sentiu o queixo atirado para a frente e os dentes entrechocarem quando os pneus se agarraram violentamente ao cimento.

Outra bala voou; o para-brisas desintegrou-se.

Maura encolheu-se quando os estilhaços de vidro choveram sobre o painel e lhe embateram no rosto. O *Lexus* inclinou-se sobre duas rodas, fora de controlo. Maura levantou os olhos e viu um candeeiro à sua frente. Não conseguia evitá-lo. Fechou os olhos um segundo antes de o *air bag* abrir. Foi violentamente empurrada contra as costas do assento.

Lentamente, atordoada, abriu os olhos. A buzina tocava sem interrupção. Não se calou nem mesmo quando Maura se afastou do *air bag* aberto, nem quando empurrou a porta e saiu a cambalear para o pavimento, onde conseguiu manter-se de pé, com os ouvidos a tinir devido ao contínuo trombetear da buzina. Conseguiu agachar-se atrás de um carro que se encontrava estacionado ali ao pé. Com as pernas trémulas, obrigou-se a percorrer a fila de automóveis até que, de repente, teve de parar.

Uma ampla extensão de espaço aberto estendia-se à sua frente.

Pôs-se de joelhos atrás de um dos pneus e espreitou por baixo do para-choques. Sentiu o sangue gelar-se-lhe nas veias ao ver a figura escura sair rapidamente das sombras, implacável como uma máquina, movendo-se em direção ao *Lexus* amolgado. A figura deteve-se sob o lago de luz projetada pelo candeeiro.

Maura viu o brilho de uns cabelos louros, a curva de um rabo de cavalo.

O atirador abriu de rompante a porta do passageiro e inclinou-se para dentro, para olhar para o corpo de Ballard. Subitamente, mostrou de novo a cabeça e, rodando-a, varreu com os olhos todo o parque.

Maura agachou-se novamente atrás de uma roda. Sentia o coração bater-lhe nas têmporas e respirava em golfadas de pânico. Fitou o pavimento deserto fortemente iluminado por outro candeeiro. Mais além, do outro lado da rua, a vermelho vibrante, encontrava-se a placa luminosa das Urgências do Centro Médico. Só precisava de atravessar aquele espaço aberto e, depois, Albany Street. Entretanto, o som da buzina do automóvel já devia estar a atrair a atenção do pessoal do hospital.

Tão perto. O auxílio está tão perto!

Com o coração aos pulos, rodou sobre os calcanhares. Com medo de se mexer, com medo de ficar. Devagarinho esticou-se para a frente e espreitou através da roda.

Mesmo do outro lado do automóvel, estavam fincadas umas botas pretas.

Corre!

No mesmo instante, desatou a correr velozmente pelo espaço aberto. Não pensou em movimentos evasivos nem em esquivar-se para a esquerda e para a direita, apenas em fugir, totalmente em pânico. À sua frente, brilhava o sinal luminoso das Urgências. *Eu consigo,* pensou. *Eu...*

A bala foi como uma palmada no ombro e atirou-a violentamente para a frente, fazendo-a estatelar-se no asfalto. Tentou pôr-se de joelhos, mas o braço esquerdo não lhe obedeceu e ficou-lhe sob o corpo. *Que se passa com o meu braço?,* pensou. *Porque não consigo servir-me do braço?* Gemendo, rolou sobre as costas e viu brilhar por cima de si a lâmpada do candeeiro do parque de estacionamento.

O rosto de Carmen Ballard surgiu no seu campo de visão.

— Matei-a uma vez — disse Carmen. — Agora tenho de fazer tudo de novo.

— Por favor. Rick e eu... nós nunca...

— Ele não lhe pertencia. — Carmen ergueu a arma. O cano era um olho escuro que olhava fixamente para Maura. — Cabra maldita! — Contraiu a mão, pronta para disparar o tiro mortífero.

Subitamente, intrometeu-se outra voz — uma voz de homem.

— Largue a arma!

Carmen, surpresa, pestanejou. Olhou para os lados.

A poucos metros de distância, estava um dos seguranças do hospital com a arma apontada a Carmen.

— Está a ouvir, minha senhora? — berrou o segurança. — Largue a arma!

O braço de Carmen vacilou. Olhou para Maura, depois novamente para o segurança. A raiva e a ânsia de vingança debatiam-se contra a realidade das consequências.

— Nunca fomos amantes — disse Maura em voz tão débil que se perguntou se Carmen a conseguiria ouvir com o balido da buzina do automóvel. — E eles também não.

— Mentirosa! — Carmen voltou rapidamente a fitar Maura. — É igual a ela. Ele deixou-me por causa dela. Deixou-me.

— A culpa não foi de Anna...

— Foi, sim. E agora é sua. — Continuou concentrada em Maura, mesmo depois de se ouvirem pneus a parar com uma grande chiadeira. Mesmo depois de uma nova voz gritar:

— Agente Ballard! Largue a arma!

Rizzoli.

Carmen olhou para os lados, um derradeiro olhar de cálculo das suas opções. Tinha agora duas armas apontadas a si. Perdera; fosse o que fosse que escolhesse, a sua vida acabara. Quando Carmen voltou a fitá-la, Maura percebeu-lhe nos olhos qual a decisão que tomara. Viu Carmen estender o braço e fazer pontaria contra Maura com o cano da arma em posição para o disparo final. Viu as mãos de Carmen fecharem-se em torno da coronha, preparando-se para apertar o gatilho e disparar o tiro letal.

O estrondo abanou Maura. Atirou Carmen para o lado. Carmen vacilou. Caiu.

Maura ouviu o ruído surdo de passos e um crescendo de sereias. Uma voz familiar murmurou:

— Santo Deus, doutora!

Viu o rosto de Rizzoli pairar sobre si. Na rua relampejavam luzes. De todos os lados aproximaram-se sombras. Fantasmas, que lhe davam as boas-vindas ao mundo.

CAPÍTULO

32

Agora, assistia a tudo do outro lado. Como doente, não como médica. As luzes do teto passavam por ela enquanto a maca percorria o corredor e a enfermeira de touca enfunada olhava para ela com preocupação nos olhos. As rodas chiavam e a enfermeira arquejava um pouco ao empurrar a maca pelas portas duplas, entrando na sala de operações. Agora, por cima dela, brilhavam luzes diferentes, mais fortes, que a cegavam. Como as luzes da sala de autópsias.

Maura fechou os olhos para não as ver. Quando as enfermeiras do bloco operatório a transferiram para a marquesa, pensou em Anna, que jazia, nua, sob lâmpadas idênticas, com o corpo aberto de alto a baixo e estranhos a espreitarem para dentro dela. Sentiu o espírito de Anna pairar sobre si, observando, tal como Maura olhara antes para Anna. *Minha irmã,* pensou enquanto o pentobarbital lhe penetrava gradualmente nas veias e as luzes se apagavam, *estás à minha espera?*

Mas, quando acordou, não foi Anna que Maura viu, foi Jane Rizzoli. Raios de luz perpassavam pelos cortinados parcialmente cerrados, desenhando barras horizontais no rosto de Rizzoli quando esta se inclinou para Maura.

— Olá, doutora.

— Olá — murmurou Maura.

— Como se sente?

— Não muito bem. O meu braço... — Maura estremeceu.

— Parece-me que está na altura de mais uns medicamentos. — Rizzoli estendeu o braço e carregou no botão para chamar a enfermeira.

— Obrigada. Obrigada por tudo.

Calaram-se quando a enfermeira entrou e injetou uma dose de morfina no tubo intravenoso. O silêncio prolongou-se após a saída da enfermeira. O medicamento começou a produzir a sua magia.

— Rick... — disse Maura com suavidade.

— Sinto muito. Decerto sabe que ele...

Sei. Pestanejou para afastar as lágrimas.

— Nunca tivemos qualquer oportunidade.

— Ela não estava disposta a permitir-vos uma oportunidade. A marca de garras na porta do seu carro... foi tudo por causa dele. Para a afastar do marido. As redes cortadas, o pássaro morto na caixa do correio, todas as ameaças que Anna atribuía a Cassell, estou convencida de que foi Carmen a tentar assustar Anna para a obrigar a sair da cidade. A deixar em paz o marido.

— Mas Anna voltou para Boston.

Rizzoli assentiu.

— Voltou porque soube que tinha uma irmã.

Eu.

— Mas Carmen descobriu que a namorada do marido voltara à cidade — prosseguiu Rizzoli. — Anna deixou mensagem no atendedor automático de Rick, recorda-se? A filha ouviu e contou à mãe. Lá se ia qualquer esperança de reconciliação que Carmen alimentasse. A outra estava de volta ao *seu* território. À *sua* família.

Maura lembrou-se do que Carmen dissera: *Ele não lhe pertencia.*

— Charles Cassell disse qualquer coisa acerca do amor — afirmou Rizzoli. — Disse que há uma espécie de amor em que nunca se larga o outro, aconteça o que acontecer. Até parece romântico, não parece? Até que a morte nos separe. Mas, depois, pensamos em todas as pessoas que são mortas porque um amante não as largou, não cedeu.

Entretanto, a morfina espalhara-se-lhe pela corrente sanguínea. Maura fechou os olhos, abençoando o amplexo do medicamento.

— Como soube? — murmurou. — Porque pensou em Carmen?

— Por causa da *Black Talon*. Era a pista que eu devia ter seguido desde o princípio, aquela bala. Mas fui engodada pelo rasto deixado pelos Lank. Pela *Besta*.

— Também eu — sussurrou Maura. Sentia que a morfina a arrastava para o sono. — Creio que estou preparada, Jane. Para a resposta.

— A resposta a quê?

— Amalthea. Preciso de saber.

— Se ela é sua mãe?

— Sim.

— Mesmo que seja, isso não significa nada. É uma simples questão de biologia. Que ganha por saber isso?

— A verdade. — Maura suspirou. — Pelo menos, saberei a verdade.

A verdade, pensou Rizzoli ao dirigir-se para o automóvel, *raramente é o que as pessoas querem ouvir.* Não seria melhor

agarrarmo-nos ao mais ténue raio de esperança de não ser
mos prole de monstros? Mas Maura perguntara pelos fac
tos e Rizzoli sabia que seriam brutais. Os investigadores j
tinham descoberto dois conjuntos de restos mortais femini
nos enterrados na encosta arborizada, não muito longe do
local onde Mattie Purvis estivera confinada. Quantas outra
grávidas teriam conhecido os terrores daquela mesma cai
xa? Quantas teriam acordado nas trevas e esgatanhado
aquelas paredes impenetráveis? Quantas teriam percebido
como Mattie, que as esperava um fim terrível uma vez ter
minada a sua utilidade enquanto incubadoras vivas?

*Teria eu conseguido sobreviver a tal horror? Nunca saberei a res
posta. Só quando eu própria for uma das que estiveram na caixa.*

Quando chegou ao automóvel estacionado na garagem,
Rizzoli deu por si a verificar os quatro pneus para confirmar que estavam intactos, a perscrutar os carros em seu redor, em busca de alguém que pudesse estar a vigiá-la. *É isto
o que o nosso trabalho nos faz,* pensou. *Começamos a ver mal em
todo o lado mesmo onde ele não existe.*

Entrou para o *Subaru* e ligou o motor, mas deixou-o em
ponto morto por momentos enquanto o ar que soprava da
ventoinha arrefecia lentamente. Estendeu a mão para a carteira em busca do telemóvel, pensando: *Preciso de ouvir a voz
de Gabriel. Preciso de saber que não sou Mattie Purvis, que o meu
marido me ama* mesmo. *Da maneira como eu o amo.*

O telefonema foi atendido ao primeiro toque.

— Agente Dean.

— Olá — disse ela.

Gabriel soltou uma gargalhada de admiração.

— Ia telefonar-te agora mesmo.

— Tenho saudades.

— Tinha esperança de que dissesses isso. Estou a dirigir-me para o aeroporto neste momento.

— O aeroporto? Isso significa...

— Que vou apanhar o próximo voo para Boston. Por isso, que tal um encontro com o teu marido hoje à noite? Achas que consegues inscrever-me na tua lista?

— A tinta permanente. Vem para casa. Por favor, vem para casa.

Uma pausa. Depois, docemente, ele perguntou-lhe:

— Estás bem, Jane?

Lágrimas inesperadas arderam-lhe nos olhos.

— Oh, são os diabos destas hormonas. — Limpou o rosto e riu-se. — Creio que preciso de ti imediatamente.

— Continua a pensar assim, porque eu vou a caminho.

Rizzoli sorria ao dirigir-se a Natick para visitar um hospital diferente e uma paciente diferente. A outra sobrevivente daquela história de carnificina. *Estas duas mulheres são extraordinárias,* pensou, *e eu tenho o privilégio de conhecer ambas.*

A avaliar pela quantidade de carrinhas de estações de televisão estacionadas no parque do hospital e pelos jornalistas que se aglomeravam junto da entrada para a receção, também a imprensa decidira que Mattie Purvis era uma mulher digna de ser conhecida. Rizzoli teve de passar entre duas filas de jornalistas para chegar à receção. A história da senhora que estivera sepultada numa caixa desencadeara um frenesim de notícias a nível nacional. Rizzoli teve de mostrar o distintivo a dois seguranças diferentes antes de finalmente lhe ser permitido bater à porta do quarto de Mattie no hospital. Como não ouvisse resposta, entrou no quarto.

A televisão estava ligada, mas sem som. No ecrã lampejavam imagens para as quais ninguém olhava. Mattie jazia na cama de olhos fechados. Não tinha quaisquer semelhanças com a jovem noiva bem arranjada da fotografia de casamento. Tinha os lábios feridos e inchados e o rosto assemelhava-se a um mapa de cortes e arranhões. Um tubo de soro enrolado estava colado com adesivo a uma mão com dedos cheios de crostas e unhas partidas. Parecia a pata de um animal selvagem. Mas a expressão de Mattie era serena; era um sono sem pesadelos.

— Senhora Purvis? — chamou Rizzoli baixinho.

Mattie abriu os olhos e pestanejou várias vezes antes de conseguir concentrar-se na visitante.

— Oh, detetive Rizzoli, já voltou.

— Achei que devia vir ver como está. Como se sente hoje?

Mattie soltou um suspiro profundo.

— Muitíssimo melhor. Que horas são?

— É quase meio-dia.

— Dormi toda a manhã?

— Merecia-o. Não, não se sente, fique à vontade.

— Mas estou cansada de estar deitada. — Mattie empurrou as cobertas e sentou-se na cama. O cabelo despenteado caía-lhe em madeixas emaranhadas e flexíveis.

— Vi a sua bebé pela janela do berçário. É linda.

— Não é? — Mattie sorriu. — Vou pôr-lhe o nome de Rose. Sempre gostei desse nome.

Rose. Um calafrio percorreu Rizzoli. Era apenas coincidência, uma dessas convergências inexplicáveis do universo. *Alice Rose. Rose Purvis.* Uma menina morta há muito, a outra a começar a vida. Mais um fio, embora frágil, que unia as vidas de duas meninas separadas por dezenas de anos.

— Tem mais perguntas a fazer-me? — perguntou Mattie.

— Bem, na verdade... — Rizzoli puxou uma cadeira para junto da cama e sentou-se. — Perguntei-lhe imensas coisas ontem, Mattie, mas nunca lhe perguntei como fez. Como conseguiu.

— Consegui?

— Permanecer mentalmente sã. Não desistir.

O sorriso de Mattie esmoreceu-lhe nos lábios. Olhou para Rizzoli com olhos muito abertos e temerosos e murmurou:

— Não sei como consegui. Nunca imaginei que alguma vez seria capaz... — Parou. — Queria viver, é tudo. Queria que a bebé vivesse.

Ficaram caladas por momentos. Depois, Rizzoli disse:

— Tenho de avisá-la em relação à imprensa. Hão de querer todos uma entrevista. Tive de passar, lá fora, por uma verdadeira multidão de jornalistas. Até agora, o hospital conseguiu mantê-los longe de si, mas, quando voltar para casa, a história será diferente. Especialmente desde que... — Rizzoli fez uma pausa.

— Desde quê?

— Só quero que esteja preparada, mais nada. Não permita que ninguém a force a fazer alguma coisa que não queira.

Mattie franziu as sobrancelhas. Depois, ergueu o olhar para o televisor sem som, onde estavam a passar as notícias do meio-dia.

— Ele apareceu em todos os canais — disse ela.

No ecrã, Dwayne Purvis encontrava-se diante de um mar de microfones. Mattie agarrou no comando e aumentou o volume do som.

— Este é o dia mais feliz da minha vida — dizia Dwayne à multidão de jornalistas. — Tenho comigo a minha maravilhosa esposa e a minha filha. Foi uma provação que não consigo sequer começar a descrever. Um pesadelo que ninguém pode imaginar. Graças a Deus, graças a *Deus* por estes finais felizes.

Mattie carregou no botão *Off,* mas continuou com os olhos pregados no ecrã apagado.

— Não parece real — comentou. — É como se nunca tivesse acontecido. Por isso consigo estar aqui sentada, sentindo-me tão calma, porque não acredito que estive realmente lá, naquela caixa.

— Mas esteve, Mattie. Vai levar tempo a processar o facto. Pode ter pesadelos. Recordações. Entrar num elevador ou olhar para um armário e, de repente, sentir-se como se estivesse novamente naquele caixote. Mas isso passa, garanto-lhe. Lembre-se apenas do seguinte: isso passa.

Mattie fitou-a com os olhos brilhantes:

— Sabe-o por experiência própria.

Sim, sei, pensou Rizzoli, cerrando as mãos sobre as cicatrizes que tinha nas palmas. Aquelas cicatrizes eram o testemunho da sua provação, da sua batalha pela saúde mental. *A sobrevivência é só o primeiro passo.*

Bateram à porta. Rizzoli ergueu-se quando Dwayne Purvis entrou, trazendo um grande ramo de rosas. Dirigiu-se imediatamente para o leito da mulher.

— Olá, amor. Teria vindo mais cedo se não fosse a balbúrdia que vai lá fora. Todos querem entrevistas.

— Vimo-lo na televisão — comentou Rizzoli, tentando parecer neutra, embora não conseguisse olhar para ele sem se lembrar da entrevista na esquadra da polícia de Natick. *Oh, Mattie,* pensou. *Consegues arranjar melhor do que este homem.*

Dwayne voltou-se para Rizzoli, que apreciou a camisa de bom corte, o nó perfeito da gravata de seda. O perfume da loção de barba suplantava a fragrância das rosas.

— Então, que tal me saí? — perguntou ele, ansioso.

— Parecia um verdadeiro profissional do ecrã.

— Sim? É espantoso, tanta câmara lá fora. Isto entusiasmou toda a gente. — Olhou para a mulher. — Sabes, amor, temos de documentar tudo. Só para termos uma recordação.

— Que queres dizer?

— Como agora, por exemplo. Este momento. Devíamos ter uma foto deste momento. Eu a trazer-te flores e tu estendida na cama do hospital. Já tirei fotografias à garota. Pedi à enfermeira que a trouxesse para junto da janela. Mas precisamos de uns grandes planos. Talvez tu com ela ao colo.

— Ela chama-se Rose.

— E não temos nenhuma de nós os dois juntos. Sem dúvida que precisamos de umas fotografias. Trouxe a máquina fotográfica.

— Não me penteei, Dwayne. Estou toda mal arranjada. Não quero fotos nenhumas.

— Vá lá! Todos as pedem.

— Quem? Para quem são as fotografias?

— Isso é uma coisa que podemos decidir mais tarde. Podemos levar o tempo que for necessário e apreciar todas as ofertas. — Tirou uma máquina fotográfica do bolso e estendeu-a a Rizzoli.

— Tome, importa-se de tirar a fotografia?

— Isso é com a sua mulher.

— Tudo bem, tudo bem — insistiu Dwayne. — Tire lá a fotografia. — Inclinou-se para Mattie e estendeu-lhe o ramo de rosas. — Que tal assim? Eu a entregar-lhe as flores. Vai ficar um espanto. — Sorriu, dentes brilhantes, esposo amantíssimo a proteger a mulher.

Rizzoli olhou para Mattie. Não viu nos olhos dela nenhum protesto, apenas um brilho estranho, vulcânico, que não soube interpretar. Ergueu a máquina, centrou o casal no visor e carregou no botão.

O *flash* disparou mesmo a tempo de capturar a imagem de Mattie Purvis a espetar com o ramo de rosas na cara do marido.

Quatro semanas mais tarde

Desta vez, não houve representação nem fingimento de loucura. Amalthea Lank entrou na sala de entrevistas privativa e sentou-se à mesa e o olhar que deitou a Maura era límpido e perfeitamente saudável. O cabelo, anteriormente desgrenhado, fora penteado para trás num rabo de cavalo que lhe evidenciava as feições puras. Ao observar os malares proeminentes de Amalthea, o seu olhar direto, Maura pensou: *Porque me recusei a ver isto antes? É perfeitamente óbvio. Estou a olhar para o meu próprio rosto daqui a vinte e cinco anos.*

— Sabia que voltarias — disse Amalthea. — E cá estás.

— Sabe porque estou aqui?

— Já recebeste os resultados do exame, não? Agora sabes que eu dizia a verdade, ainda que não quisesses acreditar em mim.

— Precisava de provas. As pessoas mentem muitas vezes, o ADN não.

— Mesmo assim, devias ter reconhecido a verdade. Ainda antes de receberes o teu precioso exame laboratorial.
— Amalthea debruçou-se para a frente na cadeira e fitou-a

com um sorriso quase íntimo. — Tens a boca do teu pai, Maura. Sabias? E tens os meus olhos e os meus malares. Vejo-me a mim e a Elijah no teu rosto. Somos família. Temos o mesmo sangue. Tu, eu e Elijah. E o teu irmão. — Fez uma pausa. — Sabias que ele era teu irmão?

Maura engoliu em seco.

— Sim. — *O único filho que conservaste. Vendeste-me a mim e à minha irmã, mas conservaste o teu filho.*

— Nunca me disseste como morreu Samuel — acrescentou Amalthea. — Como foi que aquela mulher o matou.

— Foi em autodefesa. É a única coisa que precisa de saber. Não teve outro remédio senão defender-se.

— E quem é essa mulher, essa Matilda Purvis? Gostava de saber mais acerca dela.

Maura nada disse.

— Vi a foto dela na televisão. Não me pareceu nada de especial. Não percebo como conseguiu.

— As pessoas fazem o que for preciso para sobreviverem.

— Onde é que ela vive? Em que rua? Na televisão disseram que é de Natick.

Maura fitou os olhos escuros da mãe e, de repente, sentiu um calafrio. Não por si, mas por Mattie Purvis.

— Porque quer saber?

— Tenho o direito de saber. Como mãe.

— Mãe? — Maura quase desatou a rir. — Acha realmente que merece esse título?

— Mas eu sou mãe dele. E tu és irmã de Samuel. — Amalthea aproximou-se mais. — Temos o direito de saber. Somos a família dele, Maura. Não há nada neste mundo mais forte do que o sangue.

Maura fitou aqueles olhos, tão espectralmente iguais aos seus, e reconheceu neles não só inteligência como o fulgor de uma mente excecional. Porém, era uma luz enviesada, um reflexo retorcido num espelho estilhaçado.

— O sangue não significa nada — replicou Maura.

— Então, por que motivo estás aqui?

— Porque queria olhar para si uma última vez. E, a seguir, afasto-me. Porque decidi que, independentemente do que possa dizer o ADN, você não é minha mãe.

— Então, quem é?

— A mulher que me amou. Você não sabe amar.

— Amei o teu irmão. Podia ter-te amado. — Amalthea estendeu a mão sobre a mesa e afagou o rosto de Maura. Um toque extremamente gentil, tão caloroso quanto o da mão de uma verdadeira mãe. — Dá-me a oportunidade — murmurou.

— Adeus, Amalthea. — Maura ergueu-se e carregou no botão para chamar a guarda. — Já acabei — disse pelo intercomunicador. — Estou pronta para sair.

— Hás de voltar — disse Amalthea.

Maura não olhou para ela, não olhou por cima do ombro ao sair da sala, nem sequer quando ouviu Amalthea exclamar nas suas costas:

— Maura! *Hás de* voltar!

No vestiário das visitas, Maura parou para ir buscar a carteira, a carta de condução e os cartões de crédito. Todas as provas da sua identidade. *Mas já sei quem sou,* pensou.

E sei quem não sou.

No exterior, sob a ardência de uma tarde de verão, Maura deteve-se e inspirou profundamente. Sentiu o calor do dia purificar-lhe os pulmões da contaminação da prisão. Sentiu também que a sua vida fora lavada do veneno de Amalthea Lank.

No rosto, nos olhos, Maura carregava a prova do seu parentesco. Nas suas veias corria o sangue de assassinos. Mas a maldade não é hereditária. Embora pudesse transportar nos genes o seu potencial, o mesmo acontece com todas as crianças que nascem. *Nisso, não sou diferente. Todos nós descendemos de monstros.*

Afastou-se daquela morada de almas cativas. À sua frente, estava o seu automóvel e a estrada para casa. Não olhou para trás.

LIVROS NA COLEÇÃO

001 | 001 Daniel Silva
O Confessor

002 | 001 Guillaume Musso
E Depois...

003 | 001 Mary Higgins Clark
A Segunda Vez

004 | 001 Augusto Cury
A Saga do Pensador

005 | 001 Marc Levy
E Se Fosse Verdade...

006 | 001 Eça de Queirós
Contos

007 | 001 Danielle Steel
Uma Paixão

008 | 001 Stephen King
Cell

009 | 001 Juliet Marillier
O Filho de Thor – Vol. I

009 | 002 Juliet Marillier
O Filho de Thor – Vol. II

010 | 001 Mitch Albom
*As Cinco Pessoas que
Encontramos no Céu*

011 | 001 Corinne Hofmann
Casei com Um Massai

012 | 001 Christian Jacq
A Rainha Sol

013 | 001 Nora Roberts
Um Sonho de Amor

014 | 002 Nora Roberts
Um Sonho de Vida

015 | 001 Boris Starling
Messias

016 | 001 Maria Helena Ventura
Afonso, o Conquistador

017 | 001 Maeve Binchy
Uma Casa na Irlanda

018 | 001 Simon Scarrow
A Águia do Império

019 | 001 Elizabeth Gilbert
Comer, Orar, Amar

020 | 001 Dan Brown
Fortaleza Digital

021 | 001 Bill Bryson
Crónicas de Uma Pequena Ilha

022 | 001 David Liss
A Conspiração de Papel

023 | 001 Jeanne Kalogridis
No Tempo das Fogueiras

024 | 001 Luís Miguel Rocha
O Último Papa

025 | 001 Clive Cussler
Desvio Polar

026 | 003 Nora Roberts
Sonho de Esperança

027 | 002 Guillaume Musso
Salva-me

028 | 003 Juliet Marillier
Máscara de Raposa – Vol. I

028 | 004 Juliet Marillier
Máscara de Raposa – Vol. II

029 | 001 Leslie Silbert
A Anatomia do Segredo

030 | 002 Danielle Steel
Tempo para Amar

031 | 002 Daniel Silva
Príncipe de Fogo

032 | 001 Edgar Allan Poe
Os Crimes da Rua Morgue

033 | 001 Tessa De Loo
As Gémeas

034 | 002 Mary Higgins Clark
A Rua Onde Vivem

035 | 002 Simon Scarrow
O Voo da Águia

036 | 002 Dan Brown
Anjos e Demónios

037 | 001 Juliette Benzoni
O Quarto da Rainha
(O Segredo de Estado – I)

038 | 002 Bill Bryson
Made in America

039 | 002 Eça de Queirós
Os Maias

040 | 001 Mario Puzo
O Padrinho

041 | 004 Nora Roberts
As Jóias do Sol

042 | 001 Douglas Preston
Relíquia

043 | 001 Camilo Castelo Branco
Novelas do Minho

044 | 001 Julie Garwood
Sem Perdão

045 | 005 Nora Roberts
Lágrimas da Lua

046 | 003 Dan Brown
O Código Da Vinci

047 | 001 Francisco José Viegas
Morte no Estádio

048 | 001 Michael Robotham
O Suspeito

049 | 001 Tess Gerritsen
O Aprendiz

050 | 001 Almeida Garrett
Frei Luís de Sousa e Falar
Verdade a Mentir

051 | 003 Simon Scarrow
As Garras da Águia

052 | 002 Juliette Benzoni
O Rei do Mercado (O Segredo
de Estado – II)

053 | 001 Sun Tzu
A Arte da Guerra

054 | 001 Tami Hoag
Antecedentes Perigosos

055 | 001 Patricia Macdonald
Imperdoável

056 | 001 Fernando Pessoa
A Mensagem

057 | 001 Danielle Steel
Estrela

058 | 006 Nora Roberts
Coração do Mar

059 | 001 Janet Wallach
Seraglio

060 | 007 Nora Roberts
A Chave da Luz

061 | 001 Osho
Meditação

062 | 001 Cesário Verde
O Livro de Cesário Verde

063 | 003 Daniel Silva
Morte em Viena

064 | 001 Paulo Coelho
O Alquimista

065 | 002 Paulo Coelho
Veronika Decide Morrer

066 | 001 Anne Bishop
A Filha do Sangue

067 | 001 Robert Harris
Pompeia

068 | 001 Lawrence C. Katz
e Manning Rubin
Mantenha o Seu Cérebro Activo

069 | 003 Juliette Benzoni
O Prisioneiro da Máscara de
Veludo (O Segredo de
Estado – III)

070 | 001 Louise L. Hay
Pode Curar a Sua Vida

071 | 008 Nora Roberts
A Chave do Saber

072 | 001 Arthur Conan Doyle
As Aventuras de Sherlock
Holmes

073 | 004 Danielle Steel
O Preço da Felicidade

074 | 004 Dan Brown
A Conspiração

075 | 001 Oscar Wilde
O Retrato de Dorian Gray

076 | 002 Maria Helena Ventura
Onde Vais Isabel?

077 | 002 Anne Bishop
Herdeira das Sombras

078 | 001 Ildefonso Falcones
A Catedral do Mar

079 | 002 Mario Puzo
O Último dos Padrinhos

080 | 001 Júlio Verne
A Volta ao Mundo em 80 Dias

081 | 001 Jed Rubenfeld
A Interpretação do Crime

082 | 001 Gerard de Villiers
A Revolução dos Cravos de Sangue

083 | 001 H. P. Lovecraft
Nas Montanhas da Loucura

084 | 001 Lewis Carroll
Alice no País das Maravilhas

085 | 001 Ken Follett
O Homem de Sampetersburgo

086 | 001 Eckhart Tole
O Poder do Agora

087 | 009 Nora Roberts
A Chave da Coragem

088 | 001 Julie Powell
Julie & Julia

089 | 001 Margaret George
A Paixão de Maria Madalena – Vol. I

090 | 003 Anne Bishop
Rainha das Trevas

091 | 004 Daniel Silva
O Criado Secreto

092 | 005 Danielle Steel
Uma Vez na Vida

093 | 003 Eça de Queirós
A Cidade e as Serras

094 | 005 Juliet Marillier
O Espelho Negro (As Crónicas de Bridei – I)

095 | 003 Guillaume Musso
Estarás Aí?

096 | 002 Margaret George
A Paixão de Maria Madalena – Vol. II

097 | 001 Richard Doetsch
O Ladrão do Céu

098 | 001 Steven Saylor
Sangue Romano

099 | 002 Tami Hoag
Prazer de Matar

100 | 001 Mark Twain
As Aventuras de Tom Sawyer

101 | 002 Almeida Garrett
Viagens na Minha Terra

102 | 001 Elizabeth Berg
Quando Estiveres Triste, Sonha

103 | 001 James Runcie
O Segredo do Chocolate

104 | 001 Pauk J. Mcauley
A Invenção de Leonardo

105 | 003 Mary Higgins Clark
Duas Meninas Vestidas de Azul

106 | 003 Mario Puzo
O Siciliano

107 | 002 Júlio Verne
Viagem ao Centro da Terra

108 | 010 Nora Roberts
A Dália Azul

109 | 001 Amanda Smyth
Onde Crescem Limas não Nascem Laranjas

110 | 002 Osho
O Livro da Cura – Da Medicação à Meditação

111 | 006 Danielle Steel
Um Longo Caminho para Casa

112 | 005 Daniel Silva
O Assassino Inglês

113 | 001 Guillermo Cabrera Infante
A Ninfa Inconstante

114 | 006 Juliet Marillier
A Espada de Fortriu

115 | 001 Vários Autores
Histórias de Fantasmas

116 | 011 Nora Roberts
A Rosa Negra

117 | 002 Stephen King
Turno da Noite

118 | 003 Maria Helena Ventura
A Musa de Camões

119 | 001 William M. Valtos
A Mão de Rasputine

120 | 002 Gérard de Villiers
Angola a Ferro e Fogo

121 | 001 Jill Mansell
A Felicidade Mora ao Lado

122 | 003 Paulo Coelho
O Demónio e a Senhorita Prym

123 | 004 Paulo Coelho
O Diário de Um Mago

124 | 001 Brad Thor
O Último Patriota

125 | 002 Arthur Conan Doyle
O Cão dos Baskervilles

126 | 003 Bill Bryson
Breve História de Quase Tudo

127 | 001 Bill Napier
O Segredo da Cruz de Cristo

128 | 002 Clive Cussler
Cidade Perdida

129 | 001 Paolo Giordano
A Solidão dos Números Primos

130 | 012 Nora Roberts
O Lírio Vermelho

131 | 001 Thomas Swan
O Falsificador de Da Vinci

132 | 001 Margaret Doody
O Enigma de Aristóteles

133 | 007 Juliet Marillier
O Poço das Sombras

134 | 001 Mário de Sá-Carneiro
A Confissão de Lúcio

135 | 001 Colleen McCullough
A Casa dos Anjos

136 | 013 Nora Roberts
Herança de Fogo

137 | 003 Arthur Conan Doyle
Um Estudo em Vermelho

138 | 004 Guillaume Musso
Porque te Amo

139 | 002 Ken Follett
A Chave para Rebecca

140 | 002 Maeve Binchy
De Alma e Coração

141 | 002 J. R. Lankford
Cristo Clonado

142 | 002 Steven Saylor
A Casa das Vestais

143 | 002 Elizabeth Gilbert
Filha do Mar

144 | 001 Federico Moccia
Quero-te Muito

145 | 003 Júlio Verne
Vinte Mil Léguas Submarinas

146 | 014 Nora Roberts
Herança de Gelo

147 | 002 Marc Levy
Voltar a Encontrar-te

148 | 002 Tess Gerritsen
O Cirurgião

149 | 001 Alexandre Herculano
Eurico, o Presbítero

150 | 001 Raul Brandão
Húmus

151 | 001 Jenny Downham
Antes de Eu Morrer

152 | 002 Patricia MacDonald
Um Estranho em Casa

153 | 001 Eça de Queirós
e Ramalho Ortigão
O Mistério da Estrada de Sintra

154 | 003 Osho
Alegria – A Felicidade Interior

155 | 015 Nora Roberts
Herança da Vergonha

156 | 006 Daniel Silva
A Marca do Assassino

157 | 002 Camilo Castelo Branco
A Queda dum Anjo

158 | 007 Danielle Steel
Jogos de Sedução

59 | 001 Florbela Espanca
Sonetos

60 | 002 Margaret Doody
A Justiça de Aristóteles

61 | 003 Tess Gerritsen
A Pecadora

62 | 003 Ken Follett
O Vale dos Cinco Leões

63 | 004 Júlio Verne
Da Terra à Lua

64 | 001 F. Scott Fitzgerald
O Grande Gatsby

65 | 002 Federico Moccia
Três Metros Acima do Céu

66 | 001 Aquilino Ribeiro
O Malhadinhas

67 | 004 Osho
Liberdade – A Coragem de Ser Você Mesmo

168 | 007 Daniel Silva
A Mensageira

169 | 005 Guillaume Musso
Volto para Te Levar

170 | 001 Niccolò Ammaniti
Como Deus Manda

171 | 005 Júlio Verne
À Volta da Lua

172 | 001 Alberto Caeiro
Poemas

173 | 004 Tess Gerritsen
Duplo Crime

174 | 005 Osho
Inteligência – A Resposta Criativa

175 | 001 Rider Haggard
As Minas de Salomão

176 | 001 Inês Botelho
A Filha dos Mundos (O Cetro de Aerzis – 1)

Outros títulos na coleção

«Uma escrita policial frenética.»
Harlan Coben

TESS GERRITSEN

O CIRURGIÃO

«Absolutamente aterradores»
Michael Palmer

TESS GERRITSEN

O APRENDIZ

«Um policial de cortar a respiração.»
Donna Leon

TESS GERRITSEN

A PECADORA

«Um thriller de alta voltagem.»
Daily Mirror

MICHAEL ROBOTHAM

O SUSPEITO